ÉTONNANTS • CLASSIQUES

ZOLA

Thérèse Raquin

Présentation, notes et dossier par
THIERRY CORBEAU,
professeur de lettres

Cahier photos par
ÉLISE SULTAN,
professeur de lettres

Flammarion

De Zola
dans la collection « Étonnants Classiques »

Comment on meurt
Germinal
Jacques Damour, in *Trois Nouvelles naturalistes* (Zola, Huysmans, Maupassant)
Thérèse Raquin

© Éditions Flammarion, 2008.
Édition revue, 2012.
ISBN : 978-2-0812-8582-8
ISSN : 1269-8822

SOMMAIRE

■ **Présentation**. 5

L'entrée en littérature : *Thérèse Raquin*   5
Un roman réaliste à visée scientifique   8
Une construction dramatique   14
Un roman policier   18
Un récit fantastique et fantasmatique   20
L'inspiration picturale   24

■ **Chronologie** 27

Thérèse Raquin

Chapitre I   51

Chapitre II   57

Chapitre III   63

Chapitre IV   68

Chapitre V   73

Chapitre VI   79

Chapitre VII   83

Chapitre VIII   91

Chapitre IX   96

Chapitre X   103
Chapitre XI   106
Chapitre XII   120
Chapitre XIII   126
Chapitre XIV   134
Chapitre XV   137
Chapitre XVI   139
Chapitre XVII   146
Chapitre XVIII   154
Chapitre XIX   159
Chapitre XX   169
Chapitre XXI   174
Chapitre XXII   186
Chapitre XXIII   193
Chapitre XXIV   196
Chapitre XXV   204
Chapitre XXVI   212
Chapitre XXVII   221
Chapitre XXVIII   226
Chapitre XXIX   234
Chapitre XXX   242
Chapitre XXXI   251
Chapitre XXXII   262

■ Dossier. 269

L'entrée en littérature :
Thérèse Raquin

En 1867, au moment de la parution de *Thérèse Raquin*, Zola n'a que vingt-sept ans. Sa notoriété n'est pas celle qu'on connaît aujourd'hui. Il n'a pas encore composé la grande fresque des *Rougon-Macquart* (1871-1893), vingt romans retraçant l'« histoire naturelle et sociale d'une famille sous le second Empire », qui feront de lui un homme riche et le consacreront chef de file du naturalisme.

Zola passe son enfance à Aix-en-Provence, auprès de sa mère, veuve et accablée de dettes. Il gagne Paris pour y achever ses études, sans parvenir à obtenir son baccalauréat. Après quelques années de misère, au cours desquelles il multiplie les gagne-pain alimentaires et fréquente les milieux désargentés du quartier Latin – qui mêle prostituées et artistes bohèmes –, il intègre en 1862 la librairie Hachette, haut lieu de l'édition. Mais, confiant dans son talent, Zola entend bien réussir de sa propre plume. Il fait ses premiers pas dans le journalisme, rédigeant de nombreux articles de critique, qu'il réunit, dès 1866, sous le titre *Mes haines*. Il se consacre aussi aux genres littéraires dits « nobles » – le théâtre et la poésie, qu'il pratique depuis l'âge de seize ans – et s'essaie au conte et à la nouvelle, très en vogue à l'époque, notamment avec ses *Contes à Ninon* (1864). En bon autodidacte, il complète sa formation intellectuelle par des lectures nombreuses et variées

(Molière pour le théâtre ; Chénier, Musset, Lamartine, Hugo pour la poésie ; Sue, Dumas, Féval pour la littérature populaire). Il marque sa préférence pour les romans de Flaubert (*Madame Bovary*) et des frères Goncourt, qu'il défend vivement dans ses articles. Il s'intéresse à la critique contemporaine – représentée par Taine –, aux découvertes de la science – dont Claude Bernard est l'une des voix importantes –, et prend position en faveur de la peinture de ses contemporains, comme celle de Cézanne, dont il a été le condisciple au collège d'Aix, de Manet et de Courbet.

Thérèse Raquin, qui paraît en 1866, constitue un tournant dans la carrière de Zola : par sa longueur et par son épaisseur romanesque, cette œuvre l'intronise romancier ; en outre, elle se présente comme une sorte d'application des principes esthétiques qu'il revendique. Le récit est le fruit de la lecture fortuite d'un roman publié en feuilleton dans *Le Figaro* en 1866, *La Vénus de Gordes*, écrit par Adolphe Belot et Ernst Daudet, lui-même inspiré d'un fait divers qui se produisit à Gordes, dans le Vaucluse : le meurtre d'un mari gênant par l'amant de sa femme. À la recherche d'une intrigue, Zola s'empare de ce sujet et rédige un premier texte, une nouvelle ironiquement intitulée « Un mariage d'amour ». Elle définit déjà quelques épisodes, comme l'assassinat par noyade, la visite à la Morgue, la nuit de noces ratée, et trace les grandes lignes de l'évolution des personnages, sans présenter toutefois de véritable ampleur : le cadre est allusif, les personnages sont réduits au trio fondamental – mari/femme/amant – et leur analyse est seulement esquissée [1]. Le texte est publié dans *Le Figaro* du 24 décembre. Convaincu qu'il tient une histoire particulièrement riche, Zola décide de la retravailler et, en moins d'un an, il achève son roman *Thérèse Raquin*.

Lorsque l'œuvre paraît, elle est accueillie avec un succès de scandale. Certes, des contemporains de Zola comme Sainte-Beuve

---

1. Le texte de la nouvelle est reproduit dans le dossier, p. 270.

et Taine, même s'ils ne la jugent pas sans défauts, l'apprécient et en félicitent l'auteur dans le cadre d'une correspondance privée, mais nombre de critiques, dont le célèbre Ferragus[1], journaliste réputé du *Figaro*, ne voient dans le roman qu'une « flaque de boue et de sang[2] », autrement dit un récit « brutal », « qui fait appel aux curiosités les plus chirurgicales », « qui groupe les pestiférés pour en faire admirer les marbrures ». Zola répond par voie de presse, puis, lors de la deuxième édition, par la rédaction d'une préface qui fait office de manifeste défendant la démarche scientifique et la recherche du vrai contre le bon goût et la morale[3]. Ces coups d'éclat n'empêchent pas le roman d'être six fois réédité au XIXe siècle, y compris dans des éditions illustrées, telle celle de Castelli en 1883. Au XXe siècle, le succès ne se dément pas : c'est la première œuvre de Zola qui paraît en édition de poche, en 1953. La critique universitaire consacrée à *Thérèse Raquin* témoigne de l'importance de ce texte, de même que ses nombreuses transpositions, sur scène et à l'écran. Zola a lui-même ouvert cette voie en proposant une version théâtrale de son récit ; ce drame fut joué pour la première fois au théâtre de la Renaissance, en 1873[4], avant d'être représenté en Europe (Espagne, Portugal, Angleterre, Italie) et aux États-Unis. Une campagne fut menée, vainement, en 1927 pour l'inscription de la pièce au répertoire de la Comédie-Française. Depuis, l'œuvre a fait l'objet de nouvelles adaptations théâtrales – comme celle de Philippe Faure, en 1992 – mais aussi filmiques – la version cinématographique la plus célèbre est celle de Marcel Carné (1953) avec Simone Signoret dans le rôle de Thérèse, Ralph

---

1. Pseudonyme que le journaliste, poète et romancier Louis Ulbach (1822-1889) a pris en hommage au personnage balzacien de l'*Histoire des Treize*. Il apparaît comme un défenseur d'une littérature honnête et morale.
2. Expression tirée de l'article paru dans *Le Figaro* du 23 janvier 1868. Ce texte est présenté sous la forme d'un large extrait dans le dossier, p. 275.
3. Voir p. 43.
4. Voir dossier, p. 280.

Vallone dans celui de Laurent et Sylvie, remarquable, dans celui de Mme Raquin. Plus récemment, l'opéra en deux actes de Tobias Picker, représenté à l'Opéra de Dallas, dans une scénographie de Francesca Zambello le 30 novembre 2001, est entré dans le répertoire international.

Assurément, *Thérèse Raquin* est une œuvre de premier plan, qui doit largement son succès à son originalité.

Un roman réaliste à visée scientifique

« Peindre les hommes et la nature dans leur vérité »

Dès ses premières pages, le roman convoque un univers balzacien, à la fois par le choix du lieu – une rue de Paris peu connue – et par la technique de description employée, presque cinématographique, passant du plan d'ensemble au plan moyen, selon un travelling avant qui guide le spectateur de l'extérieur – le passage du Pont-Neuf – vers l'intérieur – la boutique de Mme Raquin –, et suivant un mouvement latéralisé gauche/droite. Au moment où il compose *Thérèse Raquin*, Zola ne cache pas son admiration pour l'auteur de *La Comédie humaine*, le revendiquant comme modèle et réclamant sa caution posthume : « Si j'avais demandé à Balzac de me définir le roman, il m'aurait certainement répondu : "Le roman [...] a pour but, à l'aide d'une action vraisemblable, de peindre les hommes et la nature dans leur vérité" », écrit-il dans *Deux Définitions du roman* (1866). Dans cette phrase se trouve affirmée l'esthétique moderne, telle que l'ont développée, par exemple, un proche de Zola, Duranty, dans sa revue *Le Réalisme*, dès 1856, mais aussi Zola lui-même dans nombre d'articles [1]. De fait, l'intrigue de *Thérèse Raquin* s'inspire de la réalité, puisqu'elle est tirée d'un fait divers et se trouve profondément ancrée dans un cadre réaliste : Paris, avant les transformations du baron Haussmann, et sa banlieue. Zola mentionne quelques monuments ou lieux de la capitale : « le Jardin des Plantes », « Notre-Dame », « l'Institut », « le Port-aux-Vins », ou encore les « fortifications », « les Tuileries » et « la Morgue », dont l'intérieur est décrit avec précision au chapitre XIII. S'il évoque ponctuellement Saint-Ouen et ses guinguettes (chapitre XI), Zola se concentre principalement sur un quartier de Paris, l'actuel VIe arrondissement, où il a vécu et dont il connaît bien la topographie, en particulier celle du passage du Pont-Neuf, « au bout de la rue Guénégaud, lorsqu'on vient des quais », « sorte de corridor étroit et sombre qui va de la rue Mazarine à la rue de Seine » (p. 51), ou celle de l'environnement de l'ancienne place Saint-Michel (la « rue Monsieur-le-Prince », la « rue de la Harpe », la « rue Saint-André-des-Arts », p. 253).

Par ailleurs, *Thérèse Raquin* présente un enracinement très fort dans la réalité sociale de son époque dont le roman offre une large palette : Mme Raquin illustre le milieu du petit commerce, sans envergure ni avenir – dont Zola se souviendra dans *Au Bonheur des dames* (1883) ; Olivier Michaud, « commis principal dans le bureau de la police d'ordre et de sûreté » (p. 70), mais aussi Camille et Grivet, dont la vie monotone est soumise aux lois de la hiérarchie et rythmée par les promotions internes gagnées par l'ancienneté, figurent le monde petit-bourgeois des fonctionnaires, sujet privilégié des disciples de Zola – Maupassant et Huysmans [2] ; le père

1. Quelques-uns d'entre eux sont réunis dans l'anthologie d'Éléonore Roy-Reverzy, *Réalisme et naturalisme* (GF-Flammarion, coll. « Étonnants Classiques », 2002).
2. Ainsi, Huysmans l'évoque dans « La Retraite de M. Bougran », nouvelle parue en 1888 (reproduite dans Zola, Huysmans, Maupassant, *Trois Nouvelles naturalistes*, GF-Flammarion, coll. « Étonnants Classiques », 2004), et Maupassant dans .../...

de Laurent est représentatif d'une paysannerie qui espère s'élever socialement à travers une progéniture accédant à la scolarité – il a « mis [son fils] au collège, rêvant de trouver plus tard en [lui] un avocat qui lui gagnerait toutes ses causes » (p. 75) ; enfin, Laurent tient au monde de la bohème artistique, dont la peinture est parfois proche du cliché mais que Zola connaît bien pour l'avoir fréquenté.

Disséquer l'homme et le monde selon une méthode expérimentale

Ce parti pris réaliste ne doit pas occulter la dimension scientifique de l'œuvre, Zola concevant le romancier moderne comme l'« anatomiste de l'âme et de la chair ». Il est celui qui « dissèque l'homme, étudie le jeu des passions, interroge chaque fibre, fait l'analyse de l'organisme entier. Comme le chirurgien, il n'a ni honte ni répugnance, lorsqu'il fouille les plaies humaines. Il n'a souci que de vérité, et étale devant nous le cadavre de notre cœur. Les sciences modernes lui ont donné pour instrument l'analyse et la méthode expérimentale » (*Deux Définitions du roman*, 1866). C'est en médecin, en analyste procédant de manière rigoureuse, selon un protocole expérimental, que Zola envisage son travail de création. Transposant dans le domaine littéraire des méthodes proprement scientifiques de compréhension et d'interprétation de l'homme et du monde, il applique, dès 1866, aux arts et aux lettres le mot « naturalisme » – qui, depuis le XVIIe siècle, désigne l'étude rationnelle de la nature –, et il en fait son mot d'ordre.

Les développements de l'époque dans divers domaines de la connaissance – la physiologie, la physique, la psychiatrie, etc. – sont propices à cette inflexion du champ littéraire dans son

---

.../... « La Parure », récit paru en 1884 (voir *La Parure et autres scènes de la vie parisienne*, GF-Flammarion, coll. « Étonnants Classiques », 2001).

ensemble. Comme le note Henri Mitterand, « une convergence de curiosités » unit savants vulgarisateurs, essayistes, critiques et romanciers[1]. Dans *Thérèse Raquin*, Zola, s'il se moque des lectures de Camille qui relèvent du souci de paraître plus que d'une réelle sensibilité aux textes, cite néanmoins le nom de Buffon et son *Histoire naturelle* (p. 67), véritable somme du savoir de l'époque dans le domaine des sciences naturelles (trente-six volumes parus du vivant de l'auteur, de 1749 à 1788). L'épisode de la Morgue traduit également l'intérêt de Zola pour les sciences naturelles ; l'écrivain, fidèle à sa volonté de donner à voir, sans crainte de choquer les bienséances, tous les aspects de l'homme, y compris les plus triviaux, les plus laids et les plus noirs, scrute les corps tuméfiés, gonflés, meurtris qui s'y exposent. Par ailleurs, l'écho des théories de Darwin (*De l'origine des espèces*, 1859, traduction française en 1862) qui établissent un lien étroit entre la trans-formation des espèces vivantes et les milieux dans lesquels elles évoluent est perceptible dans *Thérèse Raquin*. Zola souligne l'in-fluence de l'environnement sur les personnages, notamment sur Thérèse, qui retrouve vigueur et vitalité au contact de la nature mais dépérit dans la sombre boutique du passage du Pont-Neuf ; plus globalement, la grisaille, la saleté, l'exiguïté des lieux imprè-gnent les personnages eux-mêmes, aux instincts vils et aux pen-sées obscures et étroites, au point qu'ils constituent avec leur milieu un ensemble uniforme. Loin de se contenter de souligner l'intérêt qu'il porte aux sciences, Zola construit son œuvre en véri-table scientifique. Pour cela, il reprend la doctrine des tempéra-ments, héritée de l'Antiquité.

Selon Hippocrate, médecin grec (v. 460-377 av. J.-C.), le corps humain se compose de quatre humeurs que sont le sang, la bile, l'atrabile et la lymphe. À ces humeurs selon leur prédominance chez l'individu, ont été associés des tempéraments : le sanguin,

---

1. Henri Mitterand, préface de *Thérèse Raquin*, GF-Flammarion, 1970, p. 18.

le nerveux, le lymphatique et le colérique. Conformément à son époque, Zola s'intéresse surtout aux deux premiers, même si l'on peut reconnaître à travers Mme Raquin et son fils des natures lymphatiques. L'auteur dessine avec Thérèse un « personnag[e] souverainement domin[é] par [ses] nerfs » (p. 44) – en témoignent sa fragilité lors de l'assassinat de Camille (p. 118) et son ardeur lors de ses ébats avec Laurent (p. 84). Avec Laurent, il esquisse un individu sanguin, véritable « bête humaine », à la fois puissant, borné et sensuel : « grand, fort, le visage frais », le « front bas, planté d'une rude chevelure noire, [les] joues pleines, [les] lèvres rouges, [la] face régulière, d'une beauté sanguine », le « cou [...] large et court, gras et puissant », avec de grosses mains dont le poing fermé pourrait « assommer un bœuf », des « mouvements lents et précis », un « air tranquille et entêté » (p. 74). Le tempérament de la jeune femme est renforcé par des prédispositions naturelles : « Tous ses instincts de femme nerveuse éclatèrent avec une violence inouïe ; le sang de sa mère, ce sang qui brûlait ses veines, se mit à couler, à battre furieusement dans son corps maigre, presque vierge encore » (p. 85). Zola superpose alors aux lois du tempérament celles de l'hérédité, systématiquement exploitées dans *Les Rougon-Macquart* et défendues, entre autres, par Darwin. En mettant en présence deux tempéraments, Zola cherche, comme il l'indique dans sa préface, à « expliquer l'union étrange qui peut se produire entre [eux] », à « montr[er] les troubles profonds d'une nature sanguine au contact d'une nature nerveuse » (p. 45). Aussi apparaît-il comme un démiurge manipulateur, ou, plus exactement, un savant expérimentateur. Il part d'un sujet – une femme inassouvie – et le met en contact avec ce qui peut être considéré comme un réactif ou un révélateur – Laurent, la brute sanguine. Il souligne l'interaction des tempéraments mis en présence. Laurent subit une sorte de métamorphose, quelque fugace qu'elle soit, au contact de Thérèse : « Laurent qui, auparavant, jouissait de la vie plus par le sang que par les nerfs, eut des sens moins grossiers. Une existence nerveuse, poignante et nouvelle pour lui, lui fut brusquement révélée, aux premiers baisers de sa maîtresse. Cette existence décupla ses voluptés, donna un caractère si aigu à ses joies, qu'il en fut d'abord comme affolé ; il s'abandonna éperdument à ces crises d'ivresse que jamais son sang ne lui avait procurées. Alors eut lieu en lui un étrange travail ; les nerfs se développèrent, l'emportèrent sur l'élément sanguin, et ce fait seul modifia sa nature. Il perdit son calme, sa lourdeur, il ne vécut plus une vie endormie. Un moment arriva où les nerfs et le sang se tinrent en équilibre ; ce fut là un moment de jouissance profonde, d'existence parfaite. Puis les nerfs dominèrent, et il tomba dans les angoisses qui secouent les corps et les esprits détraqués » (p. 187). De la mise en relation des personnages, découlent les rapports charnels, mais aussi le meurtre, qui génère une dégradation des comportements et des relations entre les personnages, amenant elle-même le double suicide. Par conséquent, le processus expérimental nourrit la trame logique du roman : dans les chapitres XXVI à XXVIII, la révélation du crime entraîne la paralysie de Mme Raquin, mais provoque aussi son désir de dénoncer les criminels (chapitre XXVII), qui implique une nouvelle réaction du couple sous la forme d'une haine mutuelle (chapitre XXVIII).

Ainsi le roman est-il « doublement "expérimental" : expérience d'une étude nouvelle des comportements humains, et expérience d'une logique romanesque inédite dans sa manière et dans ses formes [1] ». En privilégiant les tempéraments, et non les caractères [2], l'auteur compose une œuvre qui rompt avec le roman d'analyse psychologique tel qu'il s'est développé en France

---

1. Henri Mitterand, préface de *Thérèse Raquin*, *op. cit.*, p. 22.
2. « Dans *Thérèse Raquin*, j'ai voulu étudier des tempéraments et non des caractères. Là est le livre entier. J'ai choisi des personnages souverainement dominés par leurs nerfs et leur sang, dépourvus de libre arbitre, entraînés à chaque acte de leur vie par les fatalités de leur chair. Thérèse et Laurent sont des brutes humaines, rien de plus », écrit Zola dans sa préface, p. 44.

après *La Princesse de Clèves* de Mme de Lafayette. Plus largement, il prend ses distances avec toute la tradition du roman classique puisque son texte bafoue les deux règles fondamentales de cette littérature : plaire et éduquer en transmettant un message moral. Il semble aussi aller plus loin que le roman réaliste dans l'exploration du monde : l'œuvre n'offre pas le simple reflet de celui-ci mais en dégage le sens.

Une construction dramatique

« D'un amour de "*brutes*" au crime, du crime à l'effroi, de l'effroi à la souffrance, puis à la haine, puis au suicide, ce sont [...] les six temps d'un drame dont les personnages sont poussés avec une parfaite régularité vers la déchéance et vers la mort, dans un mouvement déclenché quasi mécaniquement par le heurt des tempéraments entre eux, et des tempéraments avec les milieux » : c'est ainsi qu'Henri Mitterand[1] résume la progression constante de l'intrigue de *Thérèse Raquin* vers son dénouement inéluctable, à la manière d'une tragédie. Le rapprochement avec une pièce de théâtre n'est pas incongru. L'œuvre s'y prête en effet, et l'on sait que Zola l'a transposée pour la scène en 1873. Telle une pièce en trois actes, le roman s'articule autour de trois grandes parties, composées approximativement du même nombre de chapitres : le meurtre de Camille (chapitres I à X), les noces de Thérèse et Laurent (chapitres XI à XXI) et leur suicide (chapitres XXII à XXXII). Si l'on file la comparaison, le premier « acte » de l'œuvre commence par deux chapitres qui font office de prologue en offrant un retour en arrière ; il se poursuit par deux chapitres qui ont valeur de scène

---

1. Henri Mitterand, préface de *Thérèse Raquin, op. cit.*, p. 24.

d'exposition et présentent les principaux protagonistes du drame à venir, puis par une première péripétie – l'irruption de Laurent dans la vie de Thérèse (chapitres v à viii) – qui permet à l'action de se nouer avec la mort de Camille (chapitres ix à xi). Le deuxième tableau, ou deuxième acte, s'organise autour de deux nouvelles péripéties : la recherche, puis la découverte de Camille à la Morgue (chapitre xiii), et la mise en scène du mariage (chapitres xvi à xx), aboutissant à la nuit de noces (chapitre xxi). Enfin, en troisième lieu (chapitres xxii à xxxii), intervient le dénouement, la « catastrophe » au sens originel, c'est-à-dire la dernière partie d'une tragédie, celle qui apporte le bouleversement décisif et signifie la fin de la pièce : ce tableau s'ouvre sur le déséquilibre des nouveaux époux (chapitres xxii à xxv), se prolonge par la menace que représente Mme Raquin (chapitres xxvi et xxvii) et s'achève par le double suicide (chapitres xxviii à xxxii). Par la régularité de sa construction, le roman encourait le risque de la monotonie et de l'ennui. Mais, par sa maîtrise du récit, Zola échappe à cet écueil.

Jouant sur le rythme, il alterne les chapitres d'analyse et les chapitres d'action, les chapitres de narration et les chapitres dialogués. À cet égard, les chapitres ix et xxi – respectivement celui dans lequel les deux amants envisagent le meurtre de Camille et celui de leur nuit de noces – sont particulièrement intéressants. Dans ces chapitres essentiellement dialogués, les passages narratifs s'apparentent à des didascalies, plantant le décor ou indiquant le jeu des protagonistes (« [Thérèse] retomba sur la chaise basse, frémissante, le front entre les mains. Laurent resta stupide. Il abaissa le menton, il regarda vaguement », p. 181). Aux pages descriptives qui servent à installer l'intrigue et à baliser sa progression, succèdent des épisodes de crise dans lesquels la tension dramatique est portée à son paroxysme (l'assassinat de Camille, chapitre xi ; la visite à la Morgue, chapitre xiii ; la nuit de noces, chapitre xxi ; la tentative de dénonciation de Mme Raquin, chapitre xxvii ; le suicide de Thérèse et Laurent, chapitre xxxii). Zola parvient ainsi à créer et à maintenir le suspens à chaque étape de son texte. Certaines sont très intenses, nourries par un ensemble d'éléments propres à éprouver le lecteur. Dans la scène du meurtre de Camille, le cadre de l'action se trouve déréalisé (« Les grandes masses rougeâtres devenaient sombres ; tout le paysage se simplifiait dans le crépuscule ; la Seine, le ciel, les îles, les coteaux n'étaient plus que des taches brunes et grises qui s'effaçaient au milieu d'un brouillard laiteux », p. 117) ; les temps du crime sont clairement dessinés – installation dans la barque, mise à exécution du plan, lutte, sauvetage feint de Thérèse –, martelés par un rythme binaire (« Alors Laurent se leva et prit Camille à bras-le-corps » ; « Laurent serra plus fort, donna une secousse », p. 117) qui accentue le suspens d'une scène dont l'issue fatale est d'emblée connue du lecteur ; les attitudes des personnages évoquent un jeu mélodramatique (Camille est partagé entre incompréhension, épouvante et révolte, Thérèse sombre dans une crise de nerfs, Laurent, même angoissé, est animé par sa détermination) ; l'ensemble de l'épisode est structuré par des effets de contraste opposant la victime à ses bourreaux (force de Laurent/ faiblesse de Camille, silence de Thérèse/cris de son époux) ; enfin, l'ironie tragique ponctue le drame et implique le lecteur, complice des assassins dont il connaît les desseins et témoin effrayé de l'ignorance de Camille (« Fichtre ! que c'est froid ! s'écria-t-il. Il ne ferait pas bon de piquer une tête dans ce bouillon-là », « Ah ! non, tu me chatouilles, dit-il, pas de ces plaisanteries-là... Voyons, finis ; tu vas me faire tomber », p. 117). Réveillant des peurs ancestrales – le meurtre et l'anthropophagie (avec la morsure au cou) –, la scène revêt une dimension quasi mythique : la barque rappelle celle de Charon [1] sur le fleuve des Enfers, Laurent hissant Camille

---

1. *Charon* : dans la mythologie grecque et romaine, personnage qui permet aux âmes des morts de traverser le fleuve Achéron et d'entrer au royaume d'Hadès (Enfers).

au-dessus de lui évoque Hercule soulevant Antée [1] (« Il le tenait en l'air, ainsi qu'un enfant, au bout de ses bras vigoureux », p. 118), et Camille s'en prenant à son meurtrier fait penser à Déméter dévorant l'épaule de Pélops [2].

En outre, pour resserrer son drame, Zola n'hésite pas à le concentrer dans un espace très limité : quelques rues dans un quartier, voire une maison. Sur les trente-deux chapitres que compte le roman, vingt-neuf se déroulent, en partie ou intégralement, dans la boutique et l'appartement des Raquin. Cet espace tend même à se réduire, car, si l'on observe des va-et-vient entre le rez-de-chaussée et le premier étage dans les premiers chapitres (chapitres I, IV, V, VI...), les déplacements s'amenuisent à la fin du récit ; les personnages s'établissent alors dans une pièce (la chambre de Thérèse et de Laurent, chapitres XXIX et XXX ; la salle à manger, chapitre XXXII). Trois chapitres offrent un cadre extérieur (le chapitre II, qui évoque la vie à Vernon ; le chapitre XI, consacré à la partie de campagne à Saint-Ouen ; et le chapitre XIII, où sont relatées les différentes visites de Laurent à la Morgue), qui pourrait constituer un espace de fuite, mais ces endroits n'offrent que des impasses : Vernon, associé aux idées de liberté et de plaisir brut pour Thérèse, appartient définitivement au passé, comme une sorte d'Éden perdu ; Saint-Ouen, lieu de plaisance, se métamorphose en scène de crime et annonce l'épisode de la Morgue, par le jeu de regards entre l'agresseur et l'agressé (« Laurent serra plus fort, donna une secousse. Camille se tourna et vit la figure effrayante de son ami, toute convulsionnée », p. 117, « Le

---

1. Dans la mythologie grecque, *Antée* est un géant monstrueux qui puise sa force dans le sol. Obligé de le combattre, *Hercule* parvient à le tuer en le soulevant de terre et en l'étouffant.
2. Dans la mythologie grecque, le roi de Lydie Tantale, pour éprouver la clairvoyance des divinités de l'Olympe, coupa en morceaux son fils *Pélops*, le fit cuire et l'offrit sous forme de ragoût aux dieux. Ceux-ci repoussèrent le plat, identifiant la chair humaine, à l'exception de *Déméter*, qui mangea une épaule du jeune homme.

lendemain, comme il entrait à la Morgue, il reçut un coup violent dans la poitrine : en face de lui, sur une dalle, Camille le regardait, étendu sur le dos, la tête levée, les yeux entrouverts », p. 133). Définitivement clos, l'espace n'offre aucune échappatoire aux personnages, comme dans les tragédies de Racine [1].

Scientifique et expérimental, le roman ne renonce pas aux ressorts du drame – en témoigne sa structure –, ni même aux effets dramatiques – tension, suspens et rythme haletant. Bien plus, œuvre composite, *Thérèse Raquin* emprunte à des genres en vogue à l'époque de Zola : le récit policier et le récit fantastique.

Un roman policier

Dans la seconde moitié du XIXᵉ siècle, la littérature policière est en plein essor : d'une part l'urbanisation grandissante s'accompagne d'une augmentation de la criminalité qui inspire les écrivains ; d'autre part le développement de la presse permet à ces derniers, qui y publient leurs récits en feuilleton, de diffuser largement leurs textes. Soucieux d'offrir au lecteur des tranches de vie réalistes, les auteurs s'accommodent parfaitement de la proximité de leurs écrits avec les rubriques des faits divers et s'emploient à satisfaire un public avide de sensations fortes. Zola, qui a rédigé près de deux mille articles pour *Le Sémaphore de Marseille*, souligne ce goût du pathétique et du macabre lorsqu'il relate la mort de Camille : « Le lendemain, les journaux racontèrent l'accident avec un grand luxe de détails ; la malheureuse mère, la veuve inconsolable, l'ami noble et courageux, rien ne manquait à ce fait divers, qui fit le tour de la presse parisienne et qui alla ensuite s'enterrer dans les feuilles des départements » (p. 124). L'influence

---

1. À ce sujet, voir Roland Barthes, *Sur Racine*, Seuil, coll. « Points », 1963, chapitre I.

de la littérature policière dans *Thérèse Raquin* ne doit pas nous surprendre, dans la mesure où Zola s'est largement imprégné des romans-feuilletons de Féval et de Sue avant d'écrire son roman. Avec ce texte, il raconte l'histoire d'un crime, plus spécifiquement d'un crime parfait, puisque les meurtriers ne sont jamais inquiétés. Toutefois, dénué de grandeur, le meurtre apparaît comme dépassionné, seulement motivé par des considérations triviales. C'est parce que Laurent ne peut quitter son emploi pendant ses heures de travail que les deux amants envisagent de se débarrasser de Camille. Bien plus, l'homicide révèle toute sa monstruosité lorsque Laurent imagine les avantages matériels qu'il pourrait en tirer (p. 101).

Prennent part à cette histoire tous les protagonistes traditionnels des romans policiers. Tout d'abord, les meurtriers et leur victime, qui forment le triangle classique mari/femme/amant, et offrent le mobile du crime, l'adultère. Ensuite, les témoins : le premier, Mme Raquin, à la fois *mater dolorosa* quand elle apprend la mort de son fils et incarnation de Némésis [1], mère vengeresse qui veut être l'instrument (le « doigt », au sens propre comme au sens figuré) de la justice quand elle découvre l'horreur du crime et tente de le révéler aux invités du jeudi (p. 223-224) ; le second, plus inattendu, le chat François, spectateur gênant des ébats de Thérèse et Laurent et, comme tel, supprimé par l'assassin. Enfin, les policiers – Olivier et son père –, traités avec ironie par Zola. Par manque de discernement, ils font expédier l'enquête et, par excès de sollicitude, ils retardent et, par conséquent, empêchent la révélation de Mme Raquin, à bout de forces. Leurs seuls moments de lucidité sont ceux où ils assument leur incompétence (« Et l'on ne sait pas tout... Que de crimes restent inconnus ! que d'assassins échappent à la justice des hommes ! », p. 104, « Mon cher mon-

---

1. Némésis : divinité primordiale grecque personnifiant la vengeance des dieux contre la démesure.

sieur, répondit-il de sa voix cassante, si on ne les arrête pas, c'est qu'on ignore qu'ils ont assassiné », p. 105).

En dernier lieu, le cadre de l'action, urbain, sombre et tortueux, est digne des plus grands romans policiers. Propice au crime, il est aussi mortifère, comparable à une tombe, comme le souligne le champ lexical de la mort dans le chapitre initial : « À gauche, se creusent des boutiques obscures, basses, écrasées, laissant échapper des souffles froids de caveau » (p. 52) ; « on dirait une galerie souterraine vaguement éclairée par trois lampes funéraires » (p. 53). Véritable « coupe-gorge », selon les mots de Zola (p. 53), le passage du Pont-Neuf semble prédisposé au meurtre ; quant à la boutique des Raquin, elle s'apparente à un piège, dans lequel les personnages sont enfermés et dont ils ne peuvent s'échapper (la « muraille », p. 52, évoque cette idée, de même que le chapitre XXI, où Thérèse et Laurent, s'ils semblent se perdre dans un dédale de rues, se retrouvent toujours à leur point de départ : la boutique).

Non content de livrer un récit ténébreux et violent, Zola confère à son œuvre une dimension fantastique – autre genre en vogue au XIXe siècle –, voire fantasmatique.

Un récit fantastique et fantasmatique

Assurément, *Thérèse Raquin* s'inscrit dans la tradition déjà ancienne des histoires de revenants. La nuit de noces (chapitre XXI) en livre les ingrédients : univers clos – la chambre –, cadre nocturne, présence de personnages qui appartiennent au monde connu, champ lexical de la terreur et, surtout, surgissement de l'inexplicable, de l'extraordinaire dans un monde réel – le mort, toujours vivant. En effet, le portrait de Camille accroché au mur de la chambre des jeunes mariés paraît soudain s'animer et laisser place à un être fantomatique : « [Laurent] ne pouvait s'empêcher, par instants, de jeter un coup d'œil du côté de la toile ; alors, au fond de l'ombre, il apercevait toujours les regards ternes et morts du noyé. La pensée que Camille était là, dans un coin, le guettant, assistant à sa nuit de noces, les examinant, Thérèse et lui, acheva de rendre Laurent fou de terreur et de désespoir. [...] Comme il se trouvait devant la cheminée, il entendit une sorte de grattement. Il pâlit, il s'imagina que ce grattement venait du portrait, que le bruit avait lieu à la petite porte donnant sur l'escalier. Il regarda Thérèse que la peur reprenait. [...] Ils se réfugièrent au fond de la chambre, s'attendant à voir la porte s'ouvrir brusquement en laissant tomber sur le carreau le cadavre de Camille. Le bruit continuant plus sec, plus irrégulier, ils pensèrent que leur victime écorchait le bois avec ses ongles pour entrer. Pendant près de cinq minutes, ils n'osèrent bouger » (p. 183-184). Le fantastique gagne le récit dès lors que le lecteur hésite [1] entre deux possibilités qui s'offrent à lui : l'explication rationnelle du « phénomène » – le bruit provoqué par une présence « réelle », celle du chat François – ou l'acceptation de son caractère surnaturel – la manifestation du mort. Dans la même perspective, François revêt un caractère inquiétant, voire diabolique, puisque Laurent le considère comme une réincarnation de Camille (p. 184).

Cependant, envisageant les hallucinations de Thérèse et de Laurent, Zola ne se contente pas d'explorer les caractéristiques du récit fantastique ; il précède et annonce les analyses que Maupassant livrera sur la folie [2]. On retrouve ici les préoccupations d'ordre scientifique de Zola. Au chapitre XVII, évoquant Laurent, il présente au lecteur un personnage menacé dans son

---

1. Voir Tzvetan Todorov, *Introduction à la littérature fantastique*, Seuil, coll. « Points », 1970.
2. Consulter, à ce propos l'édition de Maupassant, *Le Horla et autres contes fantastiques*, par Marie-Louise Astre, GF-Flammarion, coll. « Étonnants Classiques ».

intégrité : « À un moment, il lui sembla que sa couche était étrangement secouée ; il s'imagina que Camille se trouvait caché sous le lit, et que c'était lui qui le remuait ainsi, pour le faire tomber et le mordre. Hagard, les cheveux dressés sur la tête, il se cramponna à son matelas, croyant que les secousses devenaient de plus en plus violentes » (p. 150). Aliéné, ombre de lui-même, le personnage est littéralement dépossédé de son moi et ne vit qu'à travers sa psychose (voir chapitre XVIII, p. 156-157).

De la même manière, Zola souligne les rapprochements qui existent entre amour et mort, préfigurant les explorations psychanalytiques du sujet. La mise en relation des deux notions, *Éros* et *Thanatos*, présente dans la littérature occidentale depuis le Moyen Âge [1], n'a rien d'original. La singularité du roman réside dans sa représentation de l'amour – qui n'a rien de magnifique et relève plutôt de l'instinct et de la pulsion bestiale – et dans l'omniprésence de la corrélation des deux principes (amour et mort, sexualité et violence), ainsi portée à son paroxysme : le premier rapport charnel de Thérèse et Laurent est particulièrement brutal (chapitre VI) ; la promenade sur le fleuve conjugue complicité adultérine et assassinat (chapitre XI) ; la nuit de noces, consacrée à la consommation du mariage, est aussi celle de l'apparition du cadavre de Camille (chapitre XXI) ; le double suicide anéantit définitivement le couple criminel (chapitre XXXII). Plus largement, d'un bout à l'autre du récit, Zola déploie cet imaginaire fantasmatique qu'enrichissent un certain nombre de motifs, tous dotés d'une puissante charge symbolique. Ainsi en est-il du cou, partie

---

1. En effet, la mise en relation des deux notions n'est pas originale, dans la mesure où « l'amour heureux n'a pas d'histoire dans la littérature occidentale. La grande trouvaille des poètes de l'Europe, ce qui les distingue avant tout dans la littérature mondiale [...] : connaître à travers la douleur [...] l'amour-passion à la fois partagé et combattu, anxieux d'un bonheur qu'il repousse, magnifié dans sa catastrophe, l'amour réciproque malheureux », écrit Denis de Rougemont, *L'Amour et l'Occident*, Plon, coll. « 10/ 18 », 1972, p. 55.

anatomique qui mobilise l'attention de l'auteur. Dans un premier temps, il permet de bien différencier les tempéraments des deux personnages masculins : au cou puissant de Laurent s'oppose le cou chétif de Camille (« son cou maigre, ridé, au milieu duquel le nœud de la gorge, saillant et d'un rouge brique, remontait à chaque ronflement », p. 111). Ensuite, il prend un caractère érotique, devenant objet de désir lors des ébats de Thérèse et de Laurent (« Parfois elle passait ses bras au cou de Laurent, elle se traînait sur sa poitrine », p. 86, « La jeune femme s'arrêtait, essuyant ses lèvres humides sur le cou de Laurent », p. 87). Puis, au moment du meurtre de Camille, il acquiert une dimension quasi mythique, renvoyant à des scènes originelles d'anthropophagie (« les dents de celui-ci lui emportèrent un morceau de chair », p. 118). Enfin, le cou de Laurent, qui porte les traces de la morsure de Camille, devient objet de répulsion pour la jeune femme (p. 181). Il n'est pas innocent, dans ces conditions, que le roman s'achève quasiment par l'évocation de ce motif, à la fois associé à *Éros* et à *Thanatos* (« La bouche de la jeune femme alla heurter, sur le cou de son mari, la cicatrice qu'avaient laissée les dents de Camille », p. 266). De la même façon, on relève que les yeux disent autant le désir (comme lorsque Thérèse admire Laurent au chapitre v, dans une sorte d'extase : « Elle n'avait jamais vu un homme. Laurent, grand, fort, le visage frais, l'étonnait. Elle contemplait avec une sorte d'admiration son front bas, planté d'une rude chevelure noire, ses joues pleines, ses lèvres rouges, sa face régulière, d'une beauté sanguine », p. 74) que l'horreur (ainsi en est-il du regard de Camille quand il se débat sur la barque, p. 118) et la haine (lors de la scène de dénonciation avortée, chapitre xxvii). Trois autres motifs complètent cette composition : le feu, la terre et l'eau. Le premier est aussi bien lié au désir passionnel (« On eût dit que sa figure venait de s'éclairer en dedans, que des flammes s'échappaient de sa chair », p. 84) qu'aux forces infernales (« elle se serait jetée dans la flamme, si elle eût pensé que la flamme purifiât sa chair et la délivrât de ses maux », p. 194). Le champ lexical du tombeau, déjà signalé, renvoie aux forces chtoniennes (c'est-à-dire de la terre) maléfiques ; enfin, l'eau est indissociable de la mort : lieu du crime, au chapitre XI, elle évoque, d'une façon générale, le cadre vicié de l'action (il est « pavé de dalles jaunâtres, usées, descellées, suant toujours une humidité âcre », p. 51 ; « Toutes les teintes avaient tourné au gris sale, dans cette armoire que la poussière et l'humidité pourrissaient », p. 54) et s'assimile, en dernier lieu (chapitre XXXII), à un poison, à travers le verre d'eau sucrée.

Fantasmatique, le roman emprunte aussi à la peinture, s'inspirant non seulement de ses techniques mais aussi de ses œuvres, pour livrer toute sa puissance évocatrice.

L'inspiration picturale

Zola a fréquenté le milieu artistique de son époque ; il n'est pas indifférent à la peinture qui imprègne son roman de double manière : à travers la figure du peintre Laurent et, plus subtilement, dans les procédés d'écriture de l'auteur.

La peinture joue un rôle essentiel dans *Thérèse Raquin* : d'une part, elle sert à caractériser le personnage de Laurent, qui se considère comme un peintre et qui cherche à mener la vie de bohème censée accompagner son activité. D'autre part, elle joue un rôle primordial dans l'intrigue : la peinture est d'abord le prétexte dont use Laurent pour fréquenter assidûment les Raquin, puisqu'il entreprend le portrait de Camille. Le tableau devient ensuite le symbole de la relation qu'entretiennent Laurent, Camille et Thérèse : l'œuvre achevée, en donnant à celui qu'elle représente « la face verdâtre d'un noyé » (p. 82), annonce l'assassinat de Camille, tandis que, lors de la nuit de noces de Laurent et Thérèse, la toile, qui semble s'animer et qui perturbe les jeunes mariés au point qu'ils ne peuvent la décrocher, annonce la victoire de Camille sur ses assassins. Enfin, au moment où le génie artistique de Laurent se révèle, ses peintures deviennent des images de son inconscient et du refoulement obsessionnel de son crime.

La peinture n'influence pas le roman du seul point de vue thématique ; elle s'immisce dans l'écriture même de Zola. En effet, dès les cinq premiers paragraphes de son roman, l'auteur se révèle attentif aux couleurs du tableau qu'il compose à la manière d'un Rembrandt, mais aussi d'un Courbet, jouant sur le clair-obscur, atténuant sa palette de demi-teintes dont témoignent l'emploi du suffixe -âtre (« dalles jaunâtres », « clarté blanchâtre », « reflets verdâtres »), mais aussi de formules comme « noir de crasse », « étalages gris », « horrible couleur brune », « lit de velours bleu », « muraille [...] noire ». Quelques couleurs vives, comme le rouge, symbole de l'érotisme, du sang et de la mort, vivifient l'ensemble (les lettres de Thérèse Raquin « en caractères rouges », p. 54 ; les « lèvres rouges de Laurent », p. 74 ; la cicatrice « toute rouge » du meurtrier, p. 153 et 170). À d'autres endroits du texte, Zola compose même de réels tableaux, autant d'hommages adressés aux peintres qu'il vénère. Ainsi, dans le chapitre XI, lors de la partie de campagne, il esquisse un cadre qui rappelle étrangement *Le Déjeuner sur l'herbe* (1862) de Manet[1] : « Les troncs se dressaient droits, innombrables, comme des faisceaux de colonnettes gothiques ; les branches descendaient jusque sur le front des promeneurs, qui avaient ainsi pour tout horizon la voûte cuivrée des feuillages mourants et les fûts blancs et noirs des trembles et des chênes. Ils étaient au désert, dans un trou mélancolique, dans une étroite clairière silencieuse et fraîche » (p. 109). La posture de Thérèse n'est pas sans évoquer celle des *Demoiselles au bord de la Seine* (1856) de Courbet : « Thérèse, avec un grand bruit de jupes froissées, venait de se jeter sur les feuilles ; elle disparais-

---

1. Voir p. 40.

sait à moitié au milieu des plis de sa robe qui se relevait autour d'elle, en découvrant une de ses jambes jusqu'au genou » (p. 109). Au chapitre XIII, la description de la fascination de Laurent pour le corps d'une jeune femme exposé à la Morgue rappelle l'*Olympia* de Manet (1863)[1], à la fois par la posture de la jeune femme et par le détail de la marque qu'elle porte au cou, transposition du ruban de velours du tableau (« Il vit, une fois, une jeune femme de vingt ans, une fille du peuple, large et forte, qui semblait dormir sur la pierre ; son corps frais et gras blanchissait avec des douceurs de teinte d'une grande délicatesse ; elle souriait à demi, la tête un peu penchée, et tendait la poitrine d'une façon provocante ; on aurait dit une courtisane vautrée, si elle n'avait eu au cou une raie noire qui lui mettait comme un collier d'ombre ; c'était une fille qui venait de se pendre par désespoir d'amour », p. 130-131).

En offrant une place importante à la peinture dans son texte, Zola réussit à conjuguer deux domaines esthétiques (pictural et littéraire) qui lui sont chers. Il témoigne aussi son soutien à la nouvelle école, établissant un lien entre cette peinture et sa propre démarche artistique dans la représentation du monde.

« Une œuvre d'art est un coin de la création vu à travers un tempérament », écrit Zola dans *Mes haines*, en 1866. Dans cette définition, fameuse, de l'œuvre d'art, l'auteur énonce la règle de toute fiction naturaliste : l'œuvre littéraire doit non seulement rendre compte de la réalité du monde mais aussi, à la différence de la démarche scientifique, exprimer la personnalité de son auteur. Avec *Thérèse Raquin*, Zola illustre cette approche, nous livrant une œuvre composite et personnelle, qui porte en germe tous les ressorts et l'esthétique de sa grande œuvre à venir : *Les Rougon-Macquart*.

---

1. Voir p. 40.

CHRONOLOGIE

1840 1902
1840 1902

- Repères historiques et culturels
- Vie et œuvre de l'auteur

Repères historiques et culturels

1843   Balzac, *Illusions perdues*.

1848   22, 23 et 24 février : insurrection qui aboutit à l'abdication de Louis-Philippe et met fin à la monarchie de Juillet, remplacée par la IIe République. Le neveu de Napoléon Ier, Louis-Napoléon Bonaparte, est élu président de la République.

1849   Courbet, *Un enterrement à Ornans*.

1850   Mort de Balzac.

1851-1852   En 1851, coup d'État de Louis-Napoléon Bonaparte. Un an plus tard, il se fait couronner empereur et s'attribue le nom de Napoléon III. Début du second Empire.

1853   Hugo, *Les Châtiments*. Taine, *Essai sur La Fontaine*.

1855   Nerval, *Aurélia*. Courbet, *L'Atelier du peintre*.

1856   Fondation de la revue *Le Réalisme* par Duranty. Hugo, *Les Contemplations*.

1857   Publication des *Fleurs du mal* de Baudelaire et parution de *Madame Bovary* de Flaubert ; toutes deux sont suivies d'un procès. Flaubert est acquitté ; Baudelaire, lui, est contraint de supprimer certaines pièces de son recueil.

1859   Millet, *L'Angélus*. Darwin, *De l'origine des espèces au moyen de la sélection naturelle* (trad. française, 1862).

Vie et œuvre de l'auteur

1840   Naissance d'Émile Zola, à Paris. Il est le fils de François Zola, ingénieur d'origine italienne, et d'Émilie Aubert, d'origine modeste.

1843   La famille s'installe à Aix-en-Provence, où elle mène une vie aisée. François Zola est chargé de construire un canal destiné à alimenter la ville en eau pendant toute l'année.

1847   Mort de François Zola, qui s'est beaucoup endetté pour réaliser son projet de canal. Mme Zola et son fils se retrouvent dans une situation financière difficile.

1852   Zola entre au collège. Il y fait la connaissance de Paul Cézanne, le futur peintre, avec qui il se lie d'amitié.
Il fréquente l'école de dessin d'Aix.

1856   Entrée en troisième, section sciences. Zola découvre Hugo, Musset et Lamartine, et rédige ses premiers poèmes et essais dramatiques.

1858   Installation de Mme Zola et de son fils à Paris. Émile entre au lycée Saint-Louis. Il s'adapte mal à la vie parisienne et délaisse ses études.

1859   Zola échoue au baccalauréat et abandonne ses études, mais continue à écrire des vers.

Repères historiques et culturels

1862   Hugo, *Les Misérables*.
Parution des *Causeries du lundi* de Sainte-Beuve, recueil
d'articles littéraires écrits entre 1851 et 1862. Manet,
Le Déjeuner sur l'herbe.

1863   Flaubert, *Salammbô*. Manet, *Olympia*.

1863- Littré, *Dictionnaire de la langue française*.
1872

1865   Publication de l'un des premiers romans naturalistes,
Germinie Lacerteux, des frères Goncourt.
Claude Bernard, *Introduction à l'étude de la médecine
expérimentale*.

1866   Verlaine, *Poèmes saturniens*.

1868   Manet, *Portrait de M. Émile Zola*.

Vie et œuvre de l'auteur

1861 En qualité de fils unique de veuve, Zola est dispensé du service militaire. Il vit à Paris, avec une prostituée, et retrouve Cézanne.

1862 Zola est employé à la librairie Hachette, où il devient chef de la publicité. Il retourne vivre avec sa mère et entreprend la rédaction de contes.

1863 Il écrit ses premiers articles de critique littéraire.

1864 Chez Hachette, Zola entre en relation avec Sainte-Beuve, Duranty, Littré et Taine.
Il rencontre Gabrielle Alexandrine Meley, qui devient sa maîtresse.
Publication des *Contes à Ninon*.

1865 *La Confession de Claude*, premier roman, d'inspiration autobiographique.
Zola se met en ménage avec Alexandrine Meley et multiplie les articles dans la presse, où il prend ouvertement parti pour les frères Goncourt.

1866 Zola quitte la maison Hachette pour se consacrer à l'écriture; il continue de collaborer à des journaux. Il fréquente beaucoup Manet et ses amis, mais aussi Duranty et la nouvelle génération d'écrivains.
Mes haines, premier recueil d'études critiques publié par Zola.

1867 Parution de *Thérèse Raquin*. Manet fait le portrait de Zola qui sera exposé au Salon de 1868.

1868 Forte polémique entre Zola et le critique Ulbach (qui écrit sous le pseudonyme Ferragus) autour de *Thérèse Raquin*.
Pour se défendre des attaques qu'il reçoit, Zola rédige une préface qu'il adjoint à la deuxième édition de son texte.
Il publie *Madeleine Férat,* roman. Zola prépare le cycle des *Rougon-Macquart* [1].

---

1. Nous signalons par *RM* les romans de la série *Les Rougon-Maquart*.

Repères historiques et culturels

1869   Baudelaire, *Petits Poèmes en prose* (*Le Spleen de Paris*).
Lautréamont, *Les Chants de Maldoror*.
Flaubert, *L'Éducation sentimentale*.

1870   Guerre franco-allemande.
2 décembre : défaite française à Sedan et destitution
de Napoléon III.
4 septembre : proclamation de la IIIe République (1870-
1940).
19-20 septembre : Paris est encerclé par les Allemands.
Cézanne, *Déjeuner sur l'herbe*.
Parution des *Nouveaux lundis* de Sainte-Beuve, recueil
d'articles littéraires écrits entre 1863 et 1870.

1871   28-29 janvier : signature de l'armistice. Développement de
forces révolutionnaires opposées à la capitulation et mise en
place d'une Commune insurrectionnelle, en mars. En mai,
Thiers, chef de l'exécutif, décide de reconquérir la capitale
(«semaine sanglante»). Les derniers communards tombent
le 27 mai.

1873   Chute de Thiers. Mac-Mahon est élu président de la
République.
Rimbaud, *Une saison en enfer*.

1874   Monet, *Impression, soleil levant* (toile considérée comme
le premier tableau impressionniste).
Barbey d'Aurevilly, *Les Diaboliques*.

1875   Bizet, *Carmen*.
Renoir, *Le Bal au moulin de la Galette*.

Vie et œuvre de l'auteur

1869 Zola se lie avec Flaubert et Paul Alexis. Son projet d'écrire une grande fresque romanesque est accepté par l'éditeur Lacroix. Début de la rédaction de *La Fortune des Rougon*, premier roman de la série qui paraît dans la presse, en feuilleton, dès 1870, puis en volume en 1871.

1870 Zola épouse Alexandrine et s'installe à Marseille.

1871 La publication de *La Curée* est interrompue par décision de justice.

1872 Parution de *La Curée* en volume (*RM*). Zola modifie son projet initial : le cycle des *Rougon-Macquart* ne comptera pas dix mais dix-sept volumes.

1873 *Le Ventre de Paris* (*RM*).
Adaptation de *Thérèse Raquin* au théâtre, sous la forme d'un drame en quatre actes, représenté au théâtre de la Renaissance. C'est un échec, même si la création suscite l'intérêt des journalistes.

1874 Zola rencontre Mallarmé.
Il publie *La Conquête de Plassans* (*RM*), et les *Nouveaux Contes à Ninon*. Sa pièce *Les Héritiers Rabourdin* est un échec.

1875 *La Faute de l'abbé Mouret* (*RM*).

1876 *Son Excellence Eugène Rougon* (*RM*).

Repères historiques et culturels

1877   Manet, *Nana*.

1879   Mac-Mahon démissionne. Jules Grévy est élu président
de la République.

1880   Adoption de l'amnistie pour les communards.
Mort de Duranty et de Flaubert.
Rodin, *Le Penseur*.

1881   Lois sur les libertés de la presse et de réunion.

1882   Lois Jules Ferry, sur l'obligation, la laïcité et la gratuité
de l'enseignement primaire.
Brunetière, *Le Roman naturaliste*.

1883   Mort de Manet. Maupassant, *Une vie*.

1884   Lois sur les libertés syndicales.
Huysmans, *À rebours*

Vie et œuvre de l'auteur

1877   *Naïs Micoulin* (nouvelle). *L'Assommoir* (*RM*) connaît
un succès de scandale.

1878   Achat d'une maison à Médan, en région parisienne, grâce
au succès de *L'Assommoir*. Zola y recevra souvent ses amis :
Huysmans, Alexis, Céard, Maupassant, Hennique, entre autres.
Il partage sa vie entre Médan et Paris.
Nantas (nouvelle). *Une page d'amour* (*RM*), précédé de l'arbre
généalogique des Rougon-Macquart.

1879   *La Mort d'Olivier Bécaille* (nouvelle).
Succès de la version théâtrale de *L'Assommoir*, drame en cinq
actes, joué au Théâtre-Ambigu.

1880   Mort de la mère de Zola, qui affecte profondément l'écrivain.
Parution de *Jacques Damour* (nouvelle), *Le Roman
expérimental* (recueil d'articles théoriques sur le naturalisme)
et *Nana* (*RM*).
Échec de *Renée*, pièce en cinq actes, tirée de *La Curée*.
Publication des *Soirées de Médan*, recueil collectif autour
de la guerre de 1870, composé de six nouvelles : «L'Attaque
du moulin» de Zola, «Boule de Suif» de Maupassant, «Sac
au dos» de Huysmans, «La Saignée» de Céard, «L'Affaire
du grand 7» de Hennique et «Après la bataille» d'Alexis.

1881   Zola est élu conseiller municipal de Médan. Publication
de recueils d'articles théoriques : *Le Naturalisme au théâtre*,
Nos auteurs dramatiques, *Les Romanciers naturalistes* et
Documents littéraires.

1882   *Pot-Bouille* (*RM*).

1883   Publication d'un recueil de nouvelles, *Naïs Micoulin*, et du
roman *Au Bonheur des dames* (*RM*).

1884   *La Joie de vivre* (*RM*).

Repères historiques et culturels

1885   Maupassant, *Bel-Ami*.
Sadi Carnot succède à Jules Grévy à la présidence
de la République.

1887   Mallarmé, *Poésies*.

1889   Exposition universelle à Paris : inauguration de la tour Eiffel.

1890   Renan, *L'Avenir de la science*.

1893   Mort de Maupassant.

1894   Sadi Carnot est assassiné. Casimir-Perier devient président
de la République.
Condamnation du capitaine Dreyfus à la déportation
perpétuelle.

1896   Mort de Verlaine. Alfred Jarry, *Ubu-Roi*.

Vie et œuvre de l'auteur

1885   *Germinal* (*RM*).

1886   *L'Œuvre* (*RM*).

1887   *La Terre* (*RM*). Publication du «Manifeste des Cinq» qui attaque le roman de Zola et dont les signataires sont de jeunes romanciers naturalistes proches d'Edmond de Goncourt et de Daudet.

1888   Échec de la version théâtrale de *Germinal*, pièce en cinq actes. Zola est fait chevalier de la Légion d'honneur. Il rencontre une jeune lingère, Jeanne Rozerot, qui devient sa maîtresse et avec qui il aura deux enfants.
Le Rêve (*RM*).

1890   *La Bête humaine* (*RM*).

1891   Zola est élu comme membre, puis président à la Société des gens de lettres.
Création de l'adaptation théâtrale du *Rêve* (drame lyrique), qui est un succès.
L'Argent (*RM*).

1892   *La Débâcle* (*RM*).

1893   *Le Docteur Pascal* (*RM*, dernier volume).
Zola est fait officier de la Légion d'honneur. Il prend ses distances avec les anciens des soirées de Médan.

1894   Zola entame un nouveau cycle romanesque, *Les Trois Villes* : *Lourdes*.

1895   Il est de nouveau président de la Société des gens de lettres.

1896   Parution de *Rome*, deuxième volume des *Trois Villes*. Zola est sensibilisé à l'affaire Dreyfus : publication de l'article «Pour les Juifs» dans *Le Figaro*.

Repères historiques et culturels

1897   Edmond Rostand, *Cyrano de Bergerac*.

1899   Révision du procès Dreyfus : nouvelle condamnation.
            Dreyfus ne sera réhabilité et réintégré dans l'armée qu'en
            1906.

1900   Exposition universelle à Paris.

1901   Colette, *Claudine à l'école*.

1902   Gide, *L'Immoraliste*.

Vie et œuvre de l'auteur

1897   Début de l'engagement réel de Zola en faveur du capitaine Dreyfus. Parution de «Lettre à la jeunesse».

1898   Zola écrit une lettre au président de la République, «J'accuse», dans le journal *L'Aurore* (janvier). Jugé et condamné pour diffamation, il est rayé des cadres de la Légion d'honneur et s'exile en Angleterre. Parution de *Paris*, dernière des *Trois Villes*.

1899   Zola rentre à Paris, le procès de Dreyfus devant être révisé. Début du cycle (inachevé) des *Quatre Évangiles* : *Fécondité*.

1900   Acquittement de Zola, qui rencontre pour la première fois Dreyfus.

1901   Parution de *La Vérité en marche*, recueil des articles concernant l'affaire Dreyfus, et de *Travail*, deuxième volume des *Quatre Évangiles*.

1902   28 septembre : Zola meurt asphyxié dans son appartement parisien. La mort est-elle accidentelle ou est-elle le fruit d'un acte de malveillance d'un antidreyfusard (le conduit de cheminée aurait été bouché, provoquant l'asphyxie) ?

1908   Transfert des cendres de Zola au Panthéon.

■ Édouard Manet, *Le Déjeuner sur l'herbe* (1862). Paris, musée d'Orsay.

■ Édouard Manet, *Olympia* (1863). Paris, musée d'Orsay.

Thérèse Raquin

Préface de la deuxième édition

J'avais naïvement cru que ce roman pouvait se passer de préface. Ayant l'habitude de dire tout haut ma pensée, d'appuyer
même sur les moindres détails de ce que j'écris, j'espérais être
compris et jugé sans explication préalable. Il paraît que je me
5 suis trompé.

La critique a accueilli ce livre d'une voix brutale et indignée[1].
Certaines gens vertueux, dans des journaux non moins vertueux,
ont fait une grimace de dégoût, en le prenant avec des pincettes
pour le jeter au feu. Les petites feuilles[2] littéraires elles-mêmes, ces
10 petites feuilles qui donnent chaque soir la gazette des alcôves[3] et
des cabinets[4] particuliers, se sont bouché le nez en parlant d'or-
dure et de puanteur. Je ne me plains nullement de cet accueil ; au
contraire, je suis charmé de constater que mes confrères ont des
nerfs sensibles de jeune fille. Il est bien évident que mon œuvre

---

1. Référence, entre autres, à l'article de Louis Ulbach, «La littérature putride»
(voir présentation, p. 7, et dossier, p. 275).
2. *Feuilles* : journaux.
3. *Alcôves* : au sens propre, enfoncements ménagés dans une chambre ; lieux
des rapports amoureux.
4. *Cabinets* : pièces à l'écart.

15 appartient à mes juges, et qu'ils peuvent la trouver nauséabonde
sans que j'aie le droit de réclamer. Ce dont je me plains, c'est que
pas un des pudiques journalistes qui ont rougi en lisant *Thérèse
Raquin* ne me paraît avoir compris ce roman. S'ils l'avaient compris, peut-être auraient-ils rougi davantage, mais au moins je goû-
20 terais à cette heure l'intime satisfaction de les voir écœurés à juste
titre. Rien n'est plus irritant que d'entendre d'honnêtes écrivains
crier à la dépravation, lorsqu'on est intimement persuadé qu'ils
crient cela sans savoir à propos de quoi ils le crient.

Donc il faut que je présente moi-même mon œuvre à mes
25 juges. Je le ferai en quelques lignes, uniquement pour éviter à
l'avenir tout malentendu.

Dans *Thérèse Raquin*, j'ai voulu étudier des tempéraments[1]
et non des caractères. Là est le livre entier. J'ai choisi des personnages souverainement dominés par leurs nerfs et leur sang,
30 dépourvus de libre arbitre, entraînés à chaque acte de leur vie
par les fatalités de leur chair. Thérèse et Laurent sont des brutes
humaines, rien de plus. J'ai cherché à suivre pas à pas dans ces
brutes le travail sourd des passions, les poussées de l'instinct, les
détraquements cérébraux survenus à la suite d'une crise nerveuse.
35 Les amours de mes deux héros sont le contentement d'un besoin ;
le meurtre qu'ils commettent est une conséquence de leur adultère, conséquence qu'ils acceptent comme les loups acceptent
l'assassinat des moutons ; enfin, ce que j'ai été obligé d'appeler
leurs remords, consiste en un simple désordre organique, et une
40 rébellion du système nerveux tendu à se rompre. L'âme est parfaitement absente, j'en conviens aisément, puisque je l'ai voulu
ainsi.

On commence, j'espère, à comprendre que mon but a été
un but scientifique avant tout. Lorsque mes deux personnages,
45 Thérèse et Laurent, ont été créés, je me suis plu à me poser et à

---

1. *Tempéraments* : terme essentiel de l'esthétique de Zola (voir présentation, p. 11).

résoudre certains problèmes : ainsi, j'ai tenté d'expliquer l'union étrange qui peut se produire entre deux tempéraments diffé-rents, j'ai montré les troubles profonds d'une nature sanguine au contact d'une nature nerveuse. Qu'on lise le roman avec soin, on
50 verra que chaque chapitre est l'étude d'un cas curieux de physio-logie[1]. En un mot, je n'ai eu qu'un désir : étant donné un homme puissant[2] et une femme inassouvie[3], chercher en eux la bête, ne voir même que la bête, les jeter dans un drame violent, et noter scrupuleusement les sensations et les actes de ces êtres. J'ai sim-
55 plement fait sur deux corps vivants le travail analytique que les chirurgiens font sur des cadavres.

Avouez qu'il est dur, quand on sort d'un pareil travail, tout entier encore aux graves jouissances de la recherche du vrai, d'en-tendre des gens vous accuser d'avoir eu pour unique but la pein-
60 ture de tableaux obscènes. Je me suis trouvé dans le cas de ces peintres qui copient des nudités, sans qu'un seul désir les effleure, et qui restent profondément surpris lorsqu'un critique se déclare scandalisé par les chairs vivantes de leur œuvre. Tant que j'ai écrit *Thérèse Raquin*, j'ai oublié le monde, je me suis perdu dans la
65 copie exacte et minutieuse de la vie, me donnant tout entier à l'analyse du mécanisme humain, et je vous assure que les amours cruelles de Thérèse et de Laurent n'avaient pour moi rien d'immo-ral, rien qui puisse pousser aux passions mauvaises. L'humanité des modèles disparaissait comme elle disparaît aux yeux de l'artiste
70 qui a une femme nue vautrée devant lui, et qui songe uniquement à mettre cette femme sur sa toile dans la vérité de ses formes et de ses colorations. Aussi ma surprise a-t-elle été grande quand j'ai entendu traiter mon œuvre de flaque de boue et de sang[4], d'égout,

---

1. *Physiologie* : science qui fait partie de la biologie et qui traite des fonc-tions des organes dans les êtres vivants, végétaux et animaux.
2. *Puissant* : imposant, vigoureux.
3. *Inassouvie* : dont les envies sexuelles n'ont pas été contentées.
4. *Flaque de boue et de sang* : l'expression se trouve dans l'article de Louis d'Ulbach (voir présentation, p. 7, et dossier, p. 275).

d'immondice, que sais-je ? Je connais le joli jeu de la critique,
75 je l'ai joué moi-même[1] ; mais j'avoue que l'ensemble de l'attaque m'a un peu déconcerté. Quoi ! il ne s'est pas trouvé un seul
de mes confrères pour expliquer mon livre, sinon pour le défendre ! Parmi le concert de voix qui criaient : « L'auteur de *Thérèse
Raquin* est un misérable hystérique qui se plaît à étaler des porno-
80 graphies[2] », j'ai vainement attendu une voix qui répondît : « Eh !
non, cet écrivain est un simple analyste[3], qui a pu s'oublier dans
la pourriture humaine, mais qui s'y est oublié comme un médecin
s'oublie dans un amphithéâtre[4]. »

Remarquez que je ne demande nullement la sympathie de
85 la presse pour une œuvre qui répugne, dit-elle, à ses sens délicats. Je n'ai point tant d'ambition. Je m'étonne seulement que
mes confrères aient fait de moi une sorte d'égoutier[5] littéraire,
eux dont les yeux exercés devraient reconnaître en dix pages les
intentions d'un romancier, et je me contente de les supplier hum-
90 blement de vouloir bien à l'avenir me voir tel que je suis et me
discuter pour ce que je suis.

Il était facile, cependant, de comprendre *Thérèse Raquin*, de
se placer sur le terrain de l'observation et de l'analyse, de me
montrer mes fautes véritables, sans aller ramasser une poignée de
95 boue et me la jeter à la face au nom de la morale. Cela demandait
un peu d'intelligence et quelques idées d'ensemble en vraie critique. Le reproche d'immoralité, en matière de science, ne prouve
absolument rien. Je ne sais si mon roman est immoral, j'avoue
que je ne me suis jamais inquiété de le rendre plus ou moins

---

1. *Je l'ai joué moi-même* : allusion aux articles de critique littéraire rédigés
par Zola, publiés dans la presse en 1865 et réunis en 1866 dans un recueil
intitulé *Mes haines*.
2. *Pornographies* : images obscènes.
3. *Analyste* : personne qui pratique l'analyse dans le domaine scientifique.
4. *Amphithéâtre* : ici, salle d'une faculté de médecine garnie de gradins et
réservée aux cours et travaux pratiques d'anatomie.
5. *Égoutier* : ouvrier chargé du nettoyage et de l'entretien des égouts.

100 chaste. Ce que je sais, c'est que je n'ai pas songé un instant à
y mettre les saletés qu'y découvrent les gens moraux ; c'est que
j'en ai écrit chaque scène, même les plus fiévreuses, avec la seule
curiosité du savant ; c'est que je défie mes juges d'y trouver une
page réellement licencieuse, faite pour les lecteurs de ces petits
105 livres roses, de ces indiscrétions de boudoir[1] et de coulisses[2],
qui se tirent à dix mille exemplaires et que recommandent chaudement les journaux auxquels les vérités de *Thérèse Raquin* ont
donné la nausée.

Quelques injures, beaucoup de niaiseries, voilà donc tout ce
110 que j'ai lu jusqu'à ce jour sur mon œuvre. Je le dis ici tranquillement, comme je le dirais à un ami qui me demanderait dans
l'intimité ce que je pense de l'attitude de la critique à mon égard.
Un écrivain de grand talent, auquel je me plaignais du peu de
sympathie que je rencontre, m'a répondu cette parole profonde :
115 «Vous avez un immense défaut qui vous fermera toutes les portes : vous ne pouvez causer deux minutes avec un imbécile sans
lui faire comprendre qu'il est un imbécile.» Cela doit être ; je
sens le tort que je me fais auprès de la critique en l'accusant
d'inintelligence, et je ne puis pourtant m'empêcher de témoigner
120 le dédain que j'éprouve pour son horizon borné et pour les jugements qu'elle rend à l'aveuglette, sans aucun esprit de méthode.
Je parle, bien entendu, de la critique courante, de celle qui juge
avec tous les préjugés littéraires des sots, ne pouvant se mettre
au point de vue largement humain que demande une œuvre
125 humaine pour être comprise. Jamais je n'ai vu pareille maladresse. Les quelques coups de poing que la petite critique m'a
adressés à l'occasion de *Thérèse Raquin* se sont perdus, comme
toujours, dans le vide. Elle frappe essentiellement à faux, applau-

---

1. *Boudoir* : cabinet élégant attenant à l'appartement d'une dame, où ont
lieu les rendez-vous amoureux.
2. *Coulisses* : parties d'un théâtre, sur les côtés et l'arrière d'une scène,
cachées au public par les décors. Par métonymie, monde du théâtre.

dissant les entrechats [1] d'une actrice enfarinée et criant ensuite à
130 l'immoralité à propos d'une étude physiologique, ne comprenant
rien, ne voulant rien comprendre et tapant toujours devant elle, si
sa sottise prise de panique lui dit de taper. Il est exaspérant d'être
battu pour une faute dont on n'est point coupable. Par moments,
je regrette de n'avoir pas écrit des obscénités ; il me semble que
135 je serais heureux de recevoir une bourrade méritée, au milieu de
cette grêle de coups qui tombent bêtement sur ma tête, comme
des tuiles, sans que je sache pourquoi.

Il n'y a guère, à notre époque, que deux ou trois hommes qui
puissent lire [2], comprendre et juger un livre. De ceux-là je consens
140 à recevoir des leçons, persuadé qu'ils ne parleront pas sans avoir
pénétré mes intentions et apprécié les résultats de mes efforts.
Ils se garderaient bien de prononcer les grands mots vides de
moralité et de pudeur littéraire ; ils me reconnaîtraient le droit,
en ces temps de liberté dans l'art, de choisir mes sujets où bon
145 me semble, ne me demandant que des œuvres consciencieuses,
sachant que la sottise seule nuit à la dignité des lettres. À coup
sûr, l'analyse scientifique que j'ai tenté d'appliquer dans *Thérèse
Raquin* ne les surprendrait pas ; ils y retrouveraient la méthode
moderne, l'outil d'enquête universelle dont le siècle se sert avec
150 tant de fièvre pour trouer l'avenir. Quelles que dussent être leurs
conclusions, ils admettraient mon point de départ, l'étude du
tempérament et des modifications profondes de l'organisme sous
la pression des milieux et des circonstances. Je me trouverais en
face de véritables juges, d'hommes cherchant de bonne foi la
155 vérité, sans puérilité ni fausse honte, ne croyant pas devoir se
montrer écœurés au spectacle de pièces d'anatomie nues et vivantes. L'étude sincère purifie tout, comme le feu. Certes, devant

---

1. *Entrechats* : sauts pendant lesquels le danseur croise ou entrechoque une
ou deux fois les pieds avant de retomber au sol.
2. *Deux ou trois hommes qui puissent lire* : il s'agit, sans aucun doute,
des deux critiques littéraires Taine (1828-1893) et Sainte-Beuve (1804-1869)
à qui Zola écrivit pour connaître leur avis sur *Thérèse Raquin*.

le tribunal que je me plais à rêver en ce moment, mon œuvre serait bien humble ; j'appellerais sur elle toute la sévérité des critiques, je voudrais qu'elle en sortît noire de ratures. Mais au moins j'aurais eu la joie profonde de me voir critiquer pour ce que j'ai tenté de faire, et non pour ce que je n'ai pas fait.

Il me semble que j'entends, dès maintenant, la sentence de la grande critique[1], de la critique méthodique et naturaliste qui a renouvelé les sciences, l'histoire et la littérature : «*Thérèse Raquin* est l'étude d'un cas trop exceptionnel ; le drame de la vie moderne est plus souple, moins enfermé dans l'horreur et la folie. De pareils cas se rejettent au second plan d'une œuvre. Le désir de ne rien perdre de ses observations a poussé l'auteur à mettre chaque détail en avant, ce qui a donné encore plus de tension et d'âpreté à l'ensemble. D'autre part, le style n'a pas la simplicité que demande un roman d'analyse. Il faudrait, en somme, pour que l'écrivain fît maintenant un bon roman, qu'il vît la société d'un coup d'œil plus large, qu'il la peignît sous ses aspects nombreux et variés, et surtout qu'il employât une langue nette et naturelle.»

Je voulais répondre en vingt lignes à des attaques irritantes par leur naïve mauvaise foi, et je m'aperçois que je me mets à causer avec moi-même, comme cela m'arrive toujours lorsque je garde trop longtemps une plume à la main. Je m'arrête, sachant que les lecteurs n'aiment pas cela. Si j'avais eu la volonté et le loisir d'écrire un manifeste, peut-être aurais-je essayé de défendre ce qu'un journaliste, en parlant de *Thérèse Raquin*, a nommé «la littérature putride». D'ailleurs, à quoi bon ? Le groupe d'écrivains naturalistes auquel j'ai l'honneur d'appartenir[2] a assez de cou-

---

1. *La grande critique* : Zola fait ici sans doute allusion à Taine, qui incarne alors la critique moderne et qui tente d'expliquer un écrivain par trois facteurs, le milieu, le moment et la race.
2. À l'époque, le courant naturaliste est encore réduit, puisque seuls trois auteurs – Edmond et Jules de Goncourt et Zola – s'en revendiquent. Toutefois, le groupe fait déjà parler de lui, en raison, entre autres, des prises de positions radicales de Zola en matière d'art.

185 rage et d'activité pour produire des œuvres fortes, portant en elles
    leur défense. Il faut tout le parti pris d'aveuglement d'une certaine
    critique pour forcer un romancier à faire une préface. Puisque,
    par amour de la clarté, j'ai commis la faute d'en écrire une, je
    réclame le pardon des gens d'intelligence, qui n'ont pas besoin,
190 pour voir clair, qu'on leur allume une lanterne en plein jour.

ÉMILE ZOLA,
15 avril 1868.

I

Au bout de la rue Guénégaud[1], lorsqu'on vient des quais, on trouve le passage du Pont-Neuf[2], une sorte de corridor étroit et sombre qui va de la rue Mazarine à la rue de Seine. Ce passage a trente pas[3] de long et deux de large, au plus ; il est pavé de dalles
5   jaunâtres, usées, descellées[4], suant toujours une humidité âcre[5] ; le vitrage qui le couvre, coupé à angle droit, est noir de crasse.

Par les beaux jours d'été, quand un lourd soleil brûle les rues, une clarté blanchâtre tombe des vitres sales et traîne misérablement dans le passage. Par les vilains jours d'hiver, par les mati-
10 nées de brouillard, les vitres ne jettent que de la nuit sur les dalles gluantes, de la nuit salie et ignoble.

---

1. *Rue Guénégaud*, *rue Mazarine*, *rue de Seine* : rues de l'actuel VIe arron-dissement de Paris.
2. *Passage du Pont-Neuf* : passage – c'est-à-dire galerie couverte – ouvert en 1823 sur l'emplacement de l'ancienne salle de la Comédie-Française, dite salle Guénégaud, et démoli en 1912 pour devenir l'actuelle rue Jacques-Callot.
3. *Pas* : mesure équivalant à cinq pieds, soit un 1,62 mètre. Le passage, long d'une cinquantaine de mètres, n'offre que trois mètres de large ; il est donc particulièrement étroit.
4. *Descellées* : disjointes.
5. *Âcre* : très irritant au goût et à l'odorat.

À gauche, se creusent des boutiques obscures, basses, écrasées, laissant échapper des souffles froids de caveau. Il y a là des bouquinistes, des marchands de jouets d'enfant, des cartonniers [1], dont les étalages gris de poussière dorment vaguement dans l'ombre ; les vitrines, faites de petits carreaux, moirent [2] étrangement les marchandises de reflets verdâtres ; au-delà, derrière les étalages, les boutiques pleines de ténèbres sont autant de trous lugubres dans lesquels s'agitent des formes bizarres.

À droite, sur toute la longueur du passage, s'étend une muraille contre laquelle les boutiquiers d'en face ont plaqué d'étroites armoires ; des objets sans nom, des marchandises oubliées là depuis vingt ans s'y étalent le long de minces planches peintes d'une horrible couleur brune. Une marchande de bijoux faux s'est établie dans l'une des armoires ; elle y vend des bagues de quinze sous, délicatement posées sur un lit de velours bleu, au fond d'une boîte en acajou.

Au-dessus du vitrage, la muraille monte, noire, grossièrement crépie, comme couverte d'une lèpre et toute couturée de cicatrices.

Le passage du Pont-Neuf n'est pas un lieu de promenade. On le prend pour éviter un détour, pour gagner quelques minutes. Il est traversé par un public de gens affairés dont l'unique souci est d'aller vite et droit devant eux. On y voit des apprentis en tablier de travail, des ouvrières reportant leur ouvrage, des hommes et des femmes tenant des paquets sous leur bras ; on y voit encore des vieillards se traînant dans le crépuscule morne qui tombe des vitres, et des bandes de petits enfants qui viennent là, au sortir de l'école, pour faire du tapage en courant, en tapant à coups de sabots sur les dalles. Toute la journée, c'est un bruit sec et pressé de pas sonnant sur la pierre avec une irrégularité irritante ; personne ne parle, personne ne stationne ; chacun court à ses

---

1. *Cartonniers* : fabricants ou marchands d'objets ou d'emballages en carton.
2. *Moirent* : reflètent dans une alternance d'ondulations, de zébrures mates et brillantes, comme l'étoffe appelée «moire». Tel un peintre impressionniste, Zola se montre sensible aux variations visuelles.

occupations, la tête basse, marchant rapidement, sans donner aux boutiques un seul coup d'œil. Les boutiquiers regardent d'un air inquiet les passants qui, par miracle, s'arrêtent devant leurs
45 étalages.

Le soir, trois becs de gaz[1], enfermés dans des lanternes lourdes et carrées, éclairent le passage. Ces becs de gaz, pendus au vitrage sur lequel ils jettent des taches de clarté fauve, laissent tomber autour d'eux des ronds d'une lueur pâle qui vacillent
50 et semblent disparaître par instants. Le passage prend l'aspect sinistre d'un véritable coupe-gorge[2] ; de grandes ombres s'allongent sur les dalles, des souffles humides viennent de la rue ; on dirait une galerie souterraine vaguement éclairée par trois lampes funéraires. Les marchands se contentent, pour tout éclairage, des
55 maigres rayons que les becs de gaz envoient à leurs vitrines ; ils allument seulement, dans leur boutique, une lampe munie d'un abat-jour, qu'ils posent sur un coin de leur comptoir, et les passants peuvent alors distinguer ce qu'il y a au fond de ces trous où la nuit habite pendant le jour. Sur la ligne noirâtre des devantu-
60 res, les vitres d'un cartonnier flamboient : deux lampes à schiste[3] trouent l'ombre de deux flammes jaunes. Et, de l'autre côté, une bougie, plantée au milieu d'un verre à quinquet[4], met des étoiles de lumière dans la boîte de bijoux faux. La marchande sommeille au fond de son armoire, les mains cachées sous son châle.
65 Il y a quelques années, en face de cette marchande, se trouvait une boutique dont les boiseries d'un vert bouteille suaient l'humidité par toutes leurs fentes. L'enseigne, faite d'une planche étroite

---

1. Becs de gaz : éclairages de voies publiques, réverbères.
2. Coupe-gorge : endroit écarté, où l'on court le risque d'être assassiné ou volé.
3. Lampes à schiste : lampes à huile minérale obtenue par distillation de schistes bitumineux, analogue au pétrole.
4. Verre à quinquet : sorte de lampe, à huile ou à pétrole, inventée vers 1800 par le physicien Argant, et à laquelle le fabricant Quinquet a donné son nom.

et longue, portait, en lettres noires, le mot : *Mercerie*[1], et sur
une des vitres de la porte était écrit un nom de femme : *Thérèse*
70 *Raquin*, en caractères rouges. À droite et à gauche s'enfonçaient
des vitrines profondes, tapissées de papier bleu.

Pendant le jour, le regard ne pouvait distinguer que l'étalage,
dans un clair-obscur adouci.

D'un côté, il y avait un peu de lingerie : des bonnets de tulle
75 tuyautés[2] à deux et trois francs pièce, des manches et des cols de
mousseline[3] ; puis des tricots, des bas, des chaussettes, des bre-
telles. Chaque objet, jauni et fripé, était lamentablement pendu
à un crochet de fil de fer. La vitrine, de haut en bas, se trouvait
ainsi emplie de loques blanchâtres qui prenaient un aspect lugu-
80 bre dans l'obscurité transparente. Les bonnets neufs, d'un blanc
plus éclatant, faisaient des taches crues sur le papier bleu dont les
planches étaient garnies. Et, accrochées le long d'une tringle, les
chaussettes de couleur mettaient des notes sombres dans l'efface-
ment blafard[4] et vague de la mousseline.

85 De l'autre côté, dans une vitrine plus étroite, s'étageaient de
gros pelotons de laine verte, des boutons noirs cousus sur des
cartes blanches, des boîtes de toutes les couleurs et de toutes
les dimensions, des résilles[5] à perles d'acier étalées sur des
ronds de papier bleuâtre, des faisceaux d'aiguilles à tricoter,
90 des modèles de tapisserie, des bobines de ruban, un entasse-
ment d'objets ternes et fanés qui dormaient sans doute en cet
endroit depuis cinq ou six ans. Toutes les teintes avaient tourné
au gris sale, dans cette armoire que la poussière et l'humidité
pourrissaient.

---

1. *Mercerie* : boutique où l'on vend des articles servant à la couture, à la
confection et à la parure.
2. *Bonnets de tulle tuyautés* : couvre-chefs réalisés à partir d'un tissu très
fin de coton ou de soie, qui est plissé en forme de tuyaux.
3. *Mousseline* : toile de coton claire, peu serrée, fine et légère.
4. *Blafard* : d'un blanc terne, sans éclat, souvent désagréable à la vue.
5. *Résilles* : filets qui servent à envelopper les cheveux.

95   Vers midi, en été, lorsque le soleil brûlait les places et les rues
de rayons fauves, on distinguait, derrière les bonnets de l'autre
vitrine, un profil pâle et grave de jeune femme. Ce profil sortait
vaguement des ténèbres qui régnaient dans la boutique. Au front
bas et sec s'attachait un nez long, étroit, effilé ; les lèvres étaient
100   deux minces traits d'un rose pâle, et le menton, court et nerveux,
tenait au cou par une ligne souple et grasse. On ne voyait pas
le corps, qui se perdait dans l'ombre ; le profil seul apparaissait,
d'une blancheur mate, troué d'un œil noir largement ouvert,
et comme écrasé sous une épaisse chevelure sombre. Il était là,
105   pendant des heures, immobile et paisible, entre deux bonnets
sur lesquels les tringles humides avaient laissé des bandes de
rouille.

Le soir, lorsque la lampe était allumée, on voyait l'intérieur de
la boutique. Elle était plus longue que profonde ; à l'un des bouts,
110   se trouvait un petit comptoir ; à l'autre bout, un escalier en forme
de vis menait aux chambres du premier étage. Contre les murs
étaient plaquées des vitrines, des armoires, des rangées de car-
tons verts ; quatre chaises et une table complétaient le mobilier.
La pièce paraissait nue, glaciale ; les marchandises, empaquetées,
115   serrées dans des coins, ne traînaient pas çà et là avec leur joyeux
tapage de couleurs.

D'ordinaire, il y avait deux femmes assises derrière le comptoir : la jeune femme au profil grave et une vieille dame qui souriait en sommeillant. Cette dernière avait environ soixante ans ;
120   son visage gras et placide [1] blanchissait sous les clartés de la
lampe. Un gros chat tigré, accroupi sur un angle du comptoir, la
regardait dormir.

Plus bas, assis sur une chaise, un homme d'une trentaine d'années lisait ou causait à demi-voix avec la jeune femme. Il était
125   petit, chétif [2], d'allure languissante ; les cheveux d'un blond fade,

---

1. Placide : calme, imperturbable.
2. Chétif : dont l'aspect donne une impression de faiblesse ou de fragilité, qui
dénote une santé médiocre.

la barbe rare, le visage couvert de taches de rousseur, il ressemblait à un enfant malade et gâté.

Un peu avant dix heures, la vieille dame se réveillait. On fermait la boutique, et toute la famille montait se coucher. Le
130 chat tigré suivait ses maîtres en ronronnant, en se frottant la tête contre chaque barreau de la rampe.

En haut, le logement se composait de trois pièces. L'escalier donnait dans une salle à manger qui servait en même temps de salon. À gauche était un poêle de faïence dans une niche ; en
135 face se dressait un buffet ; puis des chaises se rangeaient le long des murs, une table ronde, tout ouverte, occupait le milieu de la pièce. Au fond, derrière une cloison vitrée, se trouvait une cuisine noire. De chaque côté de la salle à manger, il y avait une chambre à coucher.

140 La vieille dame, après avoir embrassé son fils et sa belle-fille, se retirait chez elle. Le chat s'endormait sur une chaise de la cuisine. Les époux entraient dans leur chambre. Cette chambre avait une seconde porte donnant sur un escalier qui débouchait dans le passage par une allée obscure et étroite.

145 Le mari, qui tremblait toujours de fièvre, se mettait au lit ; pendant ce temps, la jeune femme ouvrait la croisée [1] pour fermer les persiennes. Elle restait là quelques minutes, devant la grande muraille noire, crépie grossièrement, qui monte et s'étend au-dessus de la galerie. Elle promenait sur cette muraille un regard
150 vague, et, muette, elle venait se coucher à son tour, dans une indifférence dédaigneuse.

---

1. *Croisée* : fenêtre.

II

Mme Raquin était une ancienne mercière de Vernon [1]. Pendant près de vingt-cinq ans, elle avait vécu dans une petite boutique de cette ville. Quelques années après la mort de son mari, des lassitudes la prirent, elle vendit son fonds. Ses économies jointes au prix de cette vente mirent entre ses mains un capital de quarante mille francs qu'elle plaça et qui lui rapporta deux mille francs de rente [2]. Cette somme devait lui suffire largement. Elle menait une vie de recluse, ignorant les joies et les soucis poignants de ce monde ; elle s'était fait une existence de paix et de bonheur tranquille.

Elle loua, moyennant quatre cents francs, une petite maison dont le jardin descendait jusqu'au bord de la Seine. C'était une demeure close et discrète qui avait de vagues senteurs de cloître ; un étroit sentier menait à cette retraite située au milieu de larges prairies ; les fenêtres du logis donnaient sur la rivière et sur les coteaux déserts de l'autre rive. La bonne dame, qui avait dépassé la cinquantaine, s'enferma au fond de cette solitude, et y goûta des joies sereines, entre son fils Camille et sa nièce Thérèse.

Camille avait alors vingt ans. Sa mère le gâtait encore comme un petit garçon. Elle l'adorait pour l'avoir disputé à la mort pendant une longue jeunesse de souffrances. L'enfant eut coup sur coup toutes les fièvres, toutes les maladies imaginables. Mme Raquin soutint une lutte de quinze années contre ces maux terribles qui venaient à la file pour lui arracher son fils. Elle les vainquit tous par sa patience, par ses soins, par son adoration.

Camille, grandi, sauvé de la mort, demeura tout frissonnant des secousses répétées qui avaient endolori sa chair. Arrêté dans

---

1. Vernon : commune de l'Eure, en Normandie, à environ 300 kilomètres de Paris et à proximité de Giverny et de Vétheuil, hauts lieux de l'impressionnisme.
2. Rente : revenu périodique d'un bien, d'un capital.

sa croissance, il resta petit et malingre. Ses membres grêles eurent des mouvements lents et fatigués. Sa mère l'aimait davantage pour cette faiblesse qui le pliait. Elle regardait sa pauvre petite figure
30 pâlie avec des tendresses triomphantes, et elle songeait qu'elle lui avait donné la vie plus de dix fois.

Pendant les rares repos que lui laissa la souffrance, l'enfant suivit les cours d'une école de commerce de Vernon. Il y apprit l'orthographe et l'arithmétique. Sa science se borna aux quatre
35 règles [1] et à une connaissance très superficielle de la grammaire. Plus tard, il prit des leçons d'écriture et de comptabilité. Mme Raquin se mettait à trembler lorsqu'on lui conseillait d'envoyer son fils au collège ; elle savait qu'il mourrait loin d'elle, elle disait que les livres le tueraient. Camille resta ignorant, et son
40 ignorance mit comme une faiblesse de plus en lui.

À dix-huit ans, désœuvré, s'ennuyant à mourir dans la douceur dont sa mère l'entourait, il entra chez un marchand de toile, à titre de commis [2]. Il gagnait soixante francs par mois. Il était d'un esprit inquiet qui lui rendait l'oisiveté insupportable. Il se
45 trouvait plus calme, mieux portant, dans ce labeur de brute, dans ce travail d'employé qui le courbait tout le jour sur des factures, sur d'énormes additions dont il épelait patiemment chaque chiffre. Le soir, brisé, la tête vide, il goûtait des voluptés infinies au fond de l'hébétement qui le prenait. Il dut se quereller avec sa
50 mère pour entrer chez le marchand de toile ; elle voulait le garder toujours auprès d'elle, entre deux couvertures, loin des accidents de la vie. Le jeune homme parla en maître ; il réclama le travail comme d'autres enfants réclament des jouets, non par esprit de devoir, mais par instinct, par besoin de nature. Les tendresses, les
55 dévouements de sa mère lui avaient donné un égoïsme féroce ; il croyait aimer ceux qui le plaignaient et qui le caressaient ; mais, en

---

1. Quatre règles : il s'agit de l'addition, de la soustraction, de la multiplication et de la division qui constituent les quatre premières règles de l'arithmétique.

2. Commis : employé.

réalité, il vivait à part, au fond de lui, n'aimant que son bien-être, cherchant par tous les moyens possibles à augmenter ses jouissances. Lorsque l'affection attendrie de Mme Raquin l'écœura, il se jeta avec délices dans une occupation bête qui le sauvait des tisanes et des potions. Puis, le soir, au retour du bureau, il courait au bord de la Seine avec sa cousine Thérèse.

Thérèse allait avoir dix-huit ans. Un jour, seize années auparavant, lorsque Mme Raquin était encore mercière, son frère, le capitaine Degans, lui apporta une petite fille dans ses bras. Il arrivait d'Algérie.

«Voici une enfant dont tu es la tante, lui dit-il avec un sourire. Sa mère est morte… Moi, je ne sais qu'en faire. Je te la donne.»

La mercière prit l'enfant, lui sourit, baisa ses joues roses. Degans resta huit jours à Vernon. Sa sœur l'interrogea à peine sur cette fille qu'il lui donnait. Elle sut vaguement que la chère petite était née à Oran [1] et qu'elle avait pour mère une femme indigène d'une grande beauté. Le capitaine, une heure avant son départ, lui remit un acte de naissance dans lequel Thérèse, reconnue par lui, portait son nom. Il partit et on ne le revit plus ; quelques années plus tard, il se fit tuer en Afrique.

Thérèse grandit, couchée dans le même lit que Camille, sous les tièdes tendresses de sa tante. Elle était d'une santé de fer, et elle fut soignée comme une enfant chétive, partageant les médicaments que prenait son cousin, tenue dans l'air chaud de la chambre occupée par le petit malade. Pendant des heures, elle restait accroupie devant le feu, pensive, regardant les flammes en face, sans baisser les paupières. Cette vie forcée de convalescente la replia sur elle-même ; elle prit l'habitude de parler à voix basse, de marcher sans faire de bruit, de rester muette et immobile sur une chaise, les yeux ouverts et vides de regards. Et, lorsqu'elle levait un bras, lorsqu'elle avançait un pied, on sentait en elle des

---

1. **Oran** : ville portuaire de l'Algérie, qui était devenue colonie française depuis 1831.

souplesses félines, des muscles courts et puissants, toute une énergie, toute une passion qui dormaient dans sa chair assoupie. Un
90 jour, son cousin était tombé, pris de faiblesse ; elle l'avait soulevé et
transporté, d'un geste brusque, et ce déploiement de force avait mis
de larges plaques ardentes sur son visage. La vie cloîtrée qu'elle
menait, le régime débilitant [1] auquel elle était soumise ne purent
affaiblir son corps maigre et robuste ; sa face prit seulement des
95 teintes pâles, légèrement jaunâtres, et elle devint presque laide à
l'ombre. Parfois, elle allait à la fenêtre, elle contemplait les maisons
d'en face sur lesquelles le soleil jetait des nappes dorées.

Lorsque Mme Raquin vendit son fonds et qu'elle se retira
dans la petite maison du bord de l'eau, Thérèse eut de secrets
100 tressaillements de joie. Sa tante lui avait répété si souvent : «Ne
fais pas de bruit, reste tranquille», qu'elle tenait soigneusement
cachées, au fond d'elle, toutes les fougues de sa nature. Elle
possédait un sang-froid suprême, une apparente tranquillité qui
cachait des emportements terribles. Elle se croyait toujours dans
105 la chambre de son cousin, auprès d'un enfant moribond ; elle
avait des mouvements adoucis, des silences, des placidités, des
paroles bégayées de vieille femme. Quand elle vit le jardin, la
rivière blanche, les vastes coteaux verts qui montaient à l'horizon,
il lui prit une envie sauvage de courir et de crier ; elle sentit son
110 cœur qui frappait à grands coups dans sa poitrine ; mais pas un
muscle de son visage ne bougea, elle se contenta de sourire lorsque sa tante lui demanda si cette nouvelle demeure lui plaisait.

Alors la vie devint meilleure pour elle. Elle garda ses allures
souples, sa physionomie calme et indifférente, elle resta l'enfant
115 élevée dans le lit d'un malade ; mais elle vécut intérieurement
une existence brûlante et emportée. Quand elle était seule, dans
l'herbe, au bord de l'eau, elle se couchait à plat ventre comme une
bête, les yeux noirs et agrandis, le corps tordu, près de bondir. Et

---

1. *Débilitant* : qui est propre à débiliter, à diminuer l'énergie des organes et
particulièrement celle des muscles (terme de médecine).

elle restait là, pendant des heures, ne pensant à rien, mordue par
120 le soleil, heureuse d'enfoncer ses doigts dans la terre. Elle faisait
des rêves fous ; elle regardait avec défi la rivière qui grondait, elle
s'imaginait que l'eau allait se jeter sur elle et l'attaquer ; alors elle
se roidissait [1], elle se préparait à la défense, elle se questionnait
avec colère pour savoir comment elle pourrait vaincre les flots.

125 Le soir, Thérèse, apaisée et silencieuse, cousait auprès de sa
tante ; son visage semblait sommeiller dans la lueur qui glissait
mollement de l'abat-jour de la lampe. Camille, affaissé au fond
d'un fauteuil, songeait à ses additions. Une parole, dite à voix basse,
troublait seule par moments la paix de cet intérieur endormi.

130 Mme Raquin regardait ses enfants avec une bonté sereine. Elle
avait résolu de les marier ensemble. Elle traitait toujours son fils
en moribond ; elle tremblait lorsqu'elle venait à songer qu'elle
mourrait un jour et qu'elle le laisserait seul et souffrant. Alors
elle comptait sur Thérèse, elle se disait que la jeune fille serait
135 une garde vigilante auprès de Camille. Sa nièce, avec ses airs
tranquilles, ses dévouements muets, lui inspirait une confiance
sans bornes. Elle l'avait vue à l'œuvre, elle voulait la donner à
son fils comme un ange gardien. Ce mariage était un dénouement
prévu, arrêté.

140 Les enfants savaient depuis longtemps qu'ils devaient s'épouser un jour. Ils avaient grandi dans cette pensée qui leur était devenue ainsi familière et naturelle. On parlait de cette union, dans
la famille, comme d'une chose nécessaire, fatale. Mme Raquin
avait dit : «Nous attendrons que Thérèse ait vingt et un ans.» Et
145 ils attendaient patiemment, sans fièvre, sans rougeur.

Camille, dont la maladie avait appauvri le sang, ignorait les
âpres désirs de l'adolescence. Il était resté petit garçon devant sa
cousine, il l'embrassait comme il embrassait sa mère, par habitude, sans rien perdre de sa tranquillité égoïste. Il voyait en elle

---

1. *Se roidissait* : se raidissait (orthographe encore utilisée au XIXᵉ siècle, mais
qui tend à relever du langage soutenu).

une camarade complaisante qui l'empêchait de trop s'ennuyer,
et qui, à l'occasion, lui faisait de la tisane. Quand il jouait avec
elle, qu'il la tenait dans ses bras, il croyait tenir un garçon ; sa
chair n'avait pas un frémissement. Et jamais il ne lui était venu la
pensée, en ces moments, de baiser les lèvres chaudes de Thérèse,
qui se débattait en riant d'un rire nerveux.

La jeune fille, elle aussi, semblait rester froide et indifférente.
Elle arrêtait parfois ses grands yeux sur Camille et le regardait
pendant plusieurs minutes avec une fixité d'un calme souverain.
Ses lèvres seules avaient alors de petits mouvements imperceptibles. On ne pouvait rien lire sur ce visage fermé qu'une volonté
implacable tenait toujours doux et attentif. Quand on parlait de
son mariage, Thérèse devenait grave, se contentait d'approuver
de la tête tout ce que disait Mme Raquin. Camille s'endormait.

Le soir, en été, les deux jeunes gens se sauvaient au bord de
l'eau. Camille s'irritait des soins incessants de sa mère, il avait des
révoltes, il voulait courir, se rendre malade, échapper aux câline-
ries qui lui donnaient des nausées. Alors il entraînait Thérèse, il
la provoquait à lutter, à se vautrer sur l'herbe. Un jour, il poussa
sa cousine et la fit tomber ; la jeune fille se releva d'un bond, avec
une sauvagerie de bête, et, la face ardente, les yeux rouges, elle
se précipita sur lui, les deux bras levés. Camille se laissa glisser à
terre. Il avait peur.

Les mois, les années s'écoulèrent. Le jour fixé pour le mariage
arriva. Mme Raquin prit Thérèse à part, lui parla de son père et de
sa mère, lui conta l'histoire de sa naissance. La jeune fille écouta
sa tante, puis l'embrassa sans répondre un mot.

Le soir, Thérèse, au lieu d'entrer dans sa chambre, qui était
à gauche de l'escalier, entra dans celle de son cousin, qui était
à droite. Ce fut tout le changement qu'il y eut dans sa vie, ce
jour-là. Et, le lendemain, lorsque les jeunes époux descendirent,
Camille avait encore sa langueur maladive, sa sainte tranquillité
d'égoïste. Thérèse gardait toujours son indifférence douce, son
visage contenu, effrayant de calme.

III

Huit jours après son mariage, Camille déclara nettement à sa mère qu'il entendait quitter Vernon et aller vivre à Paris. Mme Raquin se récria : elle avait arrangé son existence, elle ne voulait point y changer un seul événement. Son fils eut une crise de nerfs, il la menaça de tomber malade, si elle ne cédait pas à son caprice.

«Je ne t'ai jamais contrariée dans tes projets, lui dit-il ; j'ai épousé ma cousine, j'ai pris toutes les drogues [1] que tu m'as données. C'est bien le moins, aujourd'hui, que j'aie une volonté, et que tu sois de mon avis. Nous partirons à la fin du mois.»

Mme Raquin ne dormit pas de la nuit. La décision de Camille bouleversait sa vie, et elle cherchait désespérément à se refaire une existence. Peu à peu, le calme se fit en elle. Elle réfléchit que le jeune ménage pouvait avoir des enfants et que sa petite fortune ne suffirait plus alors. Il fallait gagner encore de l'argent, se remettre au commerce, trouver une occupation lucrative [2] pour Thérèse. Le lendemain, elle s'était habituée à l'idée du départ, elle avait bâti le plan d'une vie nouvelle.

Au déjeuner, elle était toute gaie.

«Voici ce que nous allons faire, dit-elle à ses enfants. J'irai à Paris demain ; je chercherai un petit fonds de mercerie, et nous nous remettrons, Thérèse et moi, à vendre du fil et des aiguilles. Cela nous occupera. Toi, Camille, tu feras ce que tu voudras, tu te promèneras au soleil ou tu trouveras un emploi.

– Je trouverai un emploi», répondit le jeune homme.

La vérité était qu'une ambition bête avait seule poussé Camille au départ. Il voulait être employé dans une grande administration ; il rougissait de plaisir, lorsqu'il se voyait en rêve au milieu

---

1. Drogues : médicaments, remèdes.
2. Lucrative : qui procure de l'argent, des profits pécuniaires.

d'un vaste bureau, avec des manches de lustrine [1], la plume sur
30 l'oreille.

Thérèse ne fut pas consultée ; elle avait toujours montré une
telle obéissance passive que sa tante et son mari ne prenaient plus
la peine de lui demander son opinion. Elle allait où ils allaient,
elle faisait ce qu'ils faisaient, sans une plainte, sans un reproche,
35 sans même paraître savoir qu'elle changeait de place.

Mme Raquin vint à Paris et alla droit au passage du Pont-
Neuf. Une vieille demoiselle de Vernon l'avait adressée à une de
ses parentes qui tenait dans ce passage un fonds de mercerie dont
elle désirait se débarrasser. L'ancienne mercière trouva la bouti-
40 que un peu petite, un peu noire ; mais, en traversant Paris, elle
avait été effrayée par le tapage des rues, par le luxe des étalages,
et cette galerie étroite, ces vitrines modestes lui rappelèrent son
ancien magasin, si paisible. Elle put se croire encore en province,
elle respira, elle pensa que ses chers enfants seraient heureux dans
45 ce coin ignoré. Le prix modeste du fonds la décida ; on le lui vendait deux mille francs. Le loyer de la boutique et du premier étage
n'était que de douze cents francs. Mme Raquin, qui avait près de
quatre mille francs d'économies, calcula qu'elle pourrait payer
le fonds et la première année de loyer sans entamer sa fortune.
50 Les appointements [2] de Camille et les bénéfices du commerce de
mercerie suffiraient, pensait-elle, aux besoins journaliers ; de sorte
qu'elle ne toucherait plus ses rentes et qu'elle laisserait grossir le
capital pour doter ses petits-enfants.

Elle revint rayonnante à Vernon, elle dit qu'elle avait trouvé
55 une perle, un trou délicieux, en plein Paris. Peu à peu, au bout
de quelques jours, dans ses causeries du soir, la boutique humble
et obscure du passage devint un palais ; elle la revoyait, au fond
de ses souvenirs, commode, large, tranquille, pourvue de mille
avantages inappréciables.

---

1. *Manches de lustrine* : manches amovibles. Les employés de bureau les
utilisaient pour protéger leurs vêtements.
2. *Appointements* : salaire.

60 «Ah! ma bonne Thérèse, disait-elle, tu verras comme nous serons heureuses dans ce coin-là! Il y a trois belles chambres en haut… Le passage est plein de monde… Nous ferons des étalages charmants… Va, nous ne nous ennuierons pas.»

Et elle ne tarissait point. Tous ses instincts d'ancienne mar-
65 chande se réveillaient; elle donnait à l'avance des conseils à Thérèse sur la vente, sur les achats, sur les rouries du petit commerce. Enfin la famille quitta la maison du bord de la Seine; le soir du même jour, elle s'installait au passage du Pont-Neuf.

Quand Thérèse entra dans la boutique où elle allait vivre
70 désormais, il lui sembla qu'elle descendait dans la terre grasse d'une fosse. Une sorte d'écœurement la prit à la gorge, elle eut des frissons de peur. Elle regarda la galerie sale et humide, elle visita le magasin, monta au premier étage, fit le tour de chaque pièce; ces pièces nues, sans meubles, étaient effrayantes de soli-
75 tude et de délabrement. La jeune femme ne trouva pas un geste, ne prononça pas une parole. Elle était comme glacée. Sa tante et son mari étaient descendus, elle s'assit sur une malle, les mains roides [1], la gorge pleine de sanglots, ne pouvant pleurer.

Mme Raquin, en face de la réalité, resta embarrassée, hon-
80 teuse de ses rêves. Elle chercha à défendre son acquisition. Elle trouvait un remède à chaque nouvel inconvénient qui se présentait, expliquait l'obscurité en disant que le temps était couvert, et concluait en affirmant qu'un coup de balai suffirait.

«Bah! répondait Camille, tout cela est très convenable…
85 D'ailleurs, nous ne monterons ici que le soir. Moi, je ne rentrerai pas avant cinq ou six heures… Vous deux, vous serez ensemble, vous ne vous ennuierez pas.»

Jamais le jeune homme n'aurait consenti à habiter un pareil taudis, s'il n'avait compté sur les douceurs tièdes de son bureau.
90 Il se disait qu'il aurait chaud tout le jour à son administration, et que, le soir, il se coucherait de bonne heure.

---

1. Roides : raides (voir note 1, p. 61).

Pendant une grande semaine, la boutique et le logement restèrent en désordre. Dès le premier jour, Thérèse s'était assise derrière
le comptoir, et elle ne bougeait plus de cette place. Mme Raquin
95   s'étonna de cette attitude affaissée ; elle avait cru que la jeune
femme allait chercher à embellir sa demeure, mettre des fleurs
sur les fenêtres, demander des papiers neufs, des rideaux, des
tapis. Lorsqu'elle proposait une réparation, un embellissement
quelconque :
100   « À quoi bon ? répondait tranquillement sa nièce. Nous sommes très bien, nous n'avons pas besoin de luxe. »
Ce fut Mme Raquin qui dut arranger les chambres et mettre
un peu d'ordre dans la boutique. Thérèse finit par s'impatienter à
la voir sans cesse tourner devant ses yeux ; elle prit une femme de
105   ménage, elle força sa tante à venir s'asseoir auprès d'elle.
Camille resta un mois sans pouvoir trouver un emploi. Il vivait
le moins possible dans la boutique, il flânait toute la journée.
L'ennui le prit à un tel point qu'il parla de retourner à Vernon.
Enfin, il entra dans l'administration du chemin de fer d'Orléans [1].
110   Il gagnait cent francs par mois. Son rêve était exaucé.
Le matin, il partait à huit heures. Il descendait la rue
Guénégaud et se trouvait sur les quais. Alors, à petits pas, les
mains dans les poches, il suivait la Seine, de l'Institut [2] au Jardin
des Plantes [3]. Cette longue course, qu'il faisait deux fois par
115   jour, ne l'ennuyait jamais. Il regardait couler l'eau, il s'arrêtait
pour voir passer les trains de bois qui descendaient la rivière. Il
ne pensait à rien. Souvent il se plantait devant Notre-Dame, et

---

1. Chemin de fer d'Orléans : l'une des six grandes compagnies ferroviaires
de l'époque. L'embarcadère de la ligne fut construit en 1838 et se trouvait à
l'emplacement de l'actuelle gare d'Austerlitz.
2. Institut : palais situé sur la rive gauche de la Seine, qui regroupe depuis
1806 cinq Académies : française, des inscriptions et belles-lettres, des sciences, des beaux-arts, des sciences morales et politiques.
3. Jardin des Plantes : jardin botanique qui accueille une ménagerie et des
collections d'histoire naturelle.

contemplait les échafaudages dont l'église, alors en réparation,
était entourée ; ces grosses pièces de charpente l'amusaient, sans
120 qu'il sût pourquoi. Puis, en passant, il jetait un coup d'œil dans
le Port aux Vins [1], il comptait les fiacres qui venaient de la gare.
Le soir, abruti, la tête pleine de quelque sotte histoire contée à
son bureau, il traversait le Jardin des Plantes, et allait voir les
ours, s'il n'était pas trop pressé. Il restait là une demi-heure,
125 penché au-dessus de la fosse, suivant du regard les ours qui se
dandinaient lourdement ; les allures de ces grosses bêtes lui plai-
saient ; il les examinait, les lèvres ouvertes, les yeux arrondis,
goûtant une joie d'imbécile à les voir se remuer. Il se décidait
enfin à rentrer, traînant les pieds, s'occupant des passants, des
130 voitures, des magasins.

Dès son arrivée, il mangeait, puis se mettait à lire. Il avait
acheté les œuvres de Buffon [2], et, chaque soir, il se donnait une
tâche de vingt, de trente pages, malgré l'ennui qu'une pareille
lecture lui causait. Il lisait encore, en livraisons à dix centimes,
135 l'*Histoire du Consulat et de l'Empire* [3], de Thiers, et l'*Histoire des
Girondins* [4], de Lamartine, ou bien des ouvrages de vulgarisation
scientifique. Il croyait travailler à son éducation. Parfois, il forçait
sa femme à écouter la lecture de certaines pages, de certaines
anecdotes. Il s'étonnait beaucoup que Thérèse pût rester pensive
140 et silencieuse pendant toute une soirée, sans être tentée de prendre un livre. Au fond, il s'avouait que sa femme était une pauvre
intelligence.

---

1. *Port aux Vins* : port qui desservait la Halle aux Vins.
2. *Georges Buffon* : naturaliste français (1707-1788), auteur de l'*Histoire
naturelle*, véritable somme du savoir de l'époque (quarante-quatre volume
au total, dont huit posthumes) dans le domaine des sciences naturelles ; il
organisa le Jardin des Plantes.
3. *Histoire du Consulat et de l'Empire* : œuvre historique composée de
vingt volumes et écrite entre 1845 et 1862 par Adolphe Thiers (1797-1877).
4. *Histoire des Girondins* : œuvre politique (1847) défendant les idées
libérales de son auteur, Alphonse de Lamartine (1790-1869), l'un des maîtres
du romantisme, dont l'œuvre est essentiellement poétique.

Thérèse repoussait les livres avec impatience. Elle préférait demeurer oisive, les yeux fixes, la pensée flottante et perdue. Elle gardait d'ailleurs une humeur égale et facile ; toute sa volonté tendait à faire de son être un instrument passif, d'une complaisance et d'une abnégation [1] suprêmes.

Le commerce allait tout doucement. Les bénéfices, chaque mois, étaient régulièrement les mêmes. La clientèle se composait des ouvrières du quartier. À chaque cinq minutes, une jeune fille entrait, achetait pour quelques sous de marchandise. Thérèse servait les clientes avec des paroles toujours semblables, avec un sourire qui montait mécaniquement à ses lèvres. Mme Raquin se montrait plus souple, plus bavarde, et, à vrai dire, c'était elle qui attirait et retenait la clientèle.

Pendant trois ans, les jours se suivirent et se ressemblèrent. Camille ne s'absenta pas une seule fois de son bureau ; sa mère et sa femme sortirent à peine de la boutique. Thérèse, vivant dans une ombre humide, dans un silence morne et écrasant, voyait la vie s'étendre devant elle, toute nue, amenant chaque soir la même couche froide et chaque matin la même journée vide.

IV

Un jour sur sept, le jeudi soir, la famille Raquin recevait. On allumait une grande lampe dans la salle à manger, et l'on mettait une bouilloire d'eau au feu pour faire du thé. C'était toute une grosse histoire. Cette soirée-là tranchait sur les autres ; elle avait passé dans les habitudes de la famille comme une orgie bourgeoise d'une gaieté folle. On se couchait à onze heures.

---

1. *Abnégation* : dévouement, sacrifice de soi.

■ « La boutique de mercerie », illustration de Castelli (1825-1889) pour *Thérèse Raquin*.

Mme Raquin retrouva à Paris un de ses vieux amis, le commissaire de police Michaud, qui avait exercé à Vernon pendant vingt ans, logé dans la même maison que la mercière. Une étroite intimité s'était ainsi établie entre eux ; puis, lorsque la veuve avait vendu son fonds pour aller habiter la maison du bord de l'eau, ils s'étaient peu à peu perdus de vue. Michaud quitta la province quelques mois plus tard et vint manger paisiblement à Paris, rue de Seine, les quinze cents francs de sa retraite. Un jour de pluie, il rencontra sa vieille amie dans le passage du Pont-Neuf ; le soir même, il dînait chez les Raquin.

Ainsi furent fondées les réceptions du jeudi. L'ancien commissaire de police prit l'habitude de venir ponctuellement une fois par semaine. Il finit par amener son fils Olivier, un grand garçon de trente ans, sec et maigre, qui avait épousé une toute petite femme, lente et maladive. Olivier occupait à la préfecture de police un emploi de trois mille francs dont Camille se montrait singulièrement jaloux ; il était commis principal [1] dans le bureau de la police d'ordre et de sûreté. Dès le premier jour, Thérèse détesta ce garçon roide et froid qui croyait honorer la boutique du passage en y promenant la sécheresse de son grand corps et les défaillances de sa pauvre petite femme.

Camille introduisit un autre invité, un vieil employé du chemin de fer d'Orléans. Grivet avait vingt ans de service ; il était premier commis et gagnait deux mille cent francs. C'était lui qui distribuait la besogne aux employés du bureau de Camille, et celui-ci lui témoignait un certain respect ; dans ses rêves, il se disait que Grivet mourrait un jour, qu'il le remplacerait peut-être, au bout d'une dizaine d'années. Grivet fut enchanté de l'accueil de Mme Raquin, il revint chaque semaine avec une régularité parfaite. Six mois plus tard, sa visite du jeudi était devenue pour lui un devoir : il allait au passage du Pont-Neuf, comme il se ren-

---

1. *Commis principal* : employé chargé des écritures dans une administration.

dait chaque matin à son bureau, mécaniquement, par un instinct de brute.

40   Dès lors, les réunions devinrent charmantes. À sept heures, Mme Raquin allumait le feu, mettait la lampe au milieu de la table, posait un jeu de dominos à côté, essuyait le service à thé qui se trouvait sur le buffet. À huit heures précises, le vieux Michaud et Grivet se rencontraient devant la boutique venant l'un de la
45 rue de Seine, l'autre de la rue Mazarine. Ils entraient, et toute la famille montait au premier étage. On s'asseyait autour de la table, on attendait Olivier Michaud et sa femme, qui arrivaient toujours en retard. Quand la réunion se trouvait au complet, Mme Raquin versait le thé, Camille vidait la boîte de dominos sur la toile
50 cirée, chacun s'enfonçait dans son jeu. On n'entendait plus que le cliquetis des dominos. Après chaque partie, les joueurs se querellaient pendant deux ou trois minutes, puis le silence retombait, morne, coupé de bruits secs.

     Thérèse jouait avec une indifférence qui irritait Camille. Elle
55 prenait sur elle François, le gros chat tigré que Mme Raquin avait apporté de Vernon, elle le caressait d'une main, tandis qu'elle posait les dominos de l'autre. Les soirées du jeudi étaient un supplice pour elle ; souvent elle se plaignait d'un malaise, d'une forte migraine, afin de ne pas jouer, de rester là oisive, à moitié
60 endormie. Un coude sur la table, la joue appuyée sur la paume de la main, elle regardait les invités de sa tante et de son mari, elle les voyait à travers une sorte de brouillard jaune et fumeux qui sortait de la lampe. Toutes ces têtes-là l'exaspéraient. Elle allait de l'une à l'autre avec des dégoûts profonds, des irritations
65 sourdes. Le vieux Michaud étalait une face blafarde, tachée de plaques rouges, une de ces faces mortes de vieillard tombé en enfance ; Grivet avait le masque étroit, les yeux ronds, les lèvres minces d'un crétin ; Olivier, dont les os perçaient les joues, portait gravement sur son corps ridicule une tête roide et insignifiante ;
70 quant à Suzanne, la femme d'Olivier, elle était toute pâle, les yeux vagues, les lèvres blanches, le visage mou. Et Thérèse ne

trouvait pas un homme, pas un être vivant parmi ces créatures grotesques et sinistres avec lesquelles elle était enfermée ; parfois des hallucinations la prenaient, elle se croyait enfouie au fond
75 d'un caveau, en compagnie de cadavres mécaniques, remuant la tête, agitant les jambes et les bras, lorsqu'on tirait des ficelles. L'air épais de la salle à manger l'étouffait ; le silence frissonnant, les lueurs jaunâtres de la lampe la pénétraient d'un vague effroi, d'une angoisse inexprimable.

80   On avait posé en bas, à la porte du magasin, une sonnette dont le tintement aigu annonçait l'entrée des clientes. Thérèse tendait l'oreille ; lorsque la sonnette se faisait entendre, elle descendait rapidement, soulagée, heureuse de quitter la salle à manger. Elle servait la pratique [1] avec lenteur. Quand elle se trouvait seule, elle
85 s'asseyait derrière le comptoir, elle demeurait là le plus longtemps possible, redoutant de remonter, goûtant une véritable joie à ne plus avoir Grivet et Olivier devant les yeux. L'air humide de la boutique calmait la fièvre qui brûlait ses mains. Et elle retombait dans cette rêverie grave qui lui était ordinaire.

90   Mais elle ne pouvait rester longtemps ainsi. Camille se fâchait de son absence ; il ne comprenait pas qu'on pût préférer la boutique à la salle à manger, le jeudi soir. Alors il se penchait sur la rampe, cherchait sa femme du regard.

     « Eh bien ! criait-il, que fais-tu donc là ? pourquoi ne mon-
95 tes-tu pas ?… Grivet a une chance du diable. Il vient encore de gagner. »

     La jeune femme se levait péniblement et venait reprendre sa place en face du vieux Michaud, dont les lèvres pendantes avaient des sourires écœurants. Et, jusqu'à onze heures, elle demeurait
100 affaissée sur sa chaise, regardant François qu'elle tenait dans ses bras, pour ne pas voir les poupées de carton qui grimaçaient autour d'elle.

---

1. Pratique : clientèle.

V

Un jeudi, en revenant de son bureau, Camille amena avec lui un grand gaillard, carré des épaules, qu'il poussa dans la boutique d'un geste familier.

«Mère, demanda-t-il à madame Raquin en le lui montrant, reconnais-tu ce monsieur-là?»

La vieille mercière regarda le grand gaillard, chercha dans ses souvenirs et ne trouva rien. Thérèse suivait cette scène d'un air placide.

«Comment! reprit Camille, tu ne reconnais pas Laurent, le petit Laurent, le fils du père Laurent qui a de si beaux champs de blé du côté de Jeufosse[1]?... Tu ne te rappelles pas?... J'allais à l'école avec lui; il venait me chercher le matin, en sortant de chez son oncle qui était notre voisin, et tu lui donnais des tartines de confiture.»

Mme Raquin se souvint brusquement du petit Laurent, qu'elle trouva singulièrement grandi. Il y avait bien vingt ans qu'elle ne l'avait vu. Elle voulut lui faire oublier son accueil étonné par un flot de souvenirs, par des cajoleries toutes maternelles. Laurent s'était assis, il souriait paisiblement, il répondait d'une voix claire, il promenait autour de lui des regards calmes et aisés.

«Figurez-vous, dit Camille, que ce farceur-là est employé à la gare du chemin de fer d'Orléans depuis dix-huit mois, et que nous ne nous sommes rencontrés et reconnus que ce soir. C'est si vaste, si important, cette administration!»

Le jeune homme fit cette remarque, en agrandissant les yeux, en pinçant les lèvres, tout fier d'être l'humble rouage d'une grosse machine. Il continua en secouant la tête:

«Oh! mais, lui, il se porte bien, il a étudié, il gagne déjà quinze cents francs... Son père l'a mis au collège; il a fait son droit et

---

1. *Jeufosse* : localité située au sud-est de Vernon.

30 a appris la peinture. N'est-ce pas, Laurent?... Tu vas dîner avec nous.

– Je veux bien», répondit carrément Laurent.

Il se débarrassa de son chapeau et s'installa dans la boutique. Mme Raquin courut à ses casseroles. Thérèse, qui n'avait pas 35 encore prononcé une parole, regardait le nouveau venu. Elle n'avait jamais vu un homme. Laurent, grand, fort, le visage frais, l'étonnait. Elle contemplait avec une sorte d'admiration son front bas, planté d'une rude chevelure noire, ses joues pleines, ses lèvres rouges, sa face régulière, d'une beauté sanguine. Elle arrêta 40 un instant ses regards sur son cou; ce cou était large et court, gras et puissant. Puis elle s'oublia à considérer les grosses mains qu'il tenait étalées sur ses genoux; les doigts en étaient carrés; le poing fermé devait être énorme et aurait pu assommer un bœuf. Laurent était un vrai fils de paysan, d'allure un peu lourde, le dos 45 bombé, les mouvements lents et précis, l'air tranquille et entêté. On sentait sous ses vêtements des muscles ronds et développés, tout un corps d'une chair épaisse et ferme. Et Thérèse l'examinait avec curiosité, allant de ses poings à sa face, éprouvant de petits frissons lorsque ses yeux rencontraient son cou de taureau.

50 Camille étala ses volumes de Buffon et ses livraisons[1] à dix centimes, pour montrer à son ami qu'il travaillait, lui aussi. Puis, comme répondant à une question qu'il s'adressait depuis quelques instants :

«Mais, dit-il à Laurent, tu dois connaître ma femme? Tu 55 ne te rappelles pas cette petite cousine qui jouait avec nous, à Vernon?

– J'ai parfaitement reconnu madame», répondit Laurent en regardant Thérèse en face.

Sous ce regard droit, qui semblait pénétrer en elle, la jeune 60 femme éprouva une sorte de malaise. Elle eut un sourire forcé,

---

1. Livraisons : fascicules livrés à l'acheteur à des termes plus ou moins rapprochés.

et échangea quelques mots avec Laurent et son mari; puis elle se hâta d'aller rejoindre sa tante. Elle souffrait.

On se mit à table. Dès le potage, Camille crut devoir s'occuper de son ami.

65 «Comment va ton père? lui demanda-t-il.

– Mais je ne sais pas, répondit Laurent. Nous sommes brouillés; il y a cinq ans que nous ne nous écrivons plus.

– Bah! s'écria l'employé, étonné d'une pareille monstruosité.

70 – Oui, le cher homme a des idées à lui… Comme il est continuellement en procès avec ses voisins, il m'a mis au collège, rêvant de trouver plus tard en moi un avocat qui lui gagnerait toutes ses causes… Oh! le père Laurent n'a que des ambitions utiles; il veut tirer parti même de ses folies.

75 – Et tu n'as pas voulu être avocat? dit Camille, de plus en plus étonné.

– Ma foi non, reprit son ami en riant… Pendant deux ans, j'ai fait semblant de suivre les cours, afin de toucher la pension de douze cents francs que mon père me servait. Je vivais avec un

80 de mes camarades de collège, qui est peintre, et je m'étais mis à faire aussi de la peinture. Cela m'amusait; le métier est drôle, pas fatigant. Nous fumions, nous blaguions tout le jour… »

La famille Raquin ouvrait des yeux énormes.

«Par malheur, continua Laurent, cela ne pouvait durer. Le père

85 a su que je lui contais des mensonges, il m'a retranché net mes cent francs par mois, en m'invitant à venir piocher la terre avec lui. J'ai essayé alors de peindre des tableaux de sainteté; mauvais commerce… Comme j'ai vu clairement que j'allais mourir de faim, j'ai envoyé l'art à tous les diables et j'ai cherché un

90 emploi… Le père mourra bien un de ces jours, j'attends ça pour vivre sans rien faire.»

Laurent parlait d'une voix tranquille. Il venait, en quelques mots, de conter une histoire caractéristique qui le peignait en entier. Au fond, c'était un paresseux, ayant des appétits sanguins,

95 des désirs très arrêtés de jouissances faciles et durables. Ce grand corps puissant ne demandait qu'à ne rien faire, qu'à se vautrer dans une oisiveté et un assouvissement de toutes les heures. Il aurait voulu bien manger, bien dormir, contenter largement ses passions, sans remuer de place, sans courir la mauvaise chance
100 d'une fatigue quelconque.

La profession d'avocat l'avait épouvanté, et il frissonnait à l'idée de piocher la terre. Il s'était jeté dans l'art, espérant y trouver un métier de paresseux ; le pinceau lui semblait un instrument léger à manier ; puis il croyait le succès facile. Il rêvait une vie
105 de voluptés à bon marché, une belle vie pleine de femmes, de repos sur des divans, de mangeailles et de soûleries. Le rêve dura tant que le père Laurent envoya des écus. Mais, lorsque le jeune homme, qui avait déjà trente ans, vit la misère à l'horizon, il se mit à réfléchir ; il se sentait lâche devant les privations, il n'aurait
110 pas accepté une journée sans pain pour la plus grande gloire de l'art. Comme il le disait, il envoya la peinture au diable, le jour où il s'aperçut qu'elle ne contenterait jamais ses larges appétits. Ses premiers essais étaient restés au-dessous de la médiocrité ; son œil de paysan voyait gauchement et salement la nature ; ses
115 toiles, boueuses, mal bâties, grimaçantes, défiaient toute critique. D'ailleurs, il ne paraissait point trop vaniteux comme artiste, il ne se désespéra pas outre mesure, lorsqu'il lui fallut jeter les pinceaux. Il ne regretta réellement que l'atelier de son camarade de collège, ce vaste atelier dans lequel il s'était si voluptueusement
120 vautré pendant quatre ou cinq ans. Il regretta encore les femmes qui venaient poser, et dont les caprices étaient à la portée de sa bourse. Ce monde de jouissances brutales lui laissa de cuisants besoins de chairs. Il se trouva cependant à l'aise dans son métier d'employé ; il vivait très bien en brute, il aimait cette besogne au
125 jour le jour, qui ne le fatiguait pas et qui endormait son esprit. Deux choses l'irritaient seulement : il manquait de femmes et la nourriture des restaurants à dix-huit sous n'apaisait pas les appétits gloutons de son estomac.

Camille l'écoutait, le regardait avec un étonnement de niais.
Ce garçon débile [1], dont le corps mou et affaissé n'avait jamais eu une secousse de désir, rêvait puérilement à cette vie d'atelier dont son ami lui parlait. Il songeait à ces femmes qui étalent leur peau nue. Il questionna Laurent.

«Alors, lui dit-il, il y a eu, comme ça, des femmes qui ont retiré leur chemise devant toi ?

– Mais oui, répondit Laurent en souriant et en regardant Thérèse qui était devenue très pâle.

– Ça doit vous faire un singulier effet, reprit Camille avec un rire d'enfant... Moi, je serais gêné... La première fois, tu as dû rester tout bête.»

Laurent avait élargi une de ses grosses mains dont il regardait attentivement la paume. Ses doigts eurent de légers frémissements, des lueurs rouges montèrent à ses joues.

«La première fois, reprit-il comme se parlant à lui-même, je crois que j'ai trouvé ça naturel... C'est bien amusant, ce diable d'art, seulement ça ne rapporte pas un sou... J'ai eu pour modèle une rousse qui était adorable : des chairs fermes, éclatantes, une poitrine superbe, des hanches d'une largeur... »

Laurent leva la tête et vit Thérèse devant lui, muette, immobile. La jeune femme le regardait avec une fixité ardente. Ses yeux, d'un noir mat, semblaient deux trous sans fond, et, par ses lèvres entr'ouvertes, on apercevait des clartés roses dans sa bouche. Elle était comme écrasée, ramassée sur elle-même ; elle écoutait.

Les regards de Laurent allèrent de Thérèse à Camille. L'ancien peintre retint un sourire. Il acheva sa phrase du geste, un geste large et voluptueux, que la jeune femme suivit du regard. On était au dessert, et Mme Raquin venait de descendre pour servir une cliente.

---

1. *Débile* : qui manque de force, au physique et au moral (voir note 1, p. 60).

160   Quand la nappe fut retirée, Laurent, songeur depuis quelques minutes, s'adressa brusquement à Camille.

«Tu sais, lui dit-il, il faut que je fasse ton portrait.»

Cette idée enchanta Mme Raquin et son fils. Thérèse resta silencieuse.

165   «Nous sommes en été, reprit Laurent, et comme nous sortons du bureau à quatre heures, je pourrai venir ici et te faire poser pendant deux heures, le soir. Ce sera l'affaire de huit jours.

– C'est cela, répondit Camille, rouge de joie, tu dîneras avec nous… Je me ferai friser et je mettrai une redingote noire.»

170   Huit heures sonnaient. Grivet et Michaud firent leur entrée. Olivier et Suzanne arrivèrent derrière eux.

Camille présenta son ami à la société. Grivet pinça les lèvres. Il détestait Laurent, dont les appointements avaient monté trop vite, selon lui. D'ailleurs c'était toute une affaire que l'introduc-

175   tion d'un nouvel invité : les hôtes des Raquin ne pouvaient recevoir un inconnu sans quelque froideur.

Laurent se comporta en bon enfant. Il comprit la situation, il voulut plaire, se faire accepter d'un coup. Il raconta des histoires, égaya la soirée par son gros rire, et gagna l'amitié de Grivet lui-

180   même.

Thérèse, ce soir-là, ne chercha pas à descendre à la boutique. Elle resta jusqu'à onze heures sur sa chaise, jouant et causant, évitant de rencontrer les regards de Laurent, qui d'ailleurs ne s'occupait pas d'elle. La nature sanguine de ce garçon, sa voix pleine,

185   ses rires gras, les senteurs âcres et puissantes qui s'échappaient de sa personne, troublaient la jeune femme et la jetaient dans une sorte d'angoisse nerveuse.

VI

Laurent, à partir de ce jour, revint presque chaque soir chez les Raquin. Il habitait, rue Saint-Victor [1], en face du Port aux Vins, un petit cabinet meublé qu'il payait dix-huit francs par mois; ce cabinet, mansardé, troué en haut d'une fenêtre à tabatière [2],
5 qui s'entrebâillait étroitement sur le ciel, avait à peine six mètres carrés. Laurent rentrait le plus tard possible dans ce galetas [3]. Avant de rencontrer Camille, comme il n'avait pas d'argent pour aller se traîner sur les banquettes des cafés, il s'attardait dans la crémerie [4] où il dînait le soir, il fumait des pipes en prenant un
10 gloria [5] qui lui coûtait trois sous. Puis il regagnait doucement la rue Saint-Victor, flânant le long des quais, s'asseyant sur les bancs, quand l'air était tiède.

La boutique du passage du Pont-Neuf devint pour lui une retraite charmante, chaude, tranquille, pleine de paroles et d'at-
15 tentions amicales. Il épargna les trois sous de son gloria et but en gourmand l'excellent thé de Mme Raquin. Jusqu'à dix heures, il restait là, assoupi, digérant, se croyant chez lui; il ne partait qu'après avoir aidé Camille à fermer la boutique.

Un soir, il apporta son chevalet et sa boîte à couleurs. Il devait
20 commencer le lendemain le portrait de Camille. On acheta une toile, on fit des préparatifs minutieux. Enfin l'artiste se mit à l'œuvre dans la chambre même des époux; le jour, disait-il, y était plus clair.

---

1. Rue Saint-Victor : rue située dans l'actuel VIe arrondissement de Paris. Zola connaissait bien cette rue pour y avoir vécu en 1860 – il habitait le n° 35. Il fut expulsé de son logement pour n'avoir pas payé son terme.
2. Fenêtre à tabatière : lucarne ayant la même inclinaison que le toit.
3. Galetas : logement misérable, pratiqué sous les combles.
4. Crémerie : petit restaurant bon marché où l'on vendait à l'origine des produits laitiers.
5. Gloria : liqueur chaude composée de café, de sucre et d'eau-de-vie ou de rhum.

Il lui fallut trois soirées pour dessiner la tête. Il traînait avec soin le fusain [1] sur la toile ; à petits coups, maigrement ; son des-
25 sin, roide et sec, rappelait d'une façon grotesque celui des maîtres primitifs. Il copia la face de Camille comme un élève copie une académie [2], d'une main hésitante, avec une exactitude gauche qui donnait à la figure un air renfrogné. Le quatrième jour, il mit sur sa palette de tout petits tas de couleur, et il commença à peindre
30 du bout des pinceaux ; il pointillait la toile de minces taches sales, il faisait des hachures courtes et serrées, comme s'il se fût servi d'un crayon.

À la fin de chaque séance, Mme Raquin et Camille s'exta-
siaient. Laurent disait qu'il fallait attendre, que la ressemblance
35 allait venir.

Depuis que le portrait était commencé, Thérèse ne quittait plus la chambre changée en atelier. Elle laissait sa tante seule derrière le comptoir ; pour le moindre prétexte elle montait et s'oubliait à regarder peindre Laurent.
40 Grave toujours, oppressée, plus pâle et plus muette, elle s'as-
seyait et suivait le travail des pinceaux. Ce spectacle ne parais-
sait cependant pas l'amuser beaucoup ; elle venait à cette place, comme attirée par une force, et elle y restait, comme clouée. Laurent se retournait parfois, lui souriait, lui demandait si le por-
45 trait lui plaisait. Elle répondait à peine, frissonnait, puis reprenait son extase recueillie.

Laurent, en revenant le soir à la rue Saint-Victor, se faisait de longs raisonnements ; il discutait avec lui-même s'il devait, ou non, devenir l'amant de Thérèse.
50 «Voilà une petite femme, se disait-il, qui sera ma maîtresse quand je le voudrai. Elle est toujours là, sur mon dos, à m'examiner, à me mesurer, à me peser… Elle tremble, elle a une figure

---

1. *Fusain* : charbon friable fait avec le bois du fusain et dont on se sert pour dessiner.

2. *Académie* : exercice consistant à peindre ou à dessiner une figure entière d'après un modèle nu.

toute drôle, muette et passionnée. À coup sûr, elle a besoin d'un amant ; cela se voit dans ses yeux... Il faut dire que Camille est un pauvre sire. »

Laurent riait en dedans, au souvenir des maigreurs blafardes de son ami. Puis il continuait :

« Elle s'ennuie dans cette boutique... Moi j'y vais, parce que je ne sais où aller. Sans cela, on ne me prendrait pas souvent au passage du Pont-Neuf. C'est humide, triste. Une femme doit mourir là-dedans... Je lui plais, j'en suis certain ; alors pourquoi pas moi plutôt qu'un autre ? »

Il s'arrêtait, il lui venait des fatuités [1], il regardait couler la Seine d'un air absorbé.

« Ma foi, tant pis, s'écriait-il, je l'embrasse à la première occasion... Je parie qu'elle tombe tout de suite dans mes bras. »

Il se remettait à marcher, et des indécisions le prenaient.

« C'est qu'elle est laide, après tout, pensait-il. Elle a le nez long, la bouche grande. Je ne l'aime pas du tout, d'ailleurs. Je vais peut-être m'attirer quelque mauvaise histoire. Cela demande réflexion. »

Laurent, qui était très prudent, roula ces pensées dans sa tête pendant une grande semaine. Il calcula tous les incidents possibles d'une liaison avec Thérèse ; il se décida seulement à tenter l'aventure, lorsqu'il se fut bien prouvé qu'il avait un réel intérêt à le faire.

Pour lui, Thérèse, il est vrai, était laide, et il ne l'aimait pas ; mais, en somme, elle ne lui coûterait rien, les femmes qu'il achetait à bas prix n'étaient, certes, ni plus belles ni plus aimées. L'économie lui conseillait déjà de prendre la femme de son ami. D'autre part, depuis longtemps il n'avait pas contenté ses appétits ; l'argent étant rare, il sevrait sa chair, et il ne voulait point laisser échapper l'occasion de la repaître un peu. Enfin, une

---

1. Fatuités : propos résultant d'une bonne opinion de soi-même. Le fat, en particulier, se croit irrésistible auprès des femmes.

pareille liaison, en bien réfléchissant, ne pouvait avoir de mau-
85 vaises suites : Thérèse aurait intérêt à tout cacher, il la planterait
là aisément quand il voudrait ; en admettant même que Camille
découvrît tout et se fâchât, il l'assommerait d'un coup de poing,
s'il faisait le méchant. La question, de tous les côtés, se présentait
à Laurent facile et engageante.

90   Dès lors, il vécut dans une douce quiétude [1], attendant
l'heure. À la première occasion, il était décidé à agir carrément. Il
voyait, dans l'avenir, des soirées tièdes. Tous les Raquin travaille-
raient à ses jouissances : Thérèse apaiserait les brûlures de son
sang ; Mme Raquin le cajolerait comme une mère ; Camille, en
95 causant avec lui, l'empêcherait de trop s'ennuyer, le soir, dans la
boutique.

Le portrait s'achevait, les occasions ne se présentaient pas.
Thérèse restait toujours là, accablée et anxieuse ; mais Camille
ne quittait point la chambre, et Laurent se désolait de ne pouvoir
100 l'éloigner pour une heure. Il lui fallut pourtant déclarer un jour
qu'il terminerait le portrait le lendemain. Mme Raquin annonça
qu'on dînerait ensemble et qu'on fêterait l'œuvre du peintre.

Le lendemain, lorsque Laurent eut donné à la toile le dernier
coup de pinceau, toute la famille se réunit pour crier à la ressem-
105 blance. Le portrait était ignoble, d'un gris sale, avec de larges
plaques violacées. Laurent ne pouvait employer les couleurs les
plus éclatantes sans les rendre ternes et boueuses ; il avait, malgré
lui, exagéré les teintes blafardes de son modèle, et le visage de
Camille ressemblait à la face verdâtre d'un noyé ; le dessin gri-
110 maçant convulsionnait les traits, rendant ainsi la sinistre ressemblance plus frappante. Mais Camille était enchanté ; il disait que
sur la toile il avait un air distingué.

Quand il eut bien admiré sa figure, il déclara qu'il allait chercher deux bouteilles de vin de Champagne. Mme Raquin redes-
115 cendit à la boutique. L'artiste resta seul avec Thérèse.

---

1. *Quiétude* : calme paisible.

La jeune femme était demeurée accroupie, regardant vaguement devant elle. Elle semblait attendre en frémissant. Laurent hésita ; il examinait sa toile, il jouait avec ses pinceaux. Le temps pressait, Camille pouvait revenir, l'occasion ne se représenterait peut-être
120 plus. Brusquement, le peintre se tourna et se trouva face à face avec Thérèse. Ils se contemplèrent pendant quelques secondes.

Puis, d'un mouvement violent, Laurent se baissa et prit la jeune femme contre sa poitrine. Il lui renversa la tête, lui écrasant les lèvres sous les siennes. Elle eut un mouvement de révolte,
125 sauvage, emportée, et, tout d'un coup, elle s'abandonna, glissant par terre, sur le carreau. Ils n'échangèrent pas une seule parole. L'acte fut silencieux et brutal.

VII

Dès le commencement, les amants trouvèrent leur liaison nécessaire, fatale, toute naturelle. À leur première entrevue, ils se tutoyèrent, ils s'embrassèrent, sans embarras, sans rougeur, comme si leur intimité eût daté de plusieurs années. Ils vivaient
5 à l'aise dans leur situation nouvelle, avec une tranquillité et une impudence [1] parfaites.

Ils fixèrent leurs rendez-vous. Thérèse ne pouvant sortir, il fut décidé que Laurent viendrait. La jeune femme lui expliqua, d'une voix nette et assurée, le moyen qu'elle avait trouvé. Les entre-
10 vues auraient lieu dans la chambre des époux. L'amant passerait par l'allée qui donnait sur le passage et Thérèse lui ouvrirait la porte de l'escalier. Pendant ce temps, Camille serait à son bureau, Mme Raquin, en bas, dans la boutique. C'étaient là des coups d'audace qui devaient réussir.

---

1. *Impudence* : effronterie, culot.

15   Laurent accepta. Il avait, dans sa prudence, une sorte de témérité brutale, la témérité d'un homme qui a de gros poings. L'air
grave et calme de sa maîtresse l'engagea à venir goûter d'une passion si hardiment offerte. Il choisit un prétexte, il obtint de son chef
un congé de deux heures, et il accourut au passage du Pont-Neuf.

20   Dès l'entrée du passage, il éprouva des voluptés cuisantes. La
marchande de bijoux faux était assise juste en face de la porte
de l'allée. Il lui fallut attendre qu'elle fût occupée, qu'une jeune
ouvrière vînt acheter une bague ou des boucles d'oreilles de cui-
vre. Alors, rapidement, il entra dans l'allée ; il monta l'escalier
25 étroit et obscur, en s'appuyant aux murs gras d'humidité. Ses
pieds heurtaient les marches de pierre ; au bruit de chaque heurt,
il sentait une brûlure qui lui traversait la poitrine. Une porte
s'ouvrit. Sur le seuil, au milieu d'une lueur blanche, il vit Thérèse
en camisole [1], en jupon, tout éclatante, les cheveux fortement
30 noués derrière la tête. Elle ferma la porte, elle se pendit à son cou.
Il s'échappait d'elle une odeur tiède, une odeur de linge blanc et
de chair fraîchement lavée.

    Laurent, étonné, trouva sa maîtresse belle. Il n'avait jamais vu
cette femme. Thérèse, souple et forte, le serrait, renversant la tête
35 en arrière, et, sur son visage, couraient des lumières ardentes, des
sourires passionnés. Cette face d'amante s'était comme transfigu-
rée ; elle avait un air fou et caressant ; les lèvres humides, les yeux
luisants, elle rayonnait. La jeune femme, tordue et ondoyante,
était belle, d'une beauté étrange, toute d'emportement. On eût
40 dit que sa figure venait de s'éclairer en dedans, que des flammes
s'échappaient de sa chair. Et, autour d'elle, son sang qui brûlait,
ses nerfs qui se tendaient, jetaient ainsi des effluves chauds, un
air pénétrant et âcre.

    Au premier baiser, elle se révéla courtisane. Son corps inas-
45 souvi se jeta éperdument dans la volupté. Elle s'éveillait comme

---

1. *Camisole* : court vêtement de nuit porté par les femmes sous ou sur la
chemise de jour.

d'un songe, elle naissait à la passion. Elle passait des bras débiles de Camille dans les bras vigoureux de Laurent, et cette approche d'un homme puissant lui donnait une brusque secousse qui la tirait du sommeil de la chair. Tous ses instincts de femme ner-
50 veuse éclatèrent avec une violence inouïe ; le sang de sa mère, ce sang qui brûlait ses veines, se mit à couler, à battre furieusement dans son corps maigre, presque vierge encore. Elle s'étalait, elle s'offrait avec une impudeur souveraine. Et, de la tête aux pieds, de longs frissons l'agitaient.
55   Jamais Laurent n'avait connu une pareille femme. Il resta surpris, mal à l'aise. D'ordinaire, ses maîtresses ne le recevaient pas avec une telle fougue ; il était accoutumé à des baisers froids et indifférents, à des amours lasses et rassasiées. Les sanglots, les crises de Thérèse l'épouvantèrent presque, tout en irritant ses curio-
60 sités voluptueuses. Quand il quitta la jeune femme, il chancelait comme un homme ivre. Le lendemain, lorsque son calme sournois et prudent fut revenu, il se demanda s'il retournerait auprès de cette amante dont les baisers lui donnaient la fièvre. Il décida d'abord nettement qu'il resterait chez lui. Puis il eut des lâchetés.
65 Il voulait oublier, ne plus voir Thérèse dans sa nudité, dans ses caresses douces et brutales, et toujours elle était là, implacable, tendant les bras. La souffrance physique que lui causait ce spectacle devint intolérable.
    Il céda, il prit un nouveau rendez-vous, il revint au passage
70 du Pont-Neuf.
    À partir de ce jour, Thérèse entra dans sa vie. Il ne l'acceptait pas encore, mais il la subissait. Il avait des heures d'effroi, des moments de prudence, et, en somme, cette liaison le secouait désagréablement ; mais ses peurs, ses malaises tombaient devant
75 ses désirs. Les rendez-vous se suivirent, se multiplièrent.
    Thérèse n'avait pas de ces doutes. Elle se livrait sans ménagement, allant droit où la poussait sa passion. Cette femme, que les circonstances avaient pliée et qui se redressait enfin, mettait à nu son être entier, expliquant sa vie.

80 Parfois elle passait ses bras au cou de Laurent, elle se traînait sur sa poitrine, et, d'une voix encore haletante :

«Oh! Si tu savais, disait-elle, combien j'ai souffert! J'ai été élevée dans l'humidité tiède de la chambre d'un malade. Je couchais avec Camille; la nuit, je m'éloignais de lui, écœurée par l'odeur
85 fade qui sortait de son corps. Il était méchant et entêté; il ne voulait pas prendre les médicaments que je refusais de partager avec lui; pour plaire à ma tante, je devais boire de toutes les drogues. Je ne sais comment je ne suis pas morte… Ils m'ont rendue laide, mon pauvre ami, ils m'ont volé tout ce que j'avais, et tu ne peux
90 m'aimer comme je t'aime.»

Elle pleurait, elle embrassait Laurent, elle continuait avec une haine sourde :

«Je ne leur souhaite pas de mal. Ils m'ont élevée, Ils m'ont recueillie et défendue contre la misère… Mais j'aurais préféré
95 l'abandon à leur hospitalité. J'avais des besoins cuisants de grand air; toute petite, je rêvais de courir les chemins, les pieds nus dans la poussière, demandant l'aumône, vivant en bohémienne. On m'a dit que ma mère était fille d'un chef de tribu, en Afrique; j'ai souvent songé à elle, j'ai compris que je lui appartenais par
100 le sang et les instincts, j'aurais voulu ne la quitter jamais et traverser les sables, pendue à son dos… Ah! quelle jeunesse! J'ai encore des dégoûts et des révoltes, lorsque je me rappelle les longues journées que j'ai passées dans la chambre où râlait Camille. J'étais accroupie devant le feu, regardant stupidement bouillir les
105 tisanes, sentant mes membres se roidir. Et je ne pouvais bouger, ma tante grondait quand je faisais du bruit… Plus tard, j'ai goûté des joies profondes, dans la petite maison du bord de l'eau; mais j'étais déjà abêtie, je savais à peine marcher, je tombais lorsque je courais. Puis on m'a enterrée toute vive dans cette ignoble
110 boutique.»

Thérèse respirait fortement, elle serrait son amant à pleins bras, elle se vengeait, et ses narines minces et souples avaient de petits battements nerveux.

«Tu ne saurais croire, reprenait-elle, combien ils m'ont rendue
mauvaise. Ils ont fait de moi une hypocrite et une menteuse... Ils
m'ont étouffée dans leur douceur bourgeoise, et je ne m'explique
pas comment il y a encore du sang dans mes veines... J'ai baissé
les yeux, j'ai eu comme eux un visage morne et imbécile, j'ai
mené leur vie morte. Quand tu m'as vue, n'est-ce pas ? j'avais
l'air d'une bête, j'étais grave, écrasée, abrutie. Je n'espérais plus
en rien, je songeais à me jeter un jour dans la Seine... Mais, avant
cet affaissement, que de nuits de colère ! Là-bas, à Vernon, dans
ma chambre froide, je mordais mon oreiller pour étouffer mes
cris, je me battais, je me traitais de lâche. Mon sang me brûlait
et je me serais déchiré le corps. À deux reprises, j'ai voulu fuir,
aller devant moi, au soleil ; le courage m'a manqué, ils avaient
fait de moi une brute docile avec leur bienveillance molle et leur
tendresse écœurante. Alors j'ai menti, j'ai menti toujours. Je suis
restée là toute douce, toute silencieuse, rêvant de frapper et de
mordre.»

La jeune femme s'arrêtait, essuyant ses lèvres humides sur le
cou de Laurent. Elle ajoutait, après un silence :

«Je ne sais plus pourquoi j'ai consenti à épouser Camille. Je
n'ai pas protesté, par une sorte d'insouciance dédaigneuse. Cet
enfant me faisait pitié. Lorsque je jouais avec lui, je sentais mes
doigts s'enfoncer dans ses membres comme dans de l'argile. Je
l'ai pris parce que ma tante me l'offrait et que je comptais ne
jamais me gêner pour lui... Et j'ai retrouvé dans mon mari le
petit garçon souffrant avec lequel j'avais déjà couché à six ans. Il
était aussi frêle, aussi plaintif, et il avait toujours cette odeur fade
d'enfant malade qui me répugnait tant jadis... Je te dis tout cela
pour que tu ne sois pas jaloux... Une sorte de dégoût me montait à la gorge ; je me rappelais les drogues que j'avais bues, et je
m'écartais, et je passais des nuits terribles... Mais toi, toi... »

Et Thérèse se redressait, se pliait en arrière, les doigts pris
dans les mains épaisses de Laurent, regardant ses larges épaules,
son cou énorme...

«Toi, je t'aime, je t'ai aimé le jour où Camille t'a poussé dans la boutique… Tu ne m'estimes peut-être pas, parce que je me suis livrée tout entière, en une fois… Vrai, je ne sais pas comment cela est arrivé. Je suis fière, je suis emportée. J'aurais voulu te battre, le premier jour, quand tu m'as embrassée et jetée par terre dans cette chambre… J'ignore comment je t'aimais ; je te haïssais plutôt. Ta vue m'irritait, me faisait souffrir ; lorsque tu étais là, mes nerfs se tendaient à se rompre, ma tête se vidait, je voyais rouge. Oh ! que j'ai souffert ! Et je cherchais cette souffrance, j'attendais ta venue, je tournais autour de ta chaise, pour marcher dans ton haleine, pour traîner mes vêtements le long des tiens. Il me semblait que ton sang me jetait des bouffées de chaleur au passage, et c'était cette sorte de nuée ardente, dans laquelle tu t'enveloppais, qui m'attirait et me retenait auprès de toi, malgré mes sourdes révoltes… Tu te souviens quand tu peignais ici : une force fatale me ramenait à ton côté, je respirais ton air avec des délices cruelles. Je comprenais que je paraissais quêter des baisers, j'avais honte de mon esclavage, je sentais que j'allais tomber si tu me touchais. Mais je cédais à mes lâchetés, je grelottais de froid en attendant que tu voulusses bien me prendre dans tes bras… »

Alors Thérèse se taisait, frémissante, comme orgueilleuse et vengée. Elle tenait Laurent ivre sur sa poitrine, et, dans la chambre nue et glaciale, se passaient des scènes de passion ardente, d'une brutalité sinistre. Chaque nouveau rendez-vous amenait des crises plus fougueuses.

La jeune femme semblait se plaire à l'audace et à l'impudence. Elle n'avait pas une hésitation, pas une peur. Elle se jetait dans l'adultère avec une sorte de franchise énergique, bravant le péril, mettant une sorte de vanité à le braver. Quand son amant devait venir, pour toute précaution, elle prévenait sa tante qu'elle montait se reposer ; et, quand il était là, elle marchait, parlait, agissait carrément, sans songer jamais à éviter le bruit. Parfois, dans les commencements, Laurent s'effrayait.

«Bon Dieu! disait-il tout bas à Thérèse, ne fais donc pas tant de tapage, Mme Raquin va monter.

– Bah! répondait-elle en riant, tu trembles toujours… Elle est clouée derrière son comptoir; que veux-tu qu'elle vienne faire ici? elle aurait trop peur qu'on ne la volât… Puis, après tout, qu'elle monte si elle veut. Tu te cacheras… Je me moque d'elle. Je t'aime.»

Ces paroles ne rassuraient guère Laurent. La passion n'avait pas encore endormi sa prudence sournoise de paysan. Bientôt, cependant, l'habitude lui fit accepter, sans trop de terreur, les hardiesses de ces rendez-vous donnés en plein jour, dans la chambre de Camille, à deux pas de la vieille mercière. Sa maîtresse lui répétait que le danger épargne ceux qui l'affrontent en face, et elle avait raison. Jamais les amants n'auraient pu trouver un lieu plus sûr que cette pièce où personne ne serait venu les chercher. Ils y contentaient leur amour, dans une tranquillité incroyable.

Un jour, pourtant, Mme Raquin monta, craignant que sa nièce ne fût malade. Il y avait près de trois heures que la jeune femme était en haut. Elle poussait l'audace jusqu'à ne pas fermer au verrou la porte de la chambre qui donnait dans la salle à manger.

Lorsque Laurent entendit les pas lourds de la vieille mercière, montant l'escalier de bois, il se troubla, chercha fiévreusement son gilet, son chapeau. Thérèse se mit à rire de la singulière mine qu'il faisait. Elle lui prit le bras avec force, le courba au pied du lit, dans un coin, et lui dit d'une voix basse et calme :

«Tiens-toi là… ne remue pas.»

Elle jeta sur lui les vêtements d'homme qui traînaient, et étendit sur le tout un jupon blanc qu'elle avait retiré. Elle fit ces choses avec des gestes lestes et précis, sans rien perdre de sa tranquillité. Puis elle se coucha, échevelée, demi-nue, encore rouge et frissonnante.

Mme Raquin ouvrit doucement la porte et s'approcha du lit en étouffant le bruit de ses pas. La jeune femme feignait de dormir. Laurent suait sous le jupon blanc.

«Thérèse, demanda la mercière avec sollicitude, es-tu malade, ma fille ? »

Thérèse ouvrit les yeux, bâilla, se retourna et répondit d'une voix dolente [1] qu'elle avait une migraine atroce. Elle supplia sa tante de la laisser dormir. La vieille dame s'en alla comme elle était venue, sans faire de bruit.

Les deux amants, riant en silence, s'embrassèrent avec une violence passionnée.

«Tu vois bien, dit Thérèse triomphante, que nous ne craignons rien ici… Tous ces gens-là sont aveugles : ils n'aiment pas.»

Un autre jour, la jeune femme eut une idée bizarre. Parfois, elle était comme folle, elle délirait.

Le chat tigré, François, était assis sur son derrière, au beau milieu de la chambre. Grave, immobile, il regardait de ses yeux ronds les deux amants. Il semblait les examiner avec soin, sans cligner les paupières, perdu dans une sorte d'extase diabolique.

«Regarde donc François, dit Thérèse à Laurent. On dirait qu'il comprend et qu'il va ce soir tout conter à Camille… Dis, ce serait drôle, s'il se mettait à parler dans la boutique, un de ces jours ; il sait de belles histoires sur notre compte… »

Cette idée, que François pourrait parler, amusa singulièrement la jeune femme. Laurent regarda les grands yeux verts du chat, et sentit un frisson lui courir sur la peau.

«Voici comment il ferait, reprit Thérèse. Il se mettrait debout, et, me montrant d'une patte, te montrant de l'autre, il s'écrierait : "Monsieur et madame s'embrassent très fort dans la chambre ; ils ne se sont pas méfiés de moi, mais comme leurs amours criminelles me dégoûtent, je vous prie de les faire mettre en prison [2] tous les deux ; ils ne troubleront plus ma sieste."»

---

1. Dolente : plaintive, souffrante.

2. À l'époque, l'adultère est passible de prison ; le code pénal établit alors une inégalité de traitement entre la femme et l'homme ; l'épouse adultère est punie d'une peine de prison, ainsi que son amant, tandis que le mari adultère s'expose à une amende, et seulement si la «faute» a été commise au domicile conjugal.

245 Thérèse plaisantait comme un enfant, elle mimait le chat, elle allongeait les mains en façon de griffes, elle donnait à ses épaules des ondulations félines. François, gardant une immobilité de pierre, la contemplait toujours ; ses yeux seuls paraissaient vivants ; et il y avait, dans les coins de sa gueule, deux plis pro-
250 fonds qui faisaient éclater de rire cette tête d'animal empaillé.

Laurent se sentait froid aux os. Il trouva ridicule la plaisanterie de Thérèse. Il se leva et mit le chat à la porte. En réalité, il avait peur. Sa maîtresse ne le possédait pas encore entièrement ; il restait au fond de lui un peu de ce malaise qu'il avait éprouvé
255 sous les premiers baisers de la jeune femme.

VIII

Le soir, dans la boutique, Laurent était parfaitement heureux. D'ordinaire, il revenait du bureau avec Camille. Mme Raquin s'était prise pour lui d'une amitié maternelle ; elle le savait gêné [1], mangeant mal, couchant dans un grenier, et elle lui avait dit une
5 fois pour toutes que son couvert serait toujours mis à leur table. Elle aimait ce garçon de cette tendresse bavarde que les vieilles femmes ont pour les gens qui viennent de leur pays, apportant avec eux des souvenirs du passé.

Le jeune homme usait largement de l'hospitalité. Avant de
10 rentrer, au sortir du bureau, il faisait avec Camille un bout de promenade sur les quais ; tous deux trouvaient leur compte à cette intimité ; ils s'ennuyaient moins, ils flânaient en causant.

---

1. *Gêné* : qui a des embarras d'argent.

Puis ils se décidaient à venir manger la soupe de Mme Raquin. Laurent ouvrait en maître la porte de la boutique ; il s'asseyait à
15 califourchon sur les chaises, fumant et crachant, comme s'il était chez lui.

La présence de Thérèse ne l'embarrassait nullement. Il traitait la jeune femme avec une rondeur[1] amicale, il plaisantait, lui adressait des galanteries banales, sans qu'un pli de sa face bou-
20 geât. Camille riait, et, comme sa femme ne répondait à son ami que par des monosyllabes, il croyait fermement qu'ils se détestaient tous deux. Un jour même il fit des reproches à Thérèse sur ce qu'il appelait sa froideur pour Laurent.

Laurent avait deviné juste : il était devenu l'amant de la
25 femme, l'ami du mari, l'enfant gâté de la mère. Jamais il n'avait vécu dans un pareil assouvissement de ses appétits. Il s'endormait au fond des jouissances infinies que lui donnait la famille Raquin. D'ailleurs, sa position dans cette famille lui paraissait toute naturelle. Il tutoyait Camille sans colère, sans remords. Il ne
30 surveillait même pas ses gestes ni ses paroles, tant il était certain de sa prudence, de son calme ; l'égoïsme avec lequel il goûtait ses félicités le protégeait contre toute faute. Dans la boutique, sa maîtresse devenait une femme comme une autre, qu'il ne fallait point embrasser et qui n'existait pas pour lui. S'il ne l'embrassait
35 pas devant tous, c'est qu'il craignait de ne pouvoir revenir. Cette seule conséquence l'arrêtait. Autrement, il se serait parfaitement moqué de la douleur de Camille et de sa mère. Il n'avait point conscience de ce que la découverte de sa liaison pourrait amener. Il croyait agir simplement, comme tout le monde aurait agi
40 à sa place, en homme pauvre et affamé. De là ses tranquillités béates[2], ses audaces prudentes, ses attitudes désintéressées et goguenardes[3].

---

1. *Rondeur* : franchise, naturel.
2. *Béates* : heureuses.
3. *Goguenardes* : moqueuses.

Thérèse, plus nerveuse, plus frémissante que lui, était obligée de jouer un rôle. Elle le jouait à la perfection, grâce à l'hypocri-
45 sie savante que lui avait donnée son éducation. Pendant près de quinze ans, elle avait menti, étouffant ses fièvres, mettant une volonté implacable à paraître morne et endormie. Il lui coûtait peu de poser sur sa chair ce masque de morte qui glaçait son visage. Quand Laurent entrait, il la trouvait grave, rechignée, le
50 nez plus long, les lèvres plus minces. Elle était laide, revêche [1], inabordable. D'ailleurs, elle n'exagérait pas ses effets, elle jouait son ancien personnage, sans éveiller l'attention par une brusque-rie plus grande. Pour elle, elle trouvait une volupté amère à trom-per Camille et Mme Raquin ; elle n'était pas comme Laurent ;
55 affaissée dans le contentement épais de ses désirs, inconsciente du devoir ; elle savait qu'elle faisait le mal, et il lui prenait des envies féroces de se lever de table et d'embrasser Laurent à pleine bouche, pour montrer à son mari et à sa tante qu'elle n'était pas une bête et qu'elle avait un amant.
60 Par moments, des joies chaudes lui montaient à la tête ; toute bonne comédienne qu'elle fût, elle ne pouvait alors se retenir de chanter, quand son amant n'était pas là et qu'elle ne craignait point de se trahir. Ces gaietés soudaines charmaient Mme Raquin qui accusait sa nièce de trop de gravité. La jeune femme acheta des
65 pots de fleurs et en garnit la fenêtre de sa chambre ; puis elle fit col-ler du papier neuf dans cette pièce, elle voulut un tapis, des rideaux, des meubles de palissandre [2]. Tout ce luxe était pour Laurent.
La nature et les circonstances semblaient avoir fait cette femme pour cet homme, et les avoir poussés l'un vers l'autre.
70 À eux deux, la femme, nerveuse et hypocrite, l'homme, sanguin et vivant en brute, ils faisaient un couple puissamment lié. Ils se complétaient, se protégeaient mutuellement. Le soir, à table, dans

---

1. *Revêche* : désagréable, peu accommodante.
2. *Palissandre* : bois exotique, dur, lourd, très veiné, employé en marqueterie et en ébénisterie.

les clartés pâles de la lampe, on sentait la force de leur union, à voir le visage épais et souriant de Laurent, en face du masque muet et impénétrable de Thérèse.

C'étaient de douces et calmes soirées. Dans le silence, dans l'ombre transparente et attiédie, s'élevaient des paroles amicales. On se serrait autour de la table ; après le dessert, on causait des mille riens de la journée, des souvenirs de la veille et des espoirs du lendemain. Camille aimait Laurent, autant qu'il pouvait aimer, en égoïste satisfait, et Laurent semblait lui rendre une égale affection ; il y avait entre eux un échange de phrases dévouées, de gestes serviables, de regards prévenants. Mme Raquin, le visage placide, mettait toute sa paix autour de ses enfants, dans l'air tranquille qu'ils respiraient. On eût dit une réunion de vieilles connaissances qui se connaissaient jusqu'au cœur et qui s'endormaient sur la foi de leur amitié.

Thérèse, immobile, paisible comme les autres, regardait ces joies bourgeoises, ces affaissements souriants. Et, au fond d'elle, il y avait des rires sauvages ; tout son être raillait, tandis que son visage gardait une rigidité froide. Elle se disait, avec des raffinements de volupté, que quelques heures auparavant elle était dans la chambre voisine, demi-nue, échevelée, sur la poitrine de Laurent ; elle se rappelait chaque détail de cet après-midi de passion folle, elle les étalait dans sa mémoire, elle opposait cette scène brûlante à la scène morte qu'elle avait sous les yeux. Ah ! comme elle trompait ces bonnes gens, et comme elle était heureuse de les tromper avec une impudence si triomphante ! Et c'était là, à deux pas, derrière cette mince cloison, qu'elle recevait un homme ; c'était là qu'elle se vautrait dans les âpretés de l'adultère. Et son amant, à cette heure, devenait un inconnu pour elle, un camarade de son mari, une sorte d'imbécile et d'intrus dont elle ne devait pas se soucier. Cette comédie atroce, ces duperies de la vie, cette comparaison entre les baisers ardents du jour et l'indifférence jouée du soir, donnaient des ardeurs nouvelles au sang de la jeune femme.

Lorsque Mme Raquin et Camille descendaient, par hasard, Thérèse se levait d'un bond, collait silencieusement, avec une énergie brutale, ses lèvres sur les lèvres de son amant, et res-
110 tait ainsi, haletant, étouffant, jusqu'à ce qu'elle entendît crier le bois des marches de l'escalier. Alors, d'un mouvement leste, elle reprenait sa place, elle retrouvait sa grimace rechignée. Laurent, d'une voix calme, continuait avec Camille la causerie interrom-pue. C'était comme un éclair de passion, rapide et aveuglant,
115 dans un ciel mort.

Le jeudi, la soirée était un peu plus animée. Laurent, qui, ce jour-là, s'ennuyait à mourir, se faisait pourtant un devoir de ne pas manquer une seule des réunions : il voulait, par mesure de prudence, être connu et estimé des amis de Camille. Il lui fallait
120 écouter les radotages de Grivet et du vieux Michaud ; Michaud racontait toujours les mêmes histoires de meurtre et de vol ; Grivet parlait en même temps de ses employés, de ses chefs, de son administration. Le jeune homme se réfugiait auprès d'Olivier et de Suzanne, qui lui paraissaient d'une bêtise moins assommante.
125 D'ailleurs, il se hâtait de réclamer le jeu de dominos.

C'était le jeudi soir que Thérèse fixait le jour et l'heure de leurs rendez-vous. Dans le trouble du départ, lorsque Mme Raquin et Camille accompagnaient les invités jusqu'à la porte du passage, la jeune femme s'approchait de Laurent, lui parlait bas, lui serrait
130 la main. Parfois même, quand tout le monde avait le dos tourné, elle l'embrassait, par une sorte de fanfaronnade.

Pendant huit mois, dura cette vie de secousses et d'apaise-ments. Les amants vivaient dans une béatitude complète ; Thérèse ne s'ennuyait plus, ne désirait plus rien ; Laurent, repu, choyé,
135 engraissé encore, avait la seule crainte de voir cesser cette belle existence.

IX

Une après-midi, comme Laurent allait quitter son bureau pour courir auprès de Thérèse qui l'attendait, son chef le fit appeler et lui signifia qu'à l'avenir il lui défendait de s'absenter. Il avait abusé des congés ; l'administration était décidée à le renvoyer, s'il sortait une seule fois.

Cloué sur sa chaise, il désespéra jusqu'au soir. Il devait gagner son pain, il ne pouvait se faire mettre à la porte. Le soir, le visage courroucé de Thérèse fut une torture pour lui. Il ne savait comment expliquer son manque de parole à sa maîtresse. Pendant que Camille fermait la boutique, il s'approcha vivement de la jeune femme :

« Nous ne pouvons plus nous voir, lui dit-il à voix basse. Mon chef me refuse toute nouvelle permission de sortie. »

Camille rentrait. Laurent dut se retirer sans donner de plus amples explications, laissant Thérèse sous le coup de cette déclaration brutale. Exaspérée, ne voulant pas admettre qu'on pût troubler ses voluptés, elle passa une nuit d'insomnie à bâtir des plans de rendez-vous extravagants. Le jeudi qui suivit, elle causa une minute au plus avec Laurent. Leur anxiété était d'autant plus vive qu'ils ne savaient où se rencontrer pour se consulter et s'entendre. La jeune femme donna un nouveau rendez-vous à son amant, qui lui manqua de parole une seconde fois. Dès lors, elle n'eut plus qu'une idée fixe, le voir à tout prix.

Il y avait quinze jours que Laurent ne pouvait approcher de Thérèse. Alors il sentit combien cette femme lui était devenue nécessaire ; l'habitude de la volupté lui avait créé des appétits nouveaux, d'une exigence aiguë. Il n'éprouvait plus aucun malaise dans les embrassements de sa maîtresse, il quêtait ces embrassements avec une obstination d'animal affamé. Une passion de sang avait couvé dans ses muscles ; maintenant qu'on lui retirait son amante, cette passion éclatait avec une violence aveugle ; il

aimait à la rage. Tout semblait inconscient dans cette florissante
nature de brute ; il obéissait à des instincts, il se laissait conduire
par les volontés de son organisme. Il aurait ri aux éclats, un an
35 auparavant, si on lui avait dit qu'il serait l'esclave d'une femme,
au point de compromettre ses tranquillités. Le sourd travail des
désirs s'était opéré en lui, à son insu, et avait fini par le jeter,
pieds et poings liés, aux caresses fauves de Thérèse. À cette heure,
il redoutait d'oublier la prudence, il n'osait venir, le soir, au pas-
40 sage du Pont-Neuf, craignant de commettre quelque folie. Il ne
s'appartenait plus ; sa maîtresse, avec ses souplesses de chatte,
ses flexibilités nerveuses, s'était glissée peu à peu dans chacune
des fibres de son corps. Il avait besoin de cette femme pour vivre
comme on a besoin de boire et de manger.

45 Il aurait certainement fait une sottise, s'il n'avait reçu une
lettre de Thérèse, qui lui recommandait de rester chez lui le lendemain. Son amante lui promettait de venir le trouver vers les
huit heures du soir.

Au sortir du bureau, il se débarrassa de Camille, en disant
50 qu'il était fatigué, qu'il allait se coucher tout de suite. Thérèse,
après le dîner, joua également son rôle ; elle parla d'une cliente
qui avait déménagé sans la payer, elle fit la créancière[1] intrai-
table, elle déclara qu'elle voulait aller réclamer son argent. La
cliente demeurait aux Batignolles[2]. Mme Raquin et Camille
55 trouvèrent la course longue, la démarche hasardeuse ; d'ailleurs,
ils ne s'étonnèrent pas, ils laissèrent partir Thérèse en toute tranquillité.

La jeune femme courut au Port aux Vins, glissant sur les pavés
qui étaient gras, heurtant les passants, ayant hâte d'arriver. Des
60 moiteurs lui montaient au visage ; ses mains brûlaient. On aurait
dit une femme soûle. Elle gravit rapidement l'escalier de l'hôtel

---

1. **Créancière** : celle à qui est due une somme d'argent.
2. **Batignolles** : quartier situé dans l'actuel XVIIe arrondissement de Paris, sur
la rive droite et presque diamétralement opposé à la boutique des Raquin.

meublé. Au sixième étage, essoufflée, les yeux vagues, elle aperçut Laurent, penché sur la rampe, qui l'attendait.

Elle entra dans le grenier. Ses larges jupes ne pouvaient y tenir, tant l'espace était étroit. Elle arracha d'une main son chapeau, et s'appuya contre le lit, défaillante…

La fenêtre à tabatière, ouverte toute grande, versait les fraîcheurs du soir sur la couche brûlante. Les amants restèrent longtemps dans le taudis, comme au fond d'un trou. Tout d'un coup, Thérèse entendit l'horloge de la Pitié[1] sonner dix heures. Elle aurait voulu être sourde; elle se leva péniblement et regarda le grenier qu'elle n'avait pas encore vu. Elle chercha son chapeau, noua les rubans, et s'assit en disant d'une voix lente :

« Il faut que je parte. »

Laurent était venu s'agenouiller devant elle. Il lui prit les mains.

« Au revoir, reprit-elle sans bouger.

– Non pas au revoir, s'écria-t-il, cela est trop vague… Quel jour reviendras-tu ? »

Elle le regarda en face.

« Tu veux de la franchise ? dit-elle. Eh bien ! vrai, je crois que je ne reviendrai plus. Je n'ai pas de prétexte, je ne puis en inventer.

– Alors il faut nous dire adieu.

– Non, je ne veux pas ! »

Elle prononça ces mots avec une colère épouvantée. Elle ajouta plus doucement, sans savoir ce qu'elle disait, sans quitter sa chaise :

« Je vais m'en aller. »

Laurent songeait. Il pensait à Camille.

« Je ne lui en veux pas, dit-il enfin sans le nommer, mais vraiment il nous gêne trop… Est-ce que tu ne pourrais pas nous en débarrasser, l'envoyer en voyage, quelque part, bien loin ?

---

1. *La Pitié* : établissement hospitalier, situé dans le prolongement de la rue Saint-Victor. Il fut détruit en 1912. Aujourd'hui, la mosquée de Paris et ses dépendances occupent son emplacement.

– Ah ! oui, l'envoyer en voyage ! reprit la jeune femme en hochant la tête. Tu crois qu'un homme comme ça consent à voyager… Il n'y a qu'un voyage dont on ne revient pas… Mais il nous enterrera tous ; ces gens-là qui n'ont que le souffle ne meurent jamais. »

Il y eut un silence. Laurent se traîna sur les genoux, se serrant contre sa maîtresse, appuyant la tête contre sa poitrine.

« J'avais fait un rêve, dit-il ; je voulais passer une nuit entière avec toi, m'endormir dans tes bras et me réveiller le lendemain sous tes baisers… Je voudrais être ton mari… Tu comprends ?

– Oui, oui, répondit Thérèse, frissonnante. »

Elle se pencha brusquement sur le visage de Laurent, qu'elle couvrit de baisers. Elle égratignait les brides de son chapeau contre la barbe rude du jeune homme ; elle ne songeait plus qu'elle était habillée et qu'elle allait froisser ses vêtements. Elle sanglotait, elle prononçait des paroles haletantes au milieu de ses larmes.

« Ne dis pas ces choses, répétait-elle, car je n'aurais plus la force de te quitter, je resterais là… Donne-moi du courage plutôt ; dis-moi que nous nous verrons encore. N'est-ce pas que tu as besoin de moi et que nous trouverons bien un jour le moyen de vivre ensemble ?

– Alors, reviens, reviens demain, lui répondit Laurent, dont les mains tremblantes montaient le long de sa taille.

– Mais je ne puis revenir… Je te l'ai dit, je n'ai pas de prétexte. »

Elle se tordait les bras. Elle reprit :

« Oh ! Le scandale ne me fait pas peur… En rentrant, si tu veux, je vais dire à Camille que tu es mon amant, et je reviens coucher ici… C'est pour toi que je tremble ; je ne veux pas te déranger ta vie, je désire te faire une existence heureuse. »

Les instincts prudents du jeune homme se réveillèrent.

« Tu as raison, dit-il, il ne faut pas agir comme des enfants. Ah ! si ton mari mourait…

– Si mon mari mourait… répéta lentement Thérèse.

– Nous nous marierions ensemble, nous ne craindrions plus rien, nous jouirions largement de nos amours… Quelle bonne et douce vie ! »

La jeune femme s'était redressée. Les joues pâles, elle regardait son amant avec des yeux sombres ; des battements agitaient ses lèvres.

« Les gens meurent quelquefois, murmura-t-elle enfin. Seulement, c'est dangereux pour ceux qui survivent. »

Laurent ne répondit pas.

« Vois-tu, continua-t-elle, tous les moyens connus sont mauvais.

– Tu ne m'as pas compris, dit-il paisiblement. Je ne suis pas un sot, je veux t'aimer en paix… Je pensais qu'il arrive des accidents tous les jours, que le pied peut glisser, qu'une tuile peut tomber… Tu comprends ? Dans ce dernier cas, le vent seul est coupable. »

Il parlait d'une voix étrange. Il eut un sourire et ajouta d'un ton caressant :

« Va, sois tranquille, nous nous aimerons bien, nous vivrons heureux… Puisque tu ne peux venir, j'arrangerai tout cela… Si nous restons plusieurs mois sans nous voir, ne m'oublie pas, songe que je travaille à nos félicités [1]. »

Il saisit dans ses bras Thérèse, qui ouvrait la porte pour partir.

« Tu es à moi, n'est-ce pas ? continua-t-il. Tu jures de te livrer entière, à toute heure, quand je voudrai ?

– Oui, cria la jeune femme, je t'appartiens, fais de moi ce qu'il te plaira. »

Ils restèrent un moment farouches et muets. Puis Thérèse s'arracha avec brusquerie, et, sans tourner la tête, elle sortit de la mansarde et descendit l'escalier. Laurent écouta le bruit de ses pas qui s'éloignaient.

Quand il n'entendit plus rien, il rentra dans son taudis, il se coucha. Les draps étaient tièdes. Il étouffait au fond de ce

---

1. *Nos félicités* : notre bonheur.

trou étroit que Thérèse laissait plein des ardeurs de sa passion. Il lui semblait que son souffle respirait encore un peu de la jeune femme ; elle avait passé là, répandant des émanations pénétrantes, des odeurs de violette, et maintenant il ne pouvait plus serrer entre ses bras que le fantôme insaisissable de sa maîtresse, traînant autour de lui ; il avait la fièvre des amours renaissantes et inassouvies. Il ne ferma pas la fenêtre. Couché sur le dos, les bras nus, les mains ouvertes, cherchant la fraîcheur, il songea, en regardant le carré d'un bleu sombre que le châssis [1] taillait dans le ciel.

Jusqu'au jour, la même idée tourna dans sa tête. Avant la venue de Thérèse, il ne songeait pas au meurtre de Camille ; il avait parlé de la mort de cet homme, poussé par les faits, irrité par la pensée qu'il ne reverrait plus son amante. Et c'est ainsi qu'un nouveau coin de sa nature inconsciente venait de se révéler ; il s'était mis à rêver l'assassinat dans les emportements de l'adultère.

Maintenant, plus calme, seul au milieu de la nuit paisible, il étudiait le meurtre. L'idée de mort, jetée avec désespoir entre deux baisers, revenait implacable et aiguë. Laurent, secoué par l'insomnie, énervé par les senteurs acres que Thérèse avait laissées derrière elle, dressait des embûches, calculait les mauvaises chances, étalait les avantages qu'il aurait à être assassin.

Tous ses intérêts le poussaient au crime. Il se disait que son père, le paysan de Jeufosse, ne se décidait pas à mourir ; il lui faudrait peut-être rester encore dix ans employé, mangeant dans les crémeries, vivant sans femme dans un grenier. Cette idée l'exaspérait. Au contraire, Camille mort, il épousait Thérèse, il héritait de Mme Raquin, il donnait sa démission et flânait au soleil. Alors, il se plut à rêver cette vie de paresseux ; il se voyait déjà oisif, mangeant et dormant, attendant avec patience la mort de son père. Et quand la réalité se dressait au milieu de son rêve, il se heurtait contre Camille, il serrait les poings comme pour l'assommer.

---

1. *Châssis* : cadre de la fenêtre.

190 Laurent voulait Thérèse; il la voulait à lui tout seul, toujours à portée de sa main. S'il ne faisait pas disparaître le mari, la femme lui échappait. Elle l'avait dit : elle ne pouvait revenir. Il l'aurait bien enlevée, emportée quelque part, mais alors ils seraient morts de faim tous deux. Il risquait moins en tuant le mari; il ne sou-
195 levait aucun scandale, il poussait seulement un homme pour se mettre à sa place. Dans sa logique brutale de paysan, il trouvait ce moyen excellent et naturel. Sa prudence native lui conseillait même cet expédient rapide.

Il se vautrait sur son lit, en sueur, à plat ventre, collant sa face
200 moite dans l'oreiller où avait traîné le chignon de Thérèse. Il prenait la toile entre ses lèvres séchées, il buvait les parfums légers de ce linge, et il restait là, sans haleine, étouffant, voyant passer des barres de feu le long de ses paupières closes. Il se demandait comment il pourrait bien tuer Camille. Puis, quand la respiration
205 lui manquait, il se retournait d'un bond, se remettait sur le dos, et, les yeux grands ouverts, recevant en plein visage les souffles froids de la fenêtre, il cherchait dans les étoiles, dans la clarté bleuâtre du ciel, un conseil de meurtre, un plan d'assassinat.

Il ne trouva rien. Comme il l'avait dit à sa maîtresse, il n'était
210 pas un enfant, un sot; il ne voulait ni du poignard ni du poison. Il lui fallait un crime sournois, accompli sans danger, une sorte d'étouffement sinistre, sans cris, sans terreur, une simple disparition. La passion avait beau le secouer et le pousser en avant; tout son être réclamait impérieusement la prudence. Il était trop
215 lâche, trop voluptueux, pour risquer sa tranquillité. Il tuait afin de vivre calme et heureux.

Peu à peu le sommeil le prit. L'air froid avait chassé du grenier le fantôme tiède et odorant de Thérèse. Laurent, brisé, apaisé, se laissa envahir par une sorte d'engourdissement doux et vague. En
220 s'endormant, il décida qu'il attendrait une occasion favorable, et sa pensée, de plus en plus fuyante, le berçait en murmurant : «Je le tuerai, je le tuerai.» Cinq minutes plus tard, il reposait, respirant avec une régularité sereine.

Thérèse était rentrée chez elle à onze heures. La tête en feu, la pensée tendue, elle arriva au passage du Pont-Neuf, sans avoir conscience du chemin parcouru. Il lui semblait qu'elle descendait de chez Laurent, tant ses oreilles étaient pleines encore des paroles qu'elle venait d'entendre. Elle trouva Mme Raquin et Camille anxieux et empressés ; elle répondit sèchement à leurs questions, en disant qu'elle avait fait une course inutile et qu'elle était restée une heure sur un trottoir à attendre un omnibus.

Lorsqu'elle se mit au lit, elle trouva les draps froids et humides. Ses membres, encore brûlants, eurent des frissons de répugnance. Camille ne tarda pas à s'endormir, et Thérèse regarda longtemps cette face blafarde qui reposait bêtement sur l'oreiller, la bouche ouverte. Elle s'écartait de lui, elle avait des envies d'enfoncer son poing fermé dans cette bouche.

X

Près de trois semaines se passèrent. Laurent revenait à la boutique tous les soirs ; il paraissait las, comme malade : un léger cercle bleuâtre entourait ses yeux, ses lèvres pâlissaient et se gerçaient. D'ailleurs, il avait toujours sa tranquillité lourde, il regardait Camille en face, il lui témoignait la même amitié franche. Mme Raquin choyait davantage l'ami de la maison, depuis qu'elle le voyait s'endormir dans une sorte de fièvre sourde.

Thérèse avait repris son visage muet et rechigné [1]. Elle était plus immobile, plus impénétrable, plus paisible que jamais. Il lui semblait que Laurent n'existât pas pour elle ; elle le regardait à peine, lui adressait de rares paroles, le traitait avec une indifférence parfaite. Mme Raquin, dont la bonté souffrait de cette

---

1. Rechigné : qui a l'air maussade.

attitude, disait parfois au jeune homme : «Ne faites pas attention à la froideur de ma nièce. Je la connais ; son visage paraît froid, mais son cœur est chaud de toutes les tendresses et de tous les dévouements.»

Les deux amants n'avaient plus de rendez-vous. Depuis la soirée de la rue Saint-Victor, ils ne s'étaient plus rencontrés seul à seul. Le soir, lorsqu'ils se trouvaient face à face, en apparence tranquilles et étrangers l'un à l'autre, des orages de passion, d'épouvante et de désir passaient sous la chair calme de leur visage. Et il y avait dans Thérèse des emportements, des lâchetés, des railleries cruelles ; il y avait dans Laurent des brutalités sombres, des indécisions poignantes. Eux-mêmes n'osaient regarder au fond de leur être, au fond de cette fièvre trouble qui emplissait leur cerveau d'une sorte de vapeur épaisse et âcre.

Quand ils pouvaient, derrière une porte, sans parler, ils se serraient les mains à se les briser, dans une étreinte rude et courte. Ils auraient voulu, mutuellement, emporter des lambeaux de leur chair, collés à leurs doigts. Ils n'avaient plus que ce serrement de mains pour apaiser leurs désirs. Ils y mettaient tout leur corps. Ils ne se demandaient rien autre chose, ils attendaient.

Un jeudi soir, avant de se mettre au jeu, les invités de la famille Raquin, comme à l'ordinaire, eurent un bout de causerie. Un des grands sujets de conversation était de parler au vieux Michaud de ses anciennes fonctions, de le questionner sur les étranges et sinistres aventures auxquelles il avait dû être mêlé. Alors Grivet et Camille écoutaient les histoires du commissaire de police avec la face effrayée et béante des petits enfants qui entendent *Barbe-Bleue* ou *Le Petit Poucet*. Cela les terrifiait et les amusait.

Ce jour-là, Michaud, qui venait de raconter un horrible assassinat dont les détails avaient fait frissonner son auditoire, ajouta en hochant la tête :

«Et l'on ne sait pas tout… Que de crimes restent inconnus ! que d'assassins échappent à la justice des hommes !

– Comment ! dit Grivet étonné, vous croyez qu'il y a, comme ça, dans la rue, des canailles qui ont assassiné et qu'on n'arrête pas ? »

Olivier se mit à sourire d'un air de dédain.

«Mon cher monsieur, répondit-il de sa voix cassante, si on ne les arrête pas, c'est qu'on ignore qu'ils ont assassiné.»

Ce raisonnement ne parut pas convaincre Grivet. Camille vint à son secours.

«Moi, je suis de l'avis de M. Grivet, dit-il avec une importance bête… J'ai besoin de croire que la police est bien faite et que je ne coudoierai [1] jamais un meurtrier sur un trottoir.»

Olivier vit une attaque personnelle dans ces paroles.

«Certainement, la police est bien faite, s'écria-t-il d'un ton vexé… Mais nous ne pouvons pourtant pas faire l'impossible. Il y a des scélérats qui ont appris le crime à l'école du diable ; ils échapperaient à Dieu lui-même… N'est-ce pas, mon père ?

– Oui, oui, appuya le vieux Michaud… Ainsi, lorsque j'étais à Vernon – vous vous souvenez peut-être de cela, madame Raquin –, on assassina un roulier [2] sur la grand-route. Le cadavre fut trouvé coupé en morceaux, au fond d'un fossé. Jamais on n'a pu mettre la main sur le coupable. Il vit peut-être encore aujourd'hui, il est peut-être notre voisin, et peut-être M. Grivet va-t-il le rencontrer en rentrant chez lui.»

Grivet devint pâle comme un linge. Il n'osait tourner la tête ; il croyait que l'assassin du roulier était derrière lui. D'ailleurs, il était enchanté d'avoir peur.

«Ah bien ! non, balbutia-t-il, sans trop savoir ce qu'il disait, ah bien ! non, je ne veux pas croire cela… Moi aussi, je sais une histoire : il y avait une fois une servante qui fut mise en prison, pour avoir volé à ses maîtres un couvert d'argent. Deux mois après, comme on abattait un arbre, on trouva le couvert dans un nid de

---

1. *Je ne coudoierai* : je ne frôlerai.
2. *Roulier* : voiturier qui assurait le transport public des marchandises sur des chariots.

pie. C'était une pie qui était la voleuse. On relâcha la servante…
Vous voyez bien que les coupables sont toujours punis.»

Grivet était triomphant, Olivier ricanait.

80 «Alors, dit-il, on a mis la pie en prison.

– Ce n'est pas cela que M. Grivet a voulu dire, reprit Camille,
fâché de voir tourner son chef en ridicule… Mère, donne-nous le
jeu de dominos.»

Pendant que Mme Raquin allait chercher la boîte, le jeune
85 homme continua, en s'adressant à Michaud :

«Alors, la police est impuissante, vous l'avouez ? il y a des
meurtriers qui se promènent au soleil ?

– Eh ! malheureusement oui, répondit le commissaire.

– C'est immoral, conclut Grivet.»

90 Pendant cette conversation, Thérèse et Laurent étaient restés
silencieux. Ils n'avaient pas même souri de la sottise de Grivet.
Accoudés tous deux sur la table, légèrement pâles, les yeux
vagues, ils écoutaient. Un moment leurs regards s'étaient rencontrés, noirs et ardents. Et de petites gouttes de sueur perlaient à
95 la racine des cheveux de Thérèse, et des souffles froids donnaient
des frissons imperceptibles à la peau de Laurent.

XI

Parfois, le dimanche, lorsqu'il faisait beau, Camille forçait
Thérèse à sortir avec lui, à faire un bout de promenade aux
Champs-Élysées[1]. La jeune femme aurait préféré rester dans

---

1. Champs-Élysées : avenue de l'ouest parisien, qui, sous le second Empire,
connaît une période faste et qui, à l'époque du roman, constitue un lieu de
promenade chic où se côtoient les personnes élégantes et le grand monde.
C'est à cette époque que de grands personnages et financiers y élisent domicile et que d'importants immeubles s'y construisent.

l'ombre humide de la boutique ; elle se fatiguait, elle s'ennuyait
5   au bras de son mari qui la traînait sur les trottoirs, en s'arrêtant
aux boutiques, avec des étonnements, des réflexions, des silences d'imbécile. Mais Camille tenait bon ; il aimait à montrer sa
femme ; lorsqu'il rencontrait un de ses collègues, un de ses chefs
surtout, il était tout fier d'échanger un salut avec lui, en com-
10 pagnie de Madame. D'ailleurs, il marchait pour marcher, sans
presque parler, roide et contrefait [1] dans ses habits du dimanche,
traînant les pieds, abruti et vaniteux. Thérèse souffrait d'avoir un
pareil homme au bras.

Les jours de promenade, Mme Raquin accompagnait ses
15 enfants jusqu'au bout du passage. Elle les embrassait comme s'ils
fussent partis pour un voyage. Et c'étaient des recommandations
sans fin, des prières pressantes.

« Surtout, leur disait-elle, prenez garde aux accidents... Il y a
tant de voitures dans ce Paris !... Vous me promettez de ne pas
20 aller dans la foule... »

Elle les laissait enfin s'éloigner, les suivant longtemps des
yeux. Puis elle rentrait à la boutique. Ses jambes devenaient lourdes et lui interdisaient toute longue marche.

D'autres fois, plus rarement, les époux sortaient de Paris :
25 ils allaient à Saint-Ouen [2] ou à Asnières [3], et mangeaient une
friture dans un des restaurants du bord de l'eau. C'étaient des
jours de grande débauche, dont on parlait un mois à l'avance.
Thérèse acceptait plus volontiers, presque avec joie, ces courses

---

1. *Contrefait* : ici, déguisé.
2. *Saint-Ouen* : commune située au nord de Paris. Pendant tout le XVIIIe siècle,
ce fut un lieu de villégiature particulièrement recherché. C'est seulement vers
1860, avec la construction du pont entre Saint-Ouen et Gennevilliers, que
commença son expansion.
3. *Asnières* : commune située au nord-ouest de Paris, à proximité de Saint-
Ouen. Jusqu'à la Restauration, ce n'est qu'un petit village, très recherché. En
1850, un club de canotage y est créé et, entre 1860 et 1890, se multiplient
les canotiers et les régates. De nombreux artistes vinrent peindre la Seine à
Asnières. Parmi eux : Van Gogh, Seurat et Monet.

qui la retenaient en plein air jusqu'à dix et onze heures du soir.

30 Saint-Ouen, avec ses îles vertes, lui rappelait Vernon ; elle y sentait se réveiller toutes les amitiés sauvages qu'elle avait eues pour la Seine, étant jeune fille. Elle s'asseyait sur les graviers, trempait ses mains dans la rivière, se sentait vivre sous les ardeurs du soleil que tempéraient les souffles frais des ombrages. Tandis qu'elle
35 déchirait et souillait sa robe sur les cailloux et la terre grasse, Camille étalait proprement son mouchoir et s'accroupissait à côté d'elle avec mille précautions. Dans les derniers temps, le jeune ménage emmenait presque toujours Laurent, qui égayait la promenade par ses rires et sa force de paysan.

40 Un dimanche, Camille, Thérèse et Laurent partirent pour Saint-Ouen vers onze heures, après le déjeuner. La partie[1] était projetée depuis longtemps, et devait être la dernière de la saison. L'automne venait, des souffles froids commençaient, le soir, à faire frissonner l'air.

45 Ce matin-là, le ciel gardait encore toute sa sérénité bleue. Il faisait chaud au soleil, et l'ombre était tiède. On décida qu'il fallait profiter des derniers rayons.

Les trois promeneurs prirent un fiacre[2], accompagnés des doléances[3], des effusions[4] inquiètes de la vieille mercière. Ils
50 traversèrent Paris et quittèrent le fiacre aux fortifications[5] ; puis ils gagnèrent Saint-Ouen en suivant la chaussée. Il était midi. La route, couverte de poussière, largement éclairée par le soleil, avait des blancheurs aveuglantes de neige. L'air brûlait, épaissi et âcre.

---

1. *Partie* : projet de divertissement.
2. *Fiacre* : voiture de louage tirée par un cheval et conduite par un cocher, utilisée à la course ou à l'heure ; ancêtre du taxi.
3. *Doléances* : plaintes.
4. *Effusions* : manifestations d'un cœur affectueux et sincère, épanchements.
5. Depuis 1844, la ville de Paris est entourée d'une enceinte fortifiée continue de 39 kilomètres dans laquelle sont aménagées de nombreuses entrées, parmi lesquelles quelques portes, dont celle de Saint-Ouen. La fortification fut détruite entre 1920 et 1929.

Thérèse, au bras de Camille, marchait à petits pas, se cachant
sous son ombrelle, tandis que son mari s'éventait la face avec un
immense mouchoir. Derrière eux venait Laurent, dont les rayons
du soleil mordaient le cou, sans qu'il parût rien sentir ; il sifflait,
il poussait du pied les cailloux, et, par moments, il regardait avec
des yeux fauves les balancements de hanches de sa maîtresse.

Quand ils arrivèrent à Saint-Ouen, ils se hâtèrent de chercher un
bouquet d'arbres, un tapis d'herbe verte étalé à l'ombre. Ils passèrent
dans une île et s'enfoncèrent dans un taillis. Les feuilles tombées faisaient à terre une couche rougeâtre qui craquait sous les pieds avec
des frémissements secs. Les troncs se dressaient droits, innombrables, comme des faisceaux de colonnettes gothiques ; les branches
descendaient jusque sur le front des promeneurs, qui avaient ainsi
pour tout horizon la voûte cuivrée des feuillages mourants et les
fûts blancs et noirs des trembles[1] et des chênes. Ils étaient au désert,
dans un trou mélancolique, dans une étroite clairière silencieuse et
fraîche. Tout autour d'eux, ils entendaient la Seine gronder.

Camille avait choisi une place sèche et s'était assis en relevant
les pans de sa redingote[2]. Thérèse, avec un grand bruit de jupes
froissées, venait de se jeter sur les feuilles ; elle disparaissait à
moitié au milieu des plis de sa robe qui se relevait autour d'elle,
en découvrant une de ses jambes jusqu'au genou. Laurent, couché à plat ventre, le menton dans la terre, regardait cette jambe
et écoutait son ami qui se fâchait contre le gouvernement, en
déclarant qu'on devrait changer tous les îlots de la Seine en jardins anglais[3], avec des bancs, des allées sablées, des arbres taillés,
comme aux Tuileries[4].

---

1. Trembles : peupliers à écorce lisse et à tige droite.
2. Redingote : vêtement d'homme à longues basques, plus ou moins ajusté
à la taille.
3. Jardins anglais (ou *à l'anglaise*) : jardins dont l'ordonnance générale tend
à imiter la nature, par opposition à celle des jardins à la française, très dessinée.
4. Tuileries : le palais des Tuileries, ancien palais royal construit sous
Catherine de Médicis, attenant au Louvre, possédait un jardin à la française
(et non à l'anglaise), aménagé par le jardinier André Le Nôtre (1613-1700).

Ils restèrent près de trois heures dans la clairière, attendant que le soleil fût moins chaud, pour courir la campagne, avant le dîner. Camille parla de son bureau, il conta des histoires niaises ; puis, fatigué, il se laissa aller à la renverse et s'endormit ; il avait posé son chapeau sur ses yeux. Depuis longtemps, Thérèse, les paupières closes, feignait de sommeiller.

Alors, Laurent se coula doucement vers la jeune femme ; il avança les lèvres et baisa sa bottine et sa cheville. Ce cuir, ce bas blanc qu'il baisait lui brûlaient la bouche. Les senteurs âpres de la terre, les parfums légers de Thérèse se mêlaient et le pénétraient, en allumant son sang, en irritant ses nerfs. Depuis un mois, il vivait dans une chasteté pleine de colère. La marche au soleil, sur la chaussée de Saint-Ouen, avait mis des flammes en lui. Maintenant, il était là, au fond d'une retraite [1] ignorée, au milieu de la grande volupté de l'ombre et du silence, et il ne pouvait presser contre sa poitrine cette femme qui lui appartenait. Le mari allait peut-être s'éveiller, le voir, déjouer ses calculs de prudence. Toujours cet homme était un obstacle. Et l'amant, aplati sur le sol, se cachant derrière les jupes, frémissant et irrité, collait des baisers silencieux sur la bottine et sur le bas blanc. Thérèse, comme morte, ne faisait pas un mouvement. Laurent crut qu'elle dormait.

Il se leva, le dos brisé, et s'appuya contre un arbre. Alors il vit la jeune femme qui regardait en l'air avec de grands yeux ouverts et luisants. Sa face, posée entre ses bras relevés, avait une pâleur mate, une rigidité froide. Thérèse songeait. Ses yeux fixes semblaient un abîme sombre où l'on ne voyait que de la nuit. Elle ne bougea pas, elle ne tourna pas ses regards vers Laurent, debout derrière elle.

Son amant la contempla, presque effrayé de la voir si immobile et si muette sous ses caresses. Cette tête blanche et morte,

---

1. Retraite : lieu retiré.

noyée dans les plis des jupons, lui donna une sorte d'effroi plein de désirs cuisants. Il aurait voulu se pencher et fermer d'un baiser ces grands yeux ouverts. Mais, presque dans les jupons, dormait aussi Camille. Le pauvre être, le corps déjeté [1], montrant sa maigreur, ronflait légèrement ; sous le chapeau, qui lui couvrait à demi la figure, on apercevait sa bouche ouverte, tordue par le sommeil, faisant une grimace bête ; de petits poils roussâtres, clairsemés sur son menton grêle, salissaient sa chair blafarde, et, comme il avait la tête renversée en arrière, on voyait son cou maigre, ridé, au milieu duquel le nœud de la gorge, saillant et d'un rouge brique, remontait à chaque ronflement. Camille, ainsi vautré, était exaspérant et ignoble.

Laurent, qui le regardait, leva le talon, d'un mouvement brusque. Il allait, d'un coup, lui écraser la face.

Thérèse retint un cri. Elle pâlit et ferma les yeux. Elle tourna la tête, comme pour éviter les éclaboussures du sang.

Et Laurent, pendant quelques secondes, resta, le talon en l'air, au-dessus du visage de Camille endormi. Puis, lentement, il replia la jambe, il s'éloigna de quelques pas. Il s'était dit que ce serait là un assassinat d'imbécile. Cette tête broyée lui aurait mis toute la police sur les bras. Il voulait se débarrasser de Camille uniquement pour épouser Thérèse ; il entendait vivre au soleil, après le crime, comme le meurtrier du roulier, dont le vieux Michaud avait conté l'histoire.

Il alla jusqu'au bord de l'eau, regarda couler la rivière d'un air stupide. Puis, brusquement, il rentra dans le taillis ; il venait enfin d'arrêter un plan, d'inventer un meurtre commode et sans danger pour lui.

Alors, il éveilla le dormeur en lui chatouillant le nez avec une paille. Camille éternua, se leva, trouva la plaisanterie excellente. Il aimait Laurent pour ses farces qui le faisaient rire. Puis il secoua sa femme, qui tenait les yeux fermés ; lorsque Thérèse se fut dres-

---

1. *Déjeté* : déformé, contrefait.

sée et qu'elle eut secoué ses jupes, fripées et couvertes de feuilles
145 sèches, les trois promeneurs quittèrent la clairière, en cassant les
petites branches devant eux.

Ils sortirent de l'île, ils s'en allèrent par les routes, par les
sentiers pleins de groupes endimanchés. Entre les haies, couraient des filles en robes claires ; une équipe de canotiers passait
150 en chantant ; des files de couples bourgeois, de vieilles gens, de
commis [1] avec leurs épouses, marchaient à petits pas, au bord des
fossés. Chaque chemin semblait une rue populeuse et bruyante.
Le soleil seul gardait sa tranquillité large ; il baissait vers l'horizon
et jetait sur les arbres rougis, sur les routes blanches, d'immenses
155 nappes de clarté pâle. Du ciel frissonnant commençait à tomber
une fraîcheur pénétrante.

Camille ne donnait plus le bras à Thérèse ; il causait avec
Laurent, riait des plaisanteries et des tours de force de son ami, qui
sautait les fossés et soulevait de grosses pierres. La jeune femme,
160 de l'autre côté de la route, s'avançait, la tête penchée, se courbant
parfois pour arracher une herbe. Quand elle était restée en arrière,
elle s'arrêtait et regardait de loin son amant et son mari.

« Hé ! tu n'as pas faim ? finit par lui crier Camille.

– Si, répondit-elle.

165 – Alors, en route ! »

Thérèse n'avait pas faim ; seulement elle était lasse et inquiète.
Elle ignorait les projets de Laurent, ses jambes tremblaient sous
elle d'anxiété.

Les trois promeneurs revinrent au bord de l'eau et cherchèrent
170 un restaurant. Ils s'attablèrent sur une sorte de terrasse en planches,
dans une gargote [2] puant la graisse et le vin. La maison était pleine
de cris, de chansons, de bruits de vaisselle ; dans chaque cabinet,
dans chaque salon, il y avait des sociétés [3] qui parlaient haut, et les

---

1. *Commis* : voir note 2, p. 58.
2. *Gargote* : petit restaurant bon marché où l'on sert des plats peu délicats.
3. *Sociétés* : groupes de personnes.

■ « La guinguette au bord de l'eau », illustration de Castelli pour *Thérèse Raquin*.

minces cloisons donnaient une sonorité vibrante à tout ce tapage.
175 Les garçons en montant faisaient trembler l'escalier.

En haut, sur la terrasse, les souffles de la rivière chassaient les odeurs du graillon [1]. Thérèse, appuyée contre la balustrade, regardait sur le quai. À droite et à gauche, s'étendaient deux files de guinguettes [2] et de baraques de foire ; sous les tonnelles [3],
180 entre les feuilles rares et jaunes, on apercevait la blancheur des nappes, les taches noires des paletots [4], les jupes éclatantes des femmes ; les gens allaient et venaient, nu-tête, courant et riant ; et, au bruit criard de la foule, se mêlaient les chansons lamentables des orgues de Barbarie [5]. Une odeur de friture et de poussière
185 traînait dans l'air calme.

Au-dessous de Thérèse, des filles [6] du quartier Latin [7], sur un tapis de gazon usé, tournaient, en chantant une ronde enfantine. Le chapeau tombé sur les épaules, les cheveux dénoués, elles se tenaient par la main, jouant comme des petites filles. Elles
190 retrouvaient un filet de voix fraîche, et leurs visages pâles, que des caresses brutales avaient martelés, se coloraient tendrement de rougeurs de vierges. Dans leurs grands yeux impurs, passaient des humidités attendries. Des étudiants, fumant des pipes de terre blanche, les regardaient tourner en leur jetant des plaisanteries
195 grasses [8].

---

1. *Graillon* : graisse brûlée dégageant une odeur désagréable.
2. *Guinguettes* : cabarets populaires des environs de Paris et d'autres villes, le plus souvent en plein air, où l'on peut boire et danser.
3. *Tonnelles* : treillages en berceau couvert de verdure.
4. *Paletots* : vêtements de dessus, assez courts et boutonnés devant.
5. *Orgues de Barbarie* : orgues mécaniques, portatifs ou montés sur roues, actionnés par une manivelle et dont jouent les musiciens ambulants.
6. *Filles* : prostituées.
7. *Quartier Latin* : espace situé sur la rive gauche de Paris qui recouvre partiellement les actuels Vᵉ et VIᵉ arrondissements et où, depuis le XIIᵉ siècle, se sont développées les activités universitaires, en particulier autour de la Sorbonne.
8. *Grasses* : graveleuses, licencieuses.

Et, au-delà, sur la Seine, sur les coteaux, descendait la sérénité du soir, un air bleuâtre et vague qui noyait les arbres dans une vapeur transparente.

«Eh bien! cria Laurent en se penchant sur la rampe de l'esca-
200 lier, garçon, et ce dîner? »

Puis, comme se ravisant :

«Dis donc, Camille, ajouta-t-il, si nous allions faire une promenade sur l'eau, avant de nous mettre à table?... On aurait
le temps de faire rôtir notre poulet. Nous allons nous ennuyer
205 pendant une heure à attendre.

– Comme tu voudras, répondit nonchalamment Camille...
Mais Thérèse a faim.

– Non, non, je puis attendre», se hâta de dire la jeune femme,
que Laurent regardait avec des yeux fixes.

210 Ils redescendirent tous trois. En passant devant le comptoir, ils
retinrent une table, ils arrêtèrent un menu, disant qu'ils seraient
de retour dans une heure. Comme le cabaretier louait des canots,
ils le prièrent de venir en détacher un. Laurent choisit une mince
barque, dont la légèreté effrayait Camille.

215 «Diable! dit-il, il ne va pas falloir remuer là-dedans. On ferait
un fameux plongeon.»

La vérité était que le commis avait une peur horrible de l'eau.
À Vernon, son état maladif ne lui permettait pas, lorsqu'il était
enfant, d'aller barboter dans la Seine; tandis que ses camarades
220 d'école couraient se jeter en pleine rivière, il se couchait entre
deux couvertures chaudes. Laurent était devenu un nageur intrépide, un rameur infatigable; Camille avait gardé cette épouvante
que les enfants et les femmes ont pour les eaux profondes. Il tâta
du pied le bout du canot, comme pour s'assurer de sa solidité.

225 «Allons, entre donc, lui cria Laurent en riant... Tu trembles
toujours.»

Camille enjamba le bord et alla, en chancelant, s'asseoir à
l'arrière. Quand il sentit les planches sous lui, il prit ses aises, il
plaisanta, pour faire acte de courage.

230 Thérèse était demeurée sur la rive, grave et immobile, à côté de son amant qui tenait l'amarre. Il se baissa, et, rapidement, à voix basse :

« Prends garde, murmura-t-il, je vais le jeter à l'eau… Obéis-moi… Je réponds de tout. »

235 La jeune femme devint horriblement pâle. Elle resta comme clouée au sol. Elle se raidissait, les yeux agrandis.

« Entre donc dans la barque », murmura encore Laurent.

Elle ne bougea pas. Une lutte terrible se passait en elle. Elle tendait sa volonté de toutes ses forces, car elle avait peur d'éclater 240 en sanglots et de tomber à terre.

« Ah ! ah ! cria Camille… Laurent, regarde donc Thérèse… C'est elle qui a peur !… Elle entrera, elle n'entrera pas… »

Il s'était étalé sur le banc de l'arrière, les deux coudes contre les bords du canot, et se dandinait avec fanfaronnade. Thérèse lui 245 jeta un regard étrange ; les ricanements de ce pauvre homme furent comme un coup de fouet qui la cingla et la poussa. Brusquement, elle sauta dans la barque. Elle resta à l'avant. Laurent prit les rames. Le canot quitta la rive, se dirigeant vers les îles avec lenteur.

Le crépuscule venait. De grandes ombres tombaient des 250 arbres, et les eaux étaient noires sur les bords. Au milieu de la rivière il y avait de larges traînées d'argent pâle. La barque fut bientôt en pleine Seine. Là, tous les bruits des quais s'adoucissaient ; les chants, les cris arrivaient, vagues et mélancoliques, avec des langueurs tristes. On ne sentait plus l'odeur de friture et 255 de poussière. Des fraîcheurs traînaient. Il faisait froid.

Laurent cessa de ramer et laissa descendre le canot au fil du courant.

En face, se dressait le grand massif rougeâtre des îles. Les deux rives, d'un brun sombre taché de gris, étaient comme deux 260 larges bandes qui allaient se rejoindre à l'horizon. L'eau et le ciel semblaient coupés dans la même étoffe blanchâtre. Rien n'est plus douloureusement calme qu'un crépuscule d'automne. Les rayons pâlissent dans l'air frissonnant, les arbres vieillis jettent

leurs feuilles. La campagne, brûlée par les rayons ardents de l'été,
265 sent la mort venir avec les premiers vents froids. Et il y a, dans les
cieux, des souffles plaintifs de désespérance [1]. La nuit descend de
haut, apportant des linceuls [2] dans son ombre.

Les promeneurs se taisaient. Assis au fond de la barque qui
coulait avec l'eau, ils regardaient les dernières lueurs quitter les
270 hautes branches. Ils approchaient des îles. Les grandes masses
rougeâtres devenaient sombres ; tout le paysage se simplifiait
dans le crépuscule ; la Seine, le ciel, les îles, les coteaux [3] n'étaient
plus que des taches brunes et grises qui s'effaçaient au milieu
d'un brouillard laiteux.

275 Camille, qui avait fini par se coucher à plat ventre, la tête
au-dessus de l'eau, trempa ses mains dans la rivière.

«Fichtre ! que c'est froid ! s'écria-t-il. Il ne ferait pas bon de
piquer une tête dans ce bouillon-là.»

Laurent ne répondit pas. Depuis un instant il regardait les
280 deux rives avec inquiétude ; il avançait ses grosses mains sur ses
genoux, en serrant les lèvres. Thérèse, roide, immobile, la tête un
peu renversée, attendait.

La barque allait s'engager dans un petit bras, sombre et étroit,
s'enfonçant entre deux îles. On entendait, derrière l'une des îles,
285 les chants adoucis d'une équipe de canotiers qui devaient remonter la Seine. Au loin, en amont, la rivière était libre.

Alors Laurent se leva et prit Camille à bras-le-corps. Le commis éclata de rire.

«Ah ! non, tu me chatouilles, dit-il, pas de ces plaisanteries-là...
290 Voyons, finis : tu vas me faire tomber.»

Laurent serra plus fort, donna une secousse, Camille se tourna
et vit la figure effrayante de son ami, toute convulsionnée. Il ne

---

1. Désespérance : découragement profond, accablement.
2. Linceuls : étoffes de toile dont on se sert pour ensevelir les morts. Ici, le
mot est employé au sens figuré.
3. Coteaux : petites collines.

comprit pas; une épouvante vague le saisit. Il voulut crier, et sentit une main rude qui le serrait à la gorge. Avec l'instinct

295 d'une bête qui se défend, il se dressa sur les genoux, se cramponnant au bord de la barque. Il lutta ainsi pendant quelques secondes.

«Thérèse! Thérèse!» appela-t-il d'une voix étouffée et sifflante.

300 La jeune femme regardait, se tenant des deux mains à un banc du canot qui craquait et dansait sur la rivière. Elle ne pouvait fermer les yeux; une effrayante contraction les tenait grands ouverts, fixés sur le spectacle horrible de la lutte. Elle était rigide, muette.

305 «Thérèse! Thérèse!» appela de nouveau le malheureux qui râlait.

À ce dernier appel, Thérèse éclata en sanglots. Ses nerfs se détendaient. La crise qu'elle redoutait la jeta toute frémissante au fond de la barque. Elle y resta pliée, pâmée [1], morte.

310 Laurent secouait toujours Camille, en le serrant d'une main à la gorge. Il finit par l'arracher de la barque à l'aide de son autre main. Il le tenait en l'air, ainsi qu'un enfant, au bout de ses bras vigoureux. Comme il penchait la tête, découvrant le cou, sa victime, folle de rage et d'épouvante, se tordit, avança les dents et

315 les enfonça dans ce cou. Et lorsque le meurtrier, retenant un cri de souffrance, lança brusquement le commis à la rivière, les dents de celui-ci lui emportèrent un morceau de chair.

Camille tomba en poussant un hurlement. Il revint deux ou trois fois sur l'eau, jetant des cris de plus en plus sourds.

320 Laurent ne perdit pas une seconde, il releva le collet de son paletot pour cacher sa blessure. Puis, il saisit entre ses bras Thérèse évanouie, fit chavirer le canot d'un coup de pied, et se laissa tomber dans la Seine en tenant sa maîtresse. Il la soutint sur l'eau, appelant au secours d'une voix lamentable.

---

1. Pâmée : défaillante, évanouie.

325   Les canotiers, dont il avait entendu les chants derrière la
pointe de l'île, arrivaient à grands coups de rames. Ils comprirent
qu'un malheur venait d'avoir lieu : ils opérèrent le sauvetage de
Thérèse qu'ils couchèrent sur un banc, et de Laurent qui se mit
à se désespérer de la mort de son ami. Il se jeta à l'eau, il cher-
330 cha Camille dans les endroits où il ne pouvait être, il revint en
pleurant, en se tordant les bras, en s'arrachant les cheveux. Les
canotiers tentaient de le calmer, de le consoler.

    «C'est ma faute, criait-il, je n'aurais pas dû laisser ce pauvre
garçon danser et remuer comme il le faisait... À un moment, nous
335 nous sommes trouvés tous les trois du même côté de la barque,
et nous avons chaviré... En tombant, il m'a crié de sauver sa
femme... »

    Il y eut, parmi les canotiers, comme cela arrive toujours, deux
ou trois jeunes gens qui voulurent avoir été témoins de l'acci-
340 dent.

    «Nous vous avons bien vus, disaient-ils... Aussi, que diable !
une barque, ce n'est pas aussi solide qu'un parquet... Ah ! la
pauvre petite femme, elle va avoir un beau réveil ! »

    Ils reprirent leurs rames, ils remorquèrent le canot et condui-
345 sirent Thérèse et Laurent au restaurant, où le dîner était prêt. Tout
Saint-Ouen sut l'accident en quelques minutes. Les canotiers le
racontaient comme des témoins oculaires. Une foule apitoyée
stationnait devant le cabaret.

    Le gargotier [1] et sa femme étaient de bonnes gens qui mirent
350 leur garde-robe au service des naufragés. Lorsque Thérèse sortit
de son évanouissement, elle eut une crise de nerfs, elle éclata en
sanglots déchirants ; il fallut la mettre au lit. La nature aidait à la
sinistre comédie qui venait de se jouer.

    Quand la jeune femme fut plus calme, Laurent la confia aux
355 soins des maîtres du restaurant. Il voulut retourner seul à Paris,
pour apprendre l'affreuse nouvelle à Mme Raquin, avec tous les

---

1. *Gargotier* : tenancier de gargote (voir note 2, p. 112).

ménagements possibles. La vérité était qu'il craignait l'exaltation nerveuse de Thérèse. Il préférait lui laisser le temps de réfléchir et d'apprendre son rôle.

360   Ce furent les canotiers qui mangèrent le dîner de Camille.

XII

Laurent, dans le coin sombre de la voiture publique qui le ramena à Paris, acheva de mûrir son plan. Il était presque certain de l'impunité [1]. Une joie lourde et anxieuse, la joie du crime accompli, l'emplissait. Arrivé à la barrière [2] de Clichy, il prit un
5 fiacre, il se fit conduire chez le vieux Michaud, rue de Seine. Il était neuf heures du soir.

Il trouva l'ancien commissaire de police à table, en compagnie d'Olivier et de Suzanne. Il venait là, pour chercher une protection, dans le cas où il serait soupçonné, et pour s'éviter d'aller annon-
10 cer lui-même l'affreuse nouvelle à Mme Raquin. Cette démarche lui répugnait étrangement ; il s'attendait à un tel désespoir qu'il craignait de ne pas jouer son rôle avec assez de larmes ; puis la douleur de cette mère lui était pesante, bien qu'il s'en souciât médiocrement au fond.

15   Lorsque Michel le vit entrer vêtu de vêtements grossiers, trop étroits pour lui, il le questionna du regard. Laurent fit le récit de l'accident, d'une voix brisée, comme tout essoufflé de douleur et de fatigue.

«Je suis venu vous chercher, dit-il en terminant, je ne savais
20 que faire des deux pauvres femmes si cruellement frappées... Je

---

1. Impunité : absence de punition.
2. Barrière : entrée d'une enceinte située à l'extérieur des fortifications de Paris où des agents percevaient des taxes, des droits de passage, etc.

n'ai point osé aller seul chez la mère. Je vous en prie, venez avec moi.»

Pendant qu'il parlait, Olivier le regardait fixement, avec des regards droits qui l'épouvantaient. Le meurtrier s'était jeté, tête
25 baissée, dans ces gens de police, par un coup d'audace qui devait le sauver. Mais il ne pouvait s'empêcher de frémir, en sentant leurs yeux qui l'examinaient ; il voyait de la méfiance où il n'y avait que de la stupeur et de la pitié. Suzanne, plus frêle et plus pâle, était près de s'évanouir. Olivier, que l'idée de la mort effrayait et dont
30 le cœur restait d'ailleurs parfaitement froid, faisait une grimace de surprise douloureuse, en scrutant par habitude le visage de Laurent, sans soupçonner le moins du monde la sinistre vérité. Quant au vieux Michaud, il poussait des exclamations d'effroi, de commisération [1], d'étonnement ; il se remuait sur sa chaise,
35 joignait les mains, levait les yeux au ciel.

«Ah ! mon Dieu, disait-il d'une voix entrecoupée, ah ! mon Dieu, l'épouvantable chose !... On sort de chez soi, et l'on meurt, comme ça, tout d'un coup... C'est horrible... Et cette pauvre Mme Raquin, cette mère, qu'allons-nous lui dire ?...
40 Certainement, vous avez bien fait de venir nous chercher... Nous allons avec vous... »

Il se leva, il tourna, piétina dans la pièce pour trouver sa canne et son chapeau, et, tout en courant, il fit répéter à Laurent les détails de la catastrophe, s'exclamant de nouveau à chaque
45 phrase.

Ils descendirent tous quatre. À l'entrée du passage du Pont-Neuf, Michaud arrêta Laurent.

«Ne venez pas, lui dit-il ; votre présence serait une sorte d'aveu brutal qu'il faut éviter... La malheureuse mère soupçonnerait un
50 malheur et nous forcerait à avouer la vérité plus tôt que nous ne devons la lui dire... Attendez-nous ici.»

---

1. *Commisération* : sentiment qui fait prendre part ou intérêt aux malheurs d'autrui, compassion, pitié.

Cet arrangement soulagea le meurtrier, qui frissonnait à la pensée d'entrer dans la boutique du passage. Le calme se fit en lui, il se mit à monter et à descendre le trottoir, allant et venant en toute paix. Par moments, il oubliait les faits qui se passaient, il regardait les boutiques, sifflait entre ses dents, se retournait pour voir les femmes qui le coudoyaient. Il resta ainsi une grande demi-heure dans la rue, retrouvant de plus en plus son sang-froid.

Il n'avait pas mangé depuis le matin ; la faim le prit, il entra chez un pâtissier et se bourra de gâteaux.

Dans la boutique du passage, une scène déchirante se passait. Malgré les précautions, les phrases adoucies et amicales du vieux Michaud, il vint un instant où Mme Raquin comprit qu'un malheur était arrivé à son fils. Dès lors, elle exigea la vérité avec un emportement de désespoir, une violence de larmes et de cris qui firent plier son vieil ami. Et, lorsqu'elle connut la vérité, sa douleur fut tragique. Elle eut des sanglots sourds, des secousses qui la jetaient en arrière, une crise folle de terreur et d'angoisse ; elle resta là étouffant, jetant de temps à autre un cri aigu dans le grondement profond de sa douleur. Elle se serait traînée à terre, si Suzanne ne l'avait prise à la taille, pleurant sur ses genoux, levant vers elle sa face pâle. Olivier et son père se tenaient debout, énervés et muets, détournant la tête, émus désagréablement par ce spectacle dont leur égoïsme souffrait.

Et la pauvre mère voyait son fils roulé dans les eaux troubles de la Seine, le corps roidi et horriblement gonflé ; en même temps, elle le voyait tout petit dans son berceau, lorsqu'elle chassait la mort penchée sur lui. Elle l'avait mis au monde plus de dix fois, elle l'aimait pour tout l'amour qu'elle lui témoignait depuis trente ans. Et voilà qu'il mourait loin d'elle, tout d'un coup, dans l'eau froide et sale, comme un chien. Elle se rappelait alors les chaudes couvertures au milieu desquelles elle l'enveloppait. Que de soins, quelle enfance tiède, que de cajoleries et d'effusions tendres, tout cela pour le voir un jour se noyer misérablement ! À ces pensées,

Mme Raquin sentait sa gorge se serrer ; elle espérait qu'elle allait mourir, étranglée par le désespoir.

Le vieux Michaud se hâta de sortir. Il laissa Suzanne auprès de la mercière, et revint avec Olivier chercher Laurent pour se rendre
90 en toute hâte à Saint-Ouen.

Pendant la route, ils échangèrent à peine quelques mots. Ils s'étaient enfoncés chacun dans un coin du fiacre. Et, par instants, le rapide rayon d'un bec de gaz jetait une lueur vive sur leurs visages. Le sinistre événement, qui les réunissait, mettait autour
95 d'eux une sorte d'accablement lugubre.

Lorsqu'ils arrivèrent enfin au restaurant du bord de l'eau, ils trouvèrent Thérèse couchée, les mains et la tête brûlantes. Le traiteur[1] leur dit à demi-voix que la jeune femme avait une forte fièvre. La vérité était que Thérèse, se sentant faible et lâche,
100 craignant d'avouer le meurtre dans une crise, avait pris le parti d'être malade. Elle gardait un silence farouche, elle tenait les lèvres et les paupières serrées, ne voulant voir personne, redoutant de parler. Le drap au menton, la face à moitié dans l'oreiller, elle se faisait toute petite, elle écoutait avec anxiété ce qu'on
105 disait autour d'elle. Et, au milieu de la lueur rougeâtre que laissaient passer ses paupières closes, elle voyait toujours Camille et Laurent luttant sur le bord de la barque, elle apercevait son mari, blafard, horrible, grandi, qui se dressait tout droit au-dessus d'une eau limoneuse[2]. Cette vision implacable activait
110 la fièvre de son sang.

Le vieux Michaud essaya de lui parler, de la consoler. Elle fit un mouvement d'impatience, elle se retourna et se mit de nouveau à sangloter.

« Laissez-la, Monsieur, dit le restaurateur, elle frissonne au
115 moindre bruit… Voyez-vous, elle aurait besoin de repos. »

---

1. *Traiteur* : personne dont la profession consiste à servir des repas ou à préparer des plats à emporter.
2. *Limoneuse* : qui contient du limon, terre ou fines particules entraînées par les eaux et déposées sur les rives d'un fleuve.

En bas, dans la salle commune, il y avait un agent de police qui verbalisait sur l'accident. Michaud et son fils descendirent, suivis de Laurent. Quand Olivier eut fait connaître sa qualité d'employé supérieur de la Préfecture, tout fut terminé en dix minutes. Les canotiers étaient encore là, racontant la noyade dans ses moindres circonstances, décrivant la façon dont les trois promeneurs étaient tombés, se donnant comme des témoins oculaires. Si Olivier et son père avaient eu le moindre soupçon, ce soupçon se serait évanoui, devant de tels témoignages. Mais ils n'avaient pas douté un instant de la véracité de Laurent ; ils le présentèrent au contraire à l'agent de police comme le meilleur ami de la victime, et ils eurent le soin de faire mettre dans le procès-verbal que le jeune homme s'était jeté à l'eau pour sauver Camille Raquin. Le lendemain, les journaux racontèrent l'accident avec un grand luxe de détails ; la malheureuse mère, la veuve inconsolable, l'ami noble et courageux, rien ne manquait à ce fait divers, qui fit le tour de la presse parisienne et qui alla ensuite s'enterrer dans les feuilles des départements.

Quand le procès-verbal fut achevé, Laurent sentit une joie chaude qui pénétra sa chair d'une vie nouvelle. Depuis l'instant où sa victime lui avait enfoncé les dents dans le cou, il était comme roidi, il agissait mécaniquement, d'après un plan arrêté longtemps à l'avance. L'instinct de la conservation seul le poussait, lui disait ses paroles, lui conseillait ses gestes. À cette heure, devant la certitude de l'impunité, le sang se remettait à couler dans ses veines avec des lenteurs douces. La police avait passé à côté de son crime, et la police n'avait rien vu ; elle était dupée, elle venait de l'acquitter. Il était sauvé. Cette pensée lui fit éprouver tout le long du corps des moiteurs de jouissance, des chaleurs qui rendirent la souplesse à ses membres et à son intelligence. Il continua son rôle d'ami éploré avec une science et un aplomb incomparables. Au fond, il avait des satisfactions de brute ; il songeait à Thérèse qui était couchée dans la chambre, en haut.

«Nous ne pouvons laisser ici cette malheureuse jeune femme, dit-il à Michaud. Elle est peut-être menacée d'une maladie grave, il faut la ramener absolument à Paris… Venez, nous la déciderons à nous suivre.»

En haut, il parla, il supplia lui-même Thérèse de se lever, de se laisser conduire au passage du Pont-Neuf. Quand la jeune femme entendit le son de sa voix, elle tressaillit, elle ouvrit ses yeux tout grands et le regarda. Elle était hébétée, frissonnante. Péniblement, elle se dressa sans répondre. Les hommes sortirent, la laissant avec la femme du restaurateur. Quand elle fut habillée, elle descendit en chancelant et monta dans le fiacre, soutenue par Olivier.

Le voyage fut silencieux. Laurent, avec une audace et une impudence [1] parfaites, glissa sa main le long des jupes de la jeune femme et lui prit les doigts. Il était assis en face d'elle, dans une ombre flottante ; il ne voyait pas sa figure, qu'elle tenait baissée sur sa poitrine. Quand il eut saisi sa main, il la lui serra avec force et la garda dans la sienne jusqu'à la rue Mazarine. Il sentait cette main trembler ; mais elle ne se retirait pas, elle avait au contraire des caresses brusques. Et, l'une dans l'autre, les mains brûlaient ; les paumes moites se collaient, et les doigts, étroitement pressés, se meurtrissaient à chaque secousse. Il semblait à Laurent et à Thérèse que le sang de l'un allait dans la poitrine de l'autre en passant par leurs poings unis ; ces poings devenaient un foyer ardent où leur vie bouillait. Au milieu de la nuit et du silence navré qui traînait, le furieux serrement de mains qu'ils échangeaient était comme un poids écrasant jeté sur la tête de Camille pour le maintenir sous l'eau.

Quand le fiacre s'arrêta, Michaud et son fils descendirent les premiers. Laurent se pencha vers sa maîtresse, et, doucement :

«Sois forte, Thérèse, murmura-t-il… Nous avons longtemps à attendre… Souviens-toi.»

La jeune femme n'avait pas encore parlé. Elle ouvrit les lèvres pour la première fois depuis la mort de son mari.

---

1. Impudence : effronterie, absence de honte.

«Oh! je me souviendrai», dit-elle en frissonnant, d'une voix légère comme un souffle.

Olivier lui tendait la main, l'invitant à descendre. Laurent
185 alla, cette fois, jusqu'à la boutique. Mme Raquin était couchée, en proie à un violent délire. Thérèse se traîna jusqu'à son lit et Suzanne eut à peine le temps de la déshabiller. Rassuré, voyant que tout s'arrangeait à souhait, Laurent se retira, Il gagna lentement son taudis de la rue Saint-Victor.

190 Il était plus de minuit. Un air frais courait dans les rues désertes et silencieuses. Le jeune homme n'entendait que le bruit régulier de ses pas sonnant sur les dalles des trottoirs. La fraîcheur le pénétrait de bien-être; le silence, l'ombre lui donnaient des sensations rapides de volupté. Il flânait.

195 Enfin, il était débarrassé de son crime. Il avait tué Camille. C'était là une affaire faite dont on ne parlerait plus. Il allait vivre tranquille, en attendant de pouvoir prendre possession de Thérèse. La pensée du meurtre l'avait parfois étouffé; maintenant que le meurtre était accompli, il se sentait la poitrine libre et res-
200 pirait à l'aise. Il était guéri des souffrances que l'hésitation et la crainte mettaient en lui.

Au fond, il était un peu hébété, la fatigue alourdissait ses membres et ses pensées. Il rentra et s'endormit profondément. Pendant son sommeil, de légères crispations nerveuses couraient
205 sur son visage.

XIII

Le lendemain, Laurent s'éveilla frais et dispos. Il avait bien dormi. L'air froid qui entrait par la fenêtre fouettait son sang alourdi. Il se rappelait à peine les scènes de la veille; sans la cuisson ardente qui le brûlait au cou, il aurait pu croire qu'il

5 s'était couché à dix heures, après une soirée calme. La morsure de Camille était comme un fer rouge posé sur sa peau ; lorsque sa pensée se fut arrêtée sur la douleur que lui causait cette entaille, il en souffrit cruellement. Il lui semblait qu'une douzaine d'aiguilles pénétraient peu à peu dans sa chair.

10 Il rabattit le col de sa chemise et regarda la plaie dans un méchant miroir de quinze sous accroché au mur. Cette plaie faisait un trou rouge, large comme une pièce de deux sous ; la peau avait été arrachée, la chair se montrait, rosâtre, avec des taches noires ; des filets de sang avaient coulé jusqu'à l'épaule, en minces 15 traînées qui s'écaillaient. Sur le cou blanc, la morsure paraissait d'un brun sourd et puissant ; elle se trouvait à droite, au-dessous de l'oreille. Laurent, le dos courbé, le cou tendu, regardait, et le miroir verdâtre donnait à sa face une grimace atroce.

Il se lava à grande eau, satisfait de son examen, se disant que 20 la blessure serait cicatrisée au bout de quelques jours. Puis il s'habilla et se rendit à son bureau, tranquillement, comme à l'ordinaire. Il y conta l'accident d'une voix émue. Lorsque ses collègues eurent lu le fait divers qui courait la presse, il devint un véritable héros. Pendant une semaine, les employés du chemin de fer 25 d'Orléans n'eurent pas d'autre sujet de conversation : ils étaient tout fiers qu'un des leurs se fût noyé. Grivet ne tarissait pas sur l'imprudence qu'il y a à s'aventurer en pleine Seine, quand il est si facile de regarder couler l'eau en traversant les ponts.

Il restait à Laurent une inquiétude sourde. Le décès de Camille 30 n'avait pu être constaté officiellement. Le mari de Thérèse était bien mort, mais le meurtrier aurait voulu retrouver son cadavre pour qu'un acte formel fût dressé. Le lendemain de l'accident, on avait inutilement cherché le corps du noyé ; on pensait qu'il s'était sans doute enfoui au fond de quelque trou, sous les berges des îles. Des 35 ravageurs [1] fouillaient activement la Seine pour toucher la prime.

---

1. Ravageurs : chiffonniers qui recueillaient des débris métalliques dans la vase des ruisseaux et des fleuves, notamment la Seine.

Laurent se donna la tâche de passer chaque matin par la Morgue [1], en se rendant à son bureau. Il s'était juré de faire lui-même ses affaires. Malgré les répugnances qui lui soulevaient le cœur, malgré les frissons qui le secouaient parfois, il alla pendant
40 plus de huit jours, régulièrement, examiner le visage de tous les noyés étendus sur les dalles.

Lorsqu'il entrait, une odeur fade, une odeur de chair lavée l'écœurait, et des souffles froids couraient sur sa peau ; l'humidité des murs semblait alourdir ses vêtements, qui devenaient
45 plus pesants à ses épaules. Il allait droit au vitrage qui sépare les spectateurs des cadavres ; il collait sa face pâle contre les vitres, il regardait. Devant lui s'alignaient les rangées de dalles grises. Çà et là, sur les dalles, des corps nus faisaient des taches vertes et jaunes, blanches et rouges ; certains corps gardaient leurs chairs
50 vierges dans la rigidité de la mort ; d'autres semblaient des tas de viandes sanglantes et pourries. Au fond, contre le mur, pendaient des loques lamentables, des jupes et des pantalons qui grimaçaient sur la nudité du plâtre. Laurent ne voyait d'abord que l'ensemble blafard des pierres et des murailles, taché de roux et
55 de noir par les vêtements et les cadavres. Un bruit d'eau courante chantait.

Peu à peu il distinguait les corps. Alors il allait de l'un à l'autre. Les noyés seuls l'intéressaient ; quand il y avait plusieurs cadavres gonflés et bleuis par l'eau, il les regardait avidement,
60 cherchant à reconnaître Camille. Souvent, les chairs de leur visage s'en allaient par lambeaux, les os avaient troué la peau amollie, la face était comme bouillie et désossée. Laurent hésitait ; il examinait les corps, il tâchait de retrouver les maigreurs de sa victime.

---

1. *La Morgue* : lieu où les cadavres non identifiés sont exposés pour être reconnus. À Paris, elle se situa jusqu'en 1864 sur l'île de la Cité, quai du Marché-Neuf. Une porte cochère permettait d'accéder au vestibule, sur lequel donnait, séparée de lui par une vitre, la salle où étaient exposés les corps. À proximité, se trouvaient d'autres pièces, comme la salle d'autopsie ou la salle de lavage.

■ « La Morgue et son public », illustration de Castelli pour *Thérèse Raquin*.

Mais tous les noyés sont gras ; il voyait des ventres énormes, des
65 cuisses bouffies, des bras ronds et forts. Il ne savait plus, il restait
frissonnant en face de ces haillons verdâtres qui semblaient se
moquer avec des grimaces horribles.

Un matin, il fut pris d'une véritable épouvante. Il regardait
depuis quelques minutes un noyé, petit de taille, atrocement défi-
70 guré. Les chairs de ce noyé étaient tellement molles et dissoutes,
que l'eau courante qui les lavait les emportait brin à brin. Le
jet qui tombait sur la face, creusait un trou à gauche du nez. Et,
brusquement, le nez s'aplatit, les lèvres se détachèrent, montrant
des dents blanches. La tête du noyé éclata de rire.

75 Chaque fois qu'il croyait reconnaître Camille, Laurent ressentait une brûlure au cœur. Il désirait ardemment retrouver le corps
de sa victime, et des lâchetés le prenaient, lorsqu'il s'imaginait
que ce corps était devant lui. Ses visites à la Morgue l'emplissaient
de cauchemars, de frissons qui le faisaient haleter. Il secouait ses
80 peurs, il se traitait d'enfant, il voulait être fort ; mais, malgré lui,
sa chair se révoltait, le dégoût et l'effroi s'emparaient de son être,
dès qu'il se trouvait dans l'humidité et l'odeur fade de la salle.

Quand il n'y avait pas de noyés sur la dernière rangée de
dalles, il respirait à l'aise ; ses répugnances étaient moindres. Il
85 devenait alors un simple curieux, il prenait un plaisir étrange à
regarder la mort violente en face, dans ses attitudes lugubrement
bizarres et grotesques. Ce spectacle l'amusait, surtout lorsqu'il
y avait des femmes étalant leur gorge[1] nue. Ces nudités brutalement étendues, tachées de sang, trouées par endroits, l'attiraient
90 et le retenaient. Il vit, une fois, une jeune femme de vingt ans, une
fille du peuple, large et forte, qui semblait dormir sur la pierre ;
son corps frais et gras blanchissait avec des douceurs de teinte
d'une grande délicatesse ; elle souriait à demi, la tête un peu penchée, et tendait la poitrine d'une façon provocante ; on aurait dit
95 une courtisane vautrée, si elle n'avait eu au cou une raie noire

---

1. *Gorge* : poitrine.

qui lui mettait comme un collier d'ombre ; c'était une fille qui venait de se pendre par désespoir d'amour. Laurent la regarda longtemps, promenant ses regards sur sa chair, absorbé dans une sorte de désir peureux.

100 Chaque matin, pendant qu'il était là, il entendait derrière lui le va-et-vient du public qui entrait et qui sortait.

La Morgue est un spectacle à la portée de toutes les bourses, que se payent gratuitement les passants pauvres ou riches. La porte est ouverte, entre qui veut. Il y a des amateurs qui font un
105 détour pour ne pas manquer une de ces représentations de la mort. Lorsque les dalles sont nues, les gens sortent désappointés, volés, murmurant entre leurs dents. Lorsque les dalles sont bien garnies, lorsqu'il y a un bel étalage de chair humaine, les visiteurs se pressent, se donnent des émotions à bon marché, s'épouvan-
110 tent, plaisantent, applaudissent ou sifflent, comme au théâtre, et se retirent satisfaits, en déclarant que la Morgue est réussie, ce jour-là.

Laurent connut vite le public de l'endroit, public mêlé et disparate qui s'apitoyait et ricanait en commun. Des ouvriers
115 entraient, en allant à leur ouvrage, avec un pain et des outils sous le bras ; ils trouvaient la mort drôle. Parmi eux se rencontraient des loustics [1] d'atelier qui faisaient sourire la galerie en disant un mot plaisant sur la grimace de chaque cadavre ; ils appelaient les incendiés des charbonniers [2] ; les pendus, les assassinés, les
120 noyés, les cadavres troués ou broyés excitaient leur verve gogue-narde, et leur voix, qui tremblait un peu, balbutiait des phrases comiques dans le silence frissonnant de la salle. Puis venaient de petits rentiers [3], des vieillards maigres et secs, des flâneurs qui entraient par désœuvrement et qui regardaient les corps avec
125 des yeux bêtes et des moues d'hommes paisibles et délicats. Les

---

1. *Loustics* : plaisantins, farceurs.
2. *Charbonniers* : personnes qui font du charbon de bois ou qui en vendent.
3. *Rentiers* : personnes qui vivent de leurs rentes (voir note 2, p. 57).

femmes étaient en grand nombre ; il y avait de jeunes ouvrières toutes roses, le linge blanc, les jupes propres, qui allaient d'un bout à l'autre du vitrage, lestement, en ouvrant de grands yeux attentifs, comme devant l'étalage d'un magasin de nouveautés ; il
130 y avait encore des femmes du peuple, hébétées, prenant des airs lamentables, et des dames bien mises, traînant nonchalamment leur robe de soie.

Un jour, Laurent vit une de ces dernières qui se tenait plantée à quelques pas du vitrage, en appuyant un mouchoir de batiste [1]
135 sur ses narines. Elle portait une délicieuse jupe de soie grise, avec un grand mantelet [2] de dentelle noire, une voilette [3] lui couvrait le visage, et ses mains gantées paraissaient toutes petites et toutes fines. Autour d'elle traînait une senteur douce de violette. Elle regardait un cadavre. Sur une pierre, à quelques pas, était allongé
140 le corps d'un grand gaillard, d'un maçon qui venait de se tuer net en tombant d'un échafaudage ; il avait une poitrine carrée, des muscles gros et courts, une chair blanche et grasse ; la mort en avait fait un marbre. La dame l'examinait, le retournait en quelque sorte du regard, le pesait, s'absorbait dans le spectacle
145 de cet homme. Elle leva un coin de sa voilette, regarda encore, puis s'en alla.

Par moments, arrivaient des bandes de gamins, des enfants de douze à quinze ans, qui couraient le long du vitrage, ne s'arrêtant que devant les cadavres de femmes. Ils appuyaient leurs mains
150 aux vitres et promenaient des regards effrontés sur les poitrines nues. Ils se poussaient du coude, ils faisaient des remarques brutales, ils apprenaient le vice à l'école de la mort. C'est à la Morgue que les jeunes voyous ont leur première maîtresse.

---

1. *Batiste* : toile de lin très fine.
2. *Mantelet* : vêtement léger, ordinairement en soie, que les femmes mettent sur leurs épaules pour sortir.
3. *Voilette* : petit voile transparent, le plus souvent en tulle ou en dentelle, que les femmes portent en garniture au bord de leur chapeau et qu'elles baissent devant leurs yeux ou leur visage.

Au bout d'une semaine, Laurent était écœuré. La nuit, il rêvait
les cadavres qu'il avait vus le matin. Cette souffrance, ce dégoût
de chaque jour qu'il s'imposait, finit par le troubler à un tel point
qu'il résolut de ne plus faire que deux visites. Le lendemain,
comme il entrait à la Morgue, il reçut un coup violent dans la
poitrine : en face de lui, sur une dalle, Camille le regardait, étendu
sur le dos, la tête levée, les yeux entrouverts.

Le meurtrier s'approcha lentement du vitrage, comme attiré,
ne pouvant détacher ses regards de sa victime. Il ne souffrait
pas ; il éprouvait seulement un grand froid intérieur et de légers
mouvements à fleur de peau. Il aurait cru trembler davantage. Il
resta immobile, pendant cinq grandes minutes, perdu dans une
contemplation inconsciente, gravant malgré lui au fond de sa
mémoire toutes les lignes horribles, toutes les couleurs sales du
tableau qu'il avait sous les yeux.

Camille était ignoble. Il avait séjourné quinze jours dans l'eau.
Sa face paraissait encore ferme et rigide ; les traits s'étaient conser-
vés, la peau avait seulement pris une teinte jaunâtre et boueuse.
La tête, maigre, osseuse, légèrement tuméfiée, grimaçait ; elle se
penchait un peu, les cheveux collés aux tempes, les paupières
levées, montrant le globe blafard des yeux ; les lèvres tordues,
tirées vers un des coins de la bouche, avaient un ricanement
atroce ; un bout de langue noirâtre apparaissait dans la blancheur des dents. Cette tête, comme tannée [1] et étirée, en gardant
une apparence humaine, était restée plus effrayante de douleur et
d'épouvante. Le corps semblait un tas de chairs dissoutes ; il avait
souffert horriblement. On sentait que les bras ne tenaient plus ;
les clavicules perçaient la peau des épaules. Sur la poitrine verdâtre, les côtes faisaient des bandes noires ; le flanc gauche, crevé,
ouvert, se creusait au milieu de lambeaux d'un rouge sombre.
Tout le torse pourrissait. Les jambes, plus fermes, s'allongeaient,
plaquées de taches immondes. Les pieds tombaient.

---

1. *Tannée* : d'un brun foncé.

Laurent regardait Camille. Il n'avait pas encore vu un noyé si épouvantable. Le cadavre avait, en outre, un air étriqué, une allure maigre et pauvre ; il se ramassait dans sa pourriture ; il faisait un tout petit tas. On aurait deviné que c'était là un employé
190 à douze cents francs, bête et maladif, que sa mère avait nourri de tisanes. Ce pauvre corps, grandi entre des couvertures chaudes, grelottait sur la dalle froide.

Quand Laurent put enfin s'arracher à la curiosité poignante qui le tenait immobile et béant, il sortit, il se mit à marcher rapi-
195 dement sur le quai. Et, tout en marchant, il répétait : « Voilà ce que j'en ai fait. Il est ignoble. » Il lui semblait qu'une odeur âcre le suivait, l'odeur que devait exhaler ce corps en putréfaction.

Il alla chercher le vieux Michaud et lui dit qu'il venait de reconnaître Camille sur une dalle de la Morgue. Les formalités furent
200 remplies, on enterra le noyé, on dressa un acte de décès. Laurent, tranquille désormais, se jeta avec volupté dans l'oubli de son crime et des scènes fâcheuses et pénibles qui avaient suivi le meurtre.

XIV

La boutique du passage du Pont-Neuf resta fermée pendant trois jours. Lorsqu'elle s'ouvrit de nouveau, elle parut plus sombre et plus humide. L'étalage, jauni par la poussière, semblait porter le deuil de la maison ; tout traînait à l'abandon dans les
5 vitrines sales. Derrière les bonnets de linge pendus aux tringles rouillées, le visage de Thérèse avait une pâleur plus mate, plus terreuse, une immobilité d'un calme sinistre.

Dans le passage, toutes les commères s'apitoyaient. La marchande de bijoux faux montrait à chacune de ses clientes le profil
10 amaigri de la jeune veuve comme une curiosité intéressante et lamentable.

Pendant trois jours, Mme Raquin et Thérèse étaient restées dans leur lit sans se parler, sans même se voir. La vieille mercière, assise sur son séant, appuyée contre des oreillers, regardait

15 vaguement devant elle avec des yeux d'idiote. La mort de son fils lui avait donné un grand coup sur la tête, et elle était tombée comme assommée. Elle demeurait des heures entières tranquille et inerte, absorbée au fond du néant de son désespoir ; puis des crises la prenaient parfois, elle pleurait, elle criait, elle délirait.

20 Thérèse, dans la chambre voisine, semblait dormir ; elle avait tourné la face contre la muraille et tiré la couverture sur ses yeux ; elle s'allongeait ainsi, roide et muette, sans qu'un sanglot de son corps soulevât le drap qui la couvrait. On eût dit qu'elle cachait dans l'ombre de l'alcôve [1] les pensées qui la tenaient rigide.

25 Suzanne, qui gardait les deux femmes, allait mollement de l'une à l'autre, traînant les pieds avec douceur, penchant son visage de cire sur les deux couches, sans parvenir à faire retourner Thérèse, qui avait de brusques mouvements d'impatience, ni à consoler Mme Raquin, dont les pleurs coulaient dès qu'une voix la tirait

30 de son abattement.

Le troisième jour, Thérèse repoussa la couverture, s'assit sur le lit, rapidement, avec une sorte de décision fiévreuse. Elle écarta ses cheveux, en se prenant les tempes, et resta ainsi un moment, les mains au front, les yeux fixes, semblant réfléchir encore. Puis

35 elle sauta sur le tapis. Ses membres étaient frissonnants et rouges de fièvre ; de larges plaques livides marbraient sa peau qui se plissait par endroits comme vide de chair. Elle était vieillie.

Suzanne, qui entrait, resta toute surprise de la trouver levée ; elle lui conseilla, d'un ton placide et traînard, de se recoucher,

40 de se reposer encore. Thérèse ne l'écoutait pas ; elle cherchait et mettait ses vêtements avec des gestes pressés et tremblants. Lorsqu'elle fut habillée, elle alla se regarder dans une glace, frotta ses yeux, passa ses mains sur son visage, comme pour effacer

---

1. *Alcôve* : enfoncement pratiqué dans une chambre pour y placer un lit.

quelque chose. Puis, sans prononcer une parole, elle traversa vive-
45 ment la salle à manger et entra chez Mme Raquin.

L'ancienne mercière était dans un moment de calme hébété.
Quand Thérèse rentra, elle tourna la tête et suivit du regard la
jeune veuve, qui vint se placer devant elle, muette et oppressée.
Les deux femmes se contemplèrent pendant quelques secondes,
50 la nièce avec une anxiété qui grandissait, la tante avec des efforts
pénibles de mémoire. Se souvenant enfin, Mme Raquin tendit ses
bras tremblants, et, prenant Thérèse par le cou, s'écria :

«Mon pauvre enfant, mon pauvre Camille ! »

Elle pleurait, et ses larmes séchaient sur la peau brûlante de
55 la veuve, qui cachait ses yeux secs dans les plis du drap. Thérèse
demeura ainsi courbée, laissant la vieille mère épuiser ses pleurs.
Depuis le meurtre, elle redoutait cette première entrevue ; elle
était restée couchée pour en retarder le moment, pour réfléchir à
l'aise au rôle terrible qu'elle avait à jouer.

60 Quand elle vit Mme Raquin plus calme, elle s'agita autour
d'elle, elle lui conseilla de se lever, de descendre à la boutique.
La vieille mercière était presque tombée en enfance. L'apparition
brusque de sa nièce avait amené en elle une crise favorable qui
venait de lui rendre la mémoire et la conscience des choses et
65 des êtres qui l'entouraient. Elle remercia Suzanne de ses soins,
elle parla, affaiblie, ne délirant plus, pleine d'une tristesse qui
l'étouffait par moments. Elle regardait marcher Thérèse avec des
larmes soudaines ; alors, elle l'appelait auprès d'elle, l'embrassait
en sanglotant encore, lui disait en suffoquant qu'elle n'avait plus
70 qu'elle au monde.

Le soir, elle consentit à se lever, à essayer de manger. Thérèse
put voir quel terrible coup avait reçu sa tante. Les jambes de la
pauvre vieille s'étaient alourdies. Il lui fallut une canne pour se
traîner dans la salle à manger, et là il lui sembla que les murs
75 vacillaient autour d'elle.

Dès le lendemain, elle voulut cependant qu'on ouvrît la
boutique. Elle craignait de devenir folle en restant seule dans sa

chambre. Elle descendit pesamment l'escalier de bois, en posant
les deux pieds sur chaque marche, et vint s'asseoir, derrière le
80 comptoir. À partir de ce jour, elle y resta clouée dans une douleur
sereine.

À côté d'elle, Thérèse songeait et attendait. La boutique reprit
son calme noir.

XV

Laurent revint parfois, le soir, tous les deux ou trois jours. Il
restait dans la boutique, causant avec Mme Raquin pendant une
demi-heure. Puis il s'en allait, sans avoir regardé Thérèse en face.
La vieille mercière le considérait comme le sauveur de sa nièce,
5   comme un noble cœur qui avait tout fait pour lui rendre son fils.
Elle l'accueillait avec une bonté attendrie.

Un jeudi soir, Laurent se trouvait là lorsque le vieux Michaud
et Grivet entrèrent. Huit heures sonnaient. L'employé et l'ancien
commissaire avaient jugé chacun de leur côté qu'ils pouvaient
10 reprendre leurs chères habitudes, sans se montrer importuns, et
ils arrivaient à la même minute, comme poussés par le même
ressort. Derrière eux, Olivier et Suzanne firent leur entrée.

On monta dans la salle à manger. Mme Raquin, qui n'attendait personne, se hâta d'allumer la lampe et de faire du thé.
15 Lorsque tout le monde se fut assis autour de la table, chacun
devant sa tasse, lorsque la boîte des dominos eut été vidée, la
pauvre mère, subitement ramenée dans le passé, regarda ses invités et éclata en sanglots. Il y avait une place vide, la place de
son fils.

20 Ce désespoir glaça et ennuya la société. Tous les visages avaient
un air de béatitude égoïste. Ces gens se trouvèrent gênés, n'ayant
plus dans le cœur le moindre souvenir vivant de Camille.

«Voyons, chère dame, s'écria le vieux Michaud avec une légère
impatience, il ne faut pas vous désespérer comme cela. Vous vous
25 rendrez malade.

– Nous sommes tous mortels, affirma Grivet.

– Vos pleurs ne vous rendront pas votre fils, dit sentencieuse-
ment Olivier.

– Je vous en prie, murmura Suzanne, ne nous faites pas de la
30 peine.»

Et comme Mme Raquin sanglotait plus fort, ne pouvant arrêter ses larmes :

«Allons, allons, reprit Michaud, un peu de courage. Vous com-
prenez bien que nous venons ici pour vous distraire. Que diable !
35 ne nous attristons pas, tâchons d'oublier… Nous jouons à deux
sous la partie. Hein ! qu'en dites-vous ? »

La mercière rentra ses pleurs, dans un effort suprême. Peut-
être eut-elle conscience de l'égoïsme heureux de ses hôtes. Elle
essuya ses yeux, encore toute secouée. Les dominos tremblaient
40 dans ses pauvres mains, et les larmes restées sous ses paupières
l'empêchaient de voir.

On joua.

Laurent et Thérèse avaient assisté à cette courte scène d'un
air grave et impassible. Le jeune homme était enchanté de voir
45 revenir les soirées du jeudi. Il les souhaitait ardemment, sachant
qu'il aurait besoin de ces réunions pour atteindre son but. Puis,
sans se demander pourquoi, il se sentait plus à l'aise au milieu de
ces quelques personnes qu'il connaissait, il osait regarder Thérèse
en face.

50 La jeune femme, vêtue de noir, pâle et recueillie, lui parut
avoir une beauté qu'il ignorait encore. Il fut heureux de rencontrer ses regards et de les voir s'arrêter sur les siens avec une fixité
courageuse. Thérèse lui appartenait toujours, chair et cœur.

XVI

Quinze mois se passèrent. Les âpretés des premières heures s'adoucirent ; chaque jour amena une tranquillité, un affaissement de plus ; la vie reprit son cours avec une langueur lasse, elle eut cette stupeur monotone qui suit les grandes crises. Et,
5 dans les commencements, Laurent et Thérèse se laissèrent aller à l'existence nouvelle qui les transformait ; il se fit en eux un travail sourd qu'il faudrait analyser avec une délicatesse extrême, si l'on voulait en marquer toutes les phases.

Laurent revint bientôt chaque soir à la boutique, comme par
10 le passé. Mais il n'y mangeait plus, il ne s'y établissait plus pendant des soirées entières. Il arrivait à neuf heures et demie, et s'en allait après avoir fermé le magasin. On eût dit qu'il accomplissait un devoir en venant se mettre au service des deux femmes. S'il négligeait un jour sa corvée, il s'excusait le lendemain avec des
15 humilités de valet. Le jeudi, il aidait Mme Raquin à allumer le feu, à faire les honneurs de la maison. Il avait des prévenances tranquilles qui charmaient la vieille mercière.

Thérèse le regardait paisiblement s'agiter autour d'elle. La pâleur de son visage s'en était allée ; elle paraissait mieux por-
20 tante, plus souriante, plus douce. À peine si parfois sa bouche, en se pinçant dans une contraction nerveuse, creusait deux plis profonds qui donnaient à sa face une expression étrange de douleur et d'effroi.

Les deux amants ne cherchèrent plus à se voir en particulier.
25 Jamais ils ne se demandèrent un rendez-vous, jamais ils n'échangèrent furtivement un baiser. Le meurtre avait comme apaisé pour un moment les fièvres voluptueuses de leur chair ; ils étaient parvenus à contenter, en tuant Camille, ces désirs fougueux et insatiables [1] qu'ils n'avaient pu assouvir en se brisant dans les bras

---

1. *Insatiables* : qui ne peuvent être rassasiés.

30 l'un de l'autre. Le crime leur semblait une jouissance aiguë qui les
écœurait et les dégoûtait de leurs embrassements.

Ils auraient eu cependant mille facilités pour mener cette
vie libre d'amour dont le rêve les avait poussés à l'assassinat.
Mme Raquin, impotente, hébétée, n'était pas un obstacle. La
35 maison leur appartenait, ils pouvaient sortir, aller où bon leur
semblait. Mais l'amour ne les tentait plus, leurs appétits s'en
étaient allés ; ils restaient là, causant avec calme, se regardant
sans rougeurs et sans frissons, paraissant avoir oublié les étreintes folles qui avaient meurtri leur chair et fait craquer leurs os.
40 Ils évitaient même de se rencontrer seul à seul ; dans l'intimité,
ils ne trouvaient rien à se dire, ils craignaient tous deux de montrer trop de froideur. Lorsqu'ils échangeaient une poignée de
main, ils éprouvaient une sorte de malaise en sentant leur peau
se toucher.

45 D'ailleurs, ils croyaient s'expliquer chacun ce qui les tenait
ainsi indifférents et effrayés en face l'un de l'autre. Ils mettaient
leur attitude froide sur le compte de la prudence. Leur calme,
leur abstinence, selon eux, étaient œuvres de haute sagesse.
Ils prétendaient vouloir cette tranquillité de leur chair, ce som-
50 meil de leur cœur. D'autre part, ils regardaient la répugnance,
le malaise qu'ils ressentaient comme un reste d'effroi, comme
une peur sourde du châtiment. Parfois, ils se forçaient à l'espérance, ils cherchaient à reprendre les rêves brûlants d'autrefois,
et ils demeuraient tout étonnés, en voyant que leur imagination
55 était vide. Alors ils se cramponnaient à l'idée de leur prochain
mariage ; arrivés à leur but, n'ayant plus aucune crainte, livrés
l'un à l'autre, ils retrouveraient leur passion, ils goûteraient les
délices rêvées. Cet espoir les calmait, les empêchait de descendre
au fond du néant qui s'était creusé en eux. Ils se persuadaient
60 qu'ils s'aimaient comme par le passé, ils attendaient l'heure qui
devait les rendre parfaitement heureux en les liant pour toujours.

Jamais Thérèse n'avait eu l'esprit si calme. Elle devenait certainement meilleure. Toutes les volontés implacables de son être se détendaient.

La nuit, seule dans son lit, elle se trouvait heureuse ; elle ne sentait plus à son côté la face maigre, le corps chétif de Camille qui exaspérait sa chair et la jetait dans des désirs inassouvis. Elle se croyait petite fille, vierge sous les rideaux blancs, paisible au milieu du silence et de l'ombre. Sa chambre, vaste, un peu froide, lui plaisait, avec son plafond élevé, ses coins obscurs, ses senteurs de cloître. Elle finissait même par aimer la grande muraille noire qui montait devant sa fenêtre ; pendant tout un été, chaque soir, elle resta des heures entières à regarder les pierres grises de cette muraille et les nappes étroites de ciel étoilé que découpaient les cheminées et les toits. Elle ne pensait à Laurent que lorsqu'un cauchemar l'éveillait en sursaut ; alors, assise sur son séant, tremblante, les yeux agrandis, se serrant dans sa chemise, elle se disait qu'elle n'éprouverait pas ces peurs brusques, si elle avait un homme couché à côté d'elle. Elle songeait à son amant comme à un chien qui l'eût gardée et protégée ; sa peau fraîche et calme n'avait pas un frisson de désir.

Le jour, dans la boutique, elle s'intéressait aux choses extérieures, elle sortait d'elle-même, ne vivant plus sourdement révoltée, repliée en pensées de haine et de vengeance. La rêverie l'ennuyait ; elle avait le besoin d'agir et de voir. Du matin au soir, elle regardait les gens qui traversaient le passage ; ce bruit, ce va-et-vient l'amusaient. Elle devenait curieuse et bavarde, femme en un mot, car jusque-là elle n'avait eu que des actes et des idées d'homme.

Dans l'espionnage qu'elle établit, elle remarqua un jeune homme, un étudiant, qui habitait un hôtel garni [1] du voisinage et qui passait plusieurs fois par jour devant la boutique. Ce gar-

---

1. *Hôtel garni* : établissement public où les voyageurs, les étrangers trouvent des chambres meublées à louer pour une longue durée.

çon avait une beauté pâle, avec de grands cheveux de poète et
95   une moustache d'officier, Thérèse le trouva distingué. Elle en fut
amoureuse pendant une semaine, amoureuse comme une pen-
sionnaire. Elle lut des romans, elle compara le jeune homme à
Laurent, et trouva ce dernier bien épais, bien lourd. La lecture
lui ouvrit des horizons romanesques qu'elle ignorait encore ; elle
100 n'avait aimé qu'avec son sang et ses nerfs, elle se mit à aimer
avec sa tête. Puis, un jour, l'étudiant disparut ; il avait sans doute
déménagé. Thérèse l'oublia en quelques heures.

Elle s'abonna à un cabinet littéraire [1] et se passionna pour
tous les héros des contes qui lui passèrent sous les yeux. Ce
105 subit amour de la lecture eut une grande influence sur son tempérament. Elle acquit une sensibilité nerveuse qui la faisait rire
ou pleurer sans motif. L'équilibre, qui tendait à s'établir en elle,
fut rompu. Elle tomba dans une sorte de rêverie vague. Par
moments, la pensée de Camille la secouait, et elle songeait à
110 Laurent avec de nouveaux désirs, pleins d'effroi et de défiance.
Elle fut ainsi rendue à ses angoisses ; tantôt elle cherchait un
moyen pour épouser son amant à l'instant même, tantôt elle
songeait à se sauver, à ne jamais le revoir. Les romans, en lui
parlant de chasteté et d'honneur, mirent comme un obstacle
115 entre ses instincts et sa volonté. Elle resta la bête indomptable
qui voulait lutter avec la Seine et qui s'était jetée violemment
dans l'adultère ; mais elle eut conscience de la bonté et de la
douceur, elle comprit le visage mou et l'attitude morte de la
femme d'Olivier, elle sut qu'on pouvait ne pas tuer son mari et
120 être heureuse. Alors elle ne se vit plus bien elle-même, elle vécut
dans une indécision cruelle.

De son côté, Laurent passa par différentes phases de calme
et de fièvre. Il goûta d'abord une tranquillité profonde ; il était
comme soulagé d'un poids énorme. Par moments, il s'interro-

---

1. Cabinet littéraire : lieu où on lit, moyennant quelque somme d'argent,
des journaux et des livres, bibliothèque.

125 geait avec étonnement, il croyait avoir fait un mauvais rêve, il se demandait s'il était bien vrai qu'il eût jeté Camille à l'eau et qu'il eût revu son cadavre sur une dalle de la Morgue. Le souvenir de son crime le surprenait étrangement ; jamais il ne se serait cru capable d'un assassinat ; toute sa prudence, toute sa lâcheté

130 frissonnait, il lui montait au front des sueurs glacées, lorsqu'il songeait qu'on aurait pu découvrir son crime et le guillotiner. Alors il sentait à son cou le froid du couteau. Tant qu'il avait agi, il était allé droit devant lui, avec un entêtement et un aveuglement de brute. Maintenant il se retournait, et, à voir l'abîme qu'il venait

135 de franchir, des défaillances d'épouvante le prenaient.

«Sûrement, j'étais ivre, pensait-il, cette femme m'avait soûlé de caresses. Bon Dieu! ai-je été bête et fou! Je risquais la guillotine, avec une pareille histoire… Enfin, tout s'est bien passé. Si c'était à refaire, je ne recommencerais pas.»

140 Laurent s'affaissa, devint mou, plus lâche et plus prudent que jamais. Il engraissa et s'avachit. Quelqu'un qui aurait étudié ce grand corps, tassé sur lui-même, et qui ne paraissait avoir ni os ni nerfs, n'aurait jamais songé à l'accuser de violence et de cruauté.

145 Il reprit ses anciennes habitudes. Il fut pendant plusieurs mois un employé modèle, faisant sa besogne avec un abrutissement exemplaire. Le soir, il mangeait dans une crémerie de la rue Saint-Victor, coupant son pain par petites tranches, mâchant avec lenteur, faisant traîner son repas le plus possible ; puis il se

150 renversait, il s'adossait au mur, et fumait sa pipe. On aurait dit un bon gros père. Le jour, il ne pensait à rien ; la nuit, il dormait d'un sommeil lourd et sans rêves. Le visage rose et gras, le ventre plein, le cerveau vide, il était heureux.

Sa chair semblait morte, il ne songeait guère à Thérèse. Il

155 pensait parfois à elle, comme on pense à une femme qu'on doit épouser plus tard, dans un avenir indéterminé. Il attendait l'heure de son mariage avec patience, oubliant la femme, rêvant à la nouvelle position qu'il aurait alors. Il quitterait son bureau, il

peindrait en amateur, il flânerait. Ces espoirs le ramenaient, chaque soir, à la boutique du passage, malgré le vague malaise qu'il
éprouvait en y entrant.

Un dimanche, s'ennuyant, ne sachant que faire, il alla chez
son ancien ami de collège, chez le jeune peintre avec lequel il avait
logé pendant longtemps. L'artiste travaillait à un tableau qu'il
comptait envoyer au Salon [1] et qui représentait une Bacchante [2]
nue, vautrée sur un lambeau d'étoffe. Dans le fond de l'atelier,
un modèle, une femme était couchée, la tête ployée en arrière, le
torse tordu, la hanche haute. Cette femme riait par moments et
tendait la poitrine, allongeant les bras, s'étirant, pour se délasser.
Laurent, qui s'était assis en face d'elle, la regardait, en fumant
et en causant avec son ami. Son sang battit, ses nerfs s'irritèrent
dans cette contemplation. Il resta jusqu'au soir, il emmena la
femme chez lui. Pendant près d'un an, il la garda pour maîtresse.
La pauvre fille s'était mise à l'aimer, le trouvant bel homme. Le
matin, elle partait, allait poser tout le jour, et revenait régulièrement chaque soir à la même heure ; elle se nourrissait, s'habillait,
s'entretenait avec l'argent qu'elle gagnait, ne coûtant ainsi pas
un sou à Laurent, qui ne s'inquiétait nullement d'où elle venait
ni de ce qu'elle avait pu faire. Cette femme mit un équilibre de
plus dans sa vie ; il l'accepta comme un objet utile et nécessaire
qui maintenait son corps en paix et en santé ; il ne sut jamais s'il
l'aimait, et jamais il ne lui vint à la pensée qu'il était infidèle à
Thérèse. Il se sentait plus gras et plus heureux. Voilà tout.

Cependant le deuil de Thérèse était fini. La jeune femme s'habillait de robes claires, et il arriva qu'un soir Laurent la trouva
rajeunie et embellie. Mais il éprouvait toujours un certain malaise
devant elle ; depuis quelque temps, elle lui paraissait fiévreuse,

---

1. *Salon* : exposition annuelle des ouvrages de peinture, de sculpture, de gravure, etc., des artistes vivants.
2. *Bacchante* : prêtresse de Bacchus, dieu du vin et de l'ivresse dans l'Antiquité. Les Bacchantes célébraient leur dieu par les Bacchanales, fêtes avec
danses, jeux et mystères d'initiés.

Émile Zola et le scandale de *Thérèse Raquin*

Tirée d'un fait divers, l'histoire de *Thérèse Raquin* a inspiré à Zola, un an avant la parution du roman, une nouvelle intitulée « Un mariage d'amour » (1866). Récit choc d'un adultère puis d'un meurtre, le roman connaît un immense succès auprès du public mais scandalise certains critiques : le journaliste Ferragus compare l'œuvre à une « flaque de boue et de sang ». Les illustres Taine et Sainte-Beuve saluent au contraire sa « puissance remarquable ». Cette réception en demi-teinte conduit Zola à justifier la singularité de son travail d'écrivain et à poser les premiers fondements de son grand projet naturaliste, *Les Rougon-Macquart* (1871-1893). Composée de vingt romans, cette *Histoire naturelle et sociale d'une famille sous le Second Empire* réunit ses ouvrages les plus célèbres, parmi lesquels *L'Assommoir* (1877), *Germinal* (1885) et *La Bête humaine* (1890).

Portrait d'Émile Zola (1840-1902)
par Édouard Manet, 1868, musée d'Orsay.

Couverture de *Thérèse Raquin*,
Flammarion, 1906.

« Mon but a été scientifique avant tout »

Dans la préface de la deuxième édition de *Thérèse Raquin*, Zola se compare à un chirurgien disséquant des cadavres. L'écrivain est assimilé au physiologue, qui étudie l'influence du milieu environnant et de l'hérédité sur l'individu. Il s'inspire notamment des travaux de Darwin (1809-1882) et de l'*Introduction à l'étude de la médecine expérimentale* (1856) de Claude Bernard. En appliquant le protocole expérimental à la littérature, il invente *Le Roman expérimental* (1880) : le roman devient un laboratoire pour analyser les mœurs et l'homme de son temps. « Qu'on lise [*Thérèse Raquin*] avec soin, déclare Zola, on verra que chaque chapitre est l'étude d'un cas curieux de physiologie. »

▲ Léon Augustin Lhermitte, *Claude Bernard donnant une leçon de physiologie*, 1889.

Le naturalisme se présente comme une enquête scientifique portant sur les mécanismes qui déterminent le comportement des hommes. Suivant les travaux de Lavater (1741-1801), Zola s'attache notamment dans ses romans à expliquer la personnalité de ses personnages par leur physionomie : cette méthode porte le nom de physiognomonie.

▷ Leonhart Thurnheisser, *Von dem sal solis*, gravure, 1574.
Les scientifiques du XIXe siècle exploitent la théorie des quatre humeurs définie par Hippocrate au Ve siècle av. J.-C. pour expliquer les différents caractères des individus : de la proportion de sang, de bile jaune, de bile noire (ou atrabile) et de lymphe (ou flegme) dans le corps résulte tel ou tel tempérament.

▷ Johann-Kaspar Lavater, *Sanguin, phlegmatique, cholérique, mélancolique*, lithographie tirée de *L'Art de connaître les hommes par la physionomie*, 1806.
Dans *Thérèse Raquin*, Zola expérimente « l'union étrange qui peut se produire entre deux tempéraments différents », celui de la nerveuse Thérèse et celui du sanguin Laurent, et le choc inéluctable qu'elle ne peut manquer de produire.

Thérèse Raquin et l'influence des peintres de son temps

Familier des peintres de son époque (Cézanne, Pissarro, Renoir...), Zola est un fervent défenseur de Manet et de l'école impressionniste, tout comme du réalisme de Courbet. Dans *Thérèse Raquin*, la peinture joue un rôle central. La ressemblance entre le portrait que Laurent a fait de Camille vivant et le cadavre de ce dernier obsède les meurtriers (chapitre XIII). De même, le personnage de Thérèse semble directement inspiré d'un tableau de Courbet.

△ Gustave Courbet, *Les Demoiselles des bords de Seine*, huile sur toile, musée du Petit-Palais, 1856-1857. Quand Thérèse était « seule, dans l'herbe, au bord de l'eau, elle se couchait à plat ventre comme une bête [et] elle restait là, pendant des heures, ne pensant à rien, mordue par le soleil, heureuse d'enfoncer ses doigts dans la terre » (chapitre II). Par sa bestialité, sa sensualité et sa proximité avec la nature, Thérèse rappelle le mouvement réaliste représenté par Courbet. Bousculant les règles de l'art, le peintre déclencha un scandale critique en exposant ces *Demoiselles* licencieuses au Salon de 1857.

Thérèse Raquin au théâtre

Thérèse Raquin a fasciné les metteurs en scène et réalisateurs. Zola lui-même pensait que son roman offrait un «excellent sujet de drame» et en a proposé une version théâtrale au théâtre de la Renaissance en 1873.

Évelyne Buyle dans le rôle de Thérèse Raquin, mise en scène de Raymond Rouleau, théâtre de l'Ouest parisien, 1981. Raymond Rouleau a pris le parti d'une représentation réaliste. Les costumes sont d'époque et le décor évoque le Paris du temps de Napoléon. En fond de scène, une toile peinte représente les bords de Marne. En accord avec la mélancolie du personnage, les couleurs sont nuancées et vaporeuses.

« Une chorégraphie infernale »

En 2008, Philippe Faure monte au théâtre de la Croix-Rousse, à Lyon, une adaptation de *Thérèse Raquin* saluée pour sa fidélité à l'esprit du roman. Le metteur en scène insiste sur le jeu des corps des deux amants, animés par la « chorégraphie infernale » d'une passion terrible. Dans un décor sobre, une lumière tour à tour crue et voilée souligne la brutalité des protagonistes comme la dimension fantastique de l'œuvre de Zola.

❶

Anne Comte (Thérèse Raquin), Gilles Olen (Camille) et Marc Voisin (Laurent) dans la première scène de la pièce.

© Bruno Amsellem / Signatures.

❷

Marc Voisin (Laurent) dans la scène de la morgue.

© Bruno Amsellem / Signatures

Questions

1. Décrivez les personnages en présence sur le document 1.
   En quoi la position de leurs corps fait-elle penser à une chorégraphie ?

2. Sur le document 2, quel est l'effet de lumière utilisé ?
   En quoi cet éclairage souligne-t-il la dimension fantastique de la scène ?

Thérèse Raquin, le film de Marcel Carné (1953)

Simone Signoret dans *Thérèse Raquin*, réalisé par Marcel Carné, en 1953. Marcel Carné transpose l'intrigue du roman dans les années 1950, à Lyon, et choisit de faire de Laurent (Raf Vallone) un immigré italien, qu'il confronte au racisme de Camille et de sa mère. Le film obtient le Lion d'argent au festival de Venise.

Raf Vallone (Laurent), Simone Signoret (Thérèse Raquin) et Roland Lesaffre (Riton). Carné apporte de nombreuses modifications au roman de Zola. Camille ne meurt pas noyé mais est jeté hors d'un train en marche. Il invente également le personnage de Riton : témoin du meurtre de Camille, ce maître-chanteur menace de dénoncer le couple à la police. Le malaise de Thérèse et Laurent ne provient donc plus des remords liés au crime mais de la peur d'être arrêtés.

© *Thérèse Raquin* / 1953 / Paris Film Production / Lux Film / Collection Christophel

Affiches du film
Thérèse Raquin, réalisé
par Marcel Carné, en 1953.

Questions

1. Comparez ces deux affiches
   (composition, typographie,
   couleurs, personnages).

2. Sur quels éléments de l'histoire
   insiste chacune d'elles ?
   Quel genre de film s'attend-on à voir ?

pleine de caprices étranges, riant et s'attristant sans raison. L'indécision où il la voyait l'effrayait, car il devinait en partie ses luttes et ses troubles. Il se mit à hésiter, ayant une peur atroce de compromettre sa tranquillité ; lui, il vivait paisible, dans un contentement sage de ses appétits, il craignait de risquer l'équilibre de sa vie en se liant à une femme nerveuse dont la passion l'avait déjà rendu fou. D'ailleurs, il ne raisonnait pas ces choses, il sentait d'instinct les angoisses que la possession de Thérèse devait mettre en lui.

Le premier choc qu'il reçut et qui le secoua dans son affaissement fut la pensée qu'il fallait enfin songer à son mariage. Il y avait près de quinze mois que Camille était mort. Un instant, Laurent pensa à ne pas se marier du tout, à planter là Thérèse, et à garder le modèle dont l'amour complaisant et à bon marché lui suffisait. Puis, il se dit qu'il ne pouvait avoir tué un homme pour rien ; en se rappelant le crime, les efforts terribles qu'il avait faits pour posséder à lui seul cette femme qui le troublait maintenant, il sentit que le meurtre deviendrait inutile et atroce, s'il ne se mariait pas avec elle. Jeter un homme à l'eau afin de lui voler sa veuve, attendre quinze mois, et se décider ensuite à vivre avec une petite fille qui traînait son corps dans tous les ateliers, lui parut ridicule et le fit sourire. D'ailleurs, n'était-il pas lié à Thérèse par un lien de sang et d'horreur ? Il la sentait vaguement crier et se tordre en lui, il lui appartenait. Il avait peur de sa complice ; peut-être, s'il ne l'épousait pas, irait-elle tout dire à la justice, par vengeance et jalousie. Ces idées battaient dans sa tête. La fièvre le reprit.

Sur ces entrefaites, le modèle le quitta brusquement. Un dimanche, cette fille ne rentra pas ; elle avait sans doute trouvé un gîte plus chaud et plus confortable. Laurent fut médiocrement affligé ; seulement, il s'était habitué à avoir, la nuit, une femme couchée à son côté, et il éprouva un vide subit dans son existence. Huit jours après ses nerfs se révoltèrent. Il revint s'établir, pendant des soirées entières, dans la boutique du passage,

regardant de nouveau Thérèse avec des yeux où luisaient des lueurs rapides. La jeune femme, qui sortait toute frissonnante des longues lectures qu'elle faisait, s'alanguissait et s'abandon-
225 nait sous ses regards.

Ils en étaient ainsi revenus tous deux à l'angoisse et au désir, après une longue année d'attente écœurée et indifférente. Un soir, Laurent, en fermant la boutique, retint un instant Thérèse dans le passage.

230 «Veux-tu que je vienne ce soir dans ta chambre?» lui deman-da-t-il d'une voix ardente.

La jeune femme fit un geste d'effroi.

«Non, non, attendons… dit-elle; soyons prudents.

– J'attends depuis assez longtemps, je crois, reprit Laurent; je
235 suis las; je te veux.»

Thérèse le regarda follement; des chaleurs lui brûlaient les mains et le visage. Elle sembla hésiter; puis, d'un ton brusque :

«Marions-nous, je serai à toi.»

XVII

Laurent quitta le passage, l'esprit tendu, la chair inquiète. L'haleine chaude, le consentement de Thérèse venaient de remet-tre en lui les âpretés d'autrefois. Il prit les quais, et marcha, son chapeau à la main, pour recevoir au visage tout l'air du ciel.
5 Lorsqu'il fut arrivé rue Saint-Victor, à la porte de son hôtel, il eut peur de monter, d'être seul. Un effroi d'enfant, inexplicable, imprévu, lui fit craindre de trouver un homme caché dans sa man-sarde. Jamais il n'avait été sujet à de pareilles poltronneries [1]. Il n'essaya même pas de raisonner le frisson étrange qui le prenait;

---

1. *Poltronneries* : actions lâches.

10 il entra chez un marchand de vin [1] et y resta pendant une heure,
jusqu'à minuit, immobile et muet à une table, buvant machinalement de grands verres de vin. Il songeait à Thérèse, il s'irritait
contre la jeune femme qui n'avait pas voulu le recevoir le soir
même dans sa chambre, et il pensait qu'il n'aurait pas eu peur
15 avec elle.

On ferma la boutique, on le mit à la porte, il rentra pour
demander des allumettes. Le bureau de l'hôtel se trouvait au
premier étage. Laurent avait une longue allée à suivre et quelques marches à monter, avant de pouvoir prendre sa bougie.
20 Cette allée, ce bout d'escalier, d'un noir terrible, l'épouvantaient.
D'ordinaire, il traversait gaillardement ces ténèbres. Ce soir-là,
il n'osait sonner, il se disait qu'il y avait peut-être, dans un certain renfoncement formé par l'entrée de la cave, des assassins
qui lui sauteraient brusquement à la gorge quand il passerait.
25 Enfin, il sonna, il alluma une allumette et se décida à s'engager
dans l'allée. L'allumette s'éteignit. Il resta immobile, haletant,
n'osant s'enfuir, frottant les allumettes sur le mur humide avec
une anxiété qui faisait trembler sa main. Il lui semblait entendre
des voix, des bruits de pas devant lui. Les allumettes se brisaient
30 entre ses doigts. Il réussit à en allumer une. Le soufre se mit à
bouillir, à enflammer le bois avec une lenteur qui redoubla les
angoisses de Laurent ; dans la clarté pâle et bleuâtre du soufre,
dans les lueurs vacillantes qui couraient, il crut distinguer des
formes monstrueuses. Puis l'allumette pétilla, la lumière devint
35 blanche et claire. Laurent, soulagé, s'avança avec précaution, en
ayant soin de ne pas manquer de lumière. Lorsqu'il lui fallut
passer devant la cave, il se serra contre le mur opposé : il y avait
là une masse d'ombre qui l'effrayait. Il gravit ensuite vivement
les quelques marches qui le séparaient du bureau de l'hôtel, et
40 se crut sauvé lorsqu'il tint sa bougie. Il monta les autres étages

---

1. Marchand de vin : négociant en vin qui tenait aussi un débit de boissons
et de restauration rapide peu coûteuse.

plus doucement, en élevant la bougie, en éclairant tous les coins devant lesquels il devait passer. Les grandes ombres bizarres qui vont et viennent, lorsqu'on se trouve dans un escalier avec une lumière, le remplissaient d'un vague malaise, en se dressant et en
45 s'effaçant brusquement devant lui.

Quand il fut en haut, il ouvrit sa porte et s'enferma, rapidement. Son premier soin fut de regarder sous son lit, de faire une visite minutieuse dans la chambre, pour voir si personne ne s'y trouvait caché. Il ferma la fenêtre du toit, en pensant que
50 quelqu'un pourrait bien descendre par là. Quand il eut pris ces dispositions, il se déshabilla, en s'étonnant de sa poltronnerie. Il finit par sourire, par se traiter d'enfant. Il n'avait jamais été peureux et ne pouvait s'expliquer cette crise subite de terreur.

Il se coucha. Lorsqu'il fut dans la tiédeur des draps, il songea
55 de nouveau à Thérèse, que ses frayeurs lui avaient fait oublier. Les yeux fermés obstinément, cherchant le sommeil, il sentait malgré lui ses pensées travailler, s'imposer, se lier les unes aux autres, lui présenter toujours les avantages qu'il aurait à se marier au plus vite. Par moments, il se retournait, il se disait : « Ne pensons plus,
60 dormons ; il faut que je me lève à huit heures demain pour aller à mon bureau. » Et il faisait effort pour se laisser glisser au sommeil. Mais les idées revenaient une à une ; le travail sourd [1] de ses raisonnements recommençait ; il se retrouvait bientôt dans une sorte de rêverie aiguë, qui étalait au fond de son cerveau les néces-
65 sités de son mariage, les arguments que ses désirs et sa prudence donnaient tour à tour pour et contre la possession de Thérèse.

Alors, voyant qu'il ne pouvait dormir, que l'insomnie tenait sa chair irritée, il se mit sur le dos, il ouvrit les yeux tout grands, il laissa son cerveau s'emplir du souvenir de la jeune femme.
70 L'équilibre était rompu, la fièvre chaude de jadis le secouait de nouveau. Il eut l'idée de se lever, de retourner au passage du Pont-Neuf. Il se ferait ouvrir la grille, il irait frapper à la petite

---

1. *Sourd* : vague, mal caractérisé.

porte de l'escalier, et Thérèse le recevrait. À cette pensée, le sang montait à son cou.

75   Sa rêverie avait une lucidité étonnante. Il se voyait dans les rues, marchant vite, le long des maisons, et il se disait : « Je prends ce boulevard, je traverse ce carrefour, pour être plus tôt arrivé. » Puis la grille du passage grinçait, il suivait l'étroite galerie, sombre et déserte, en se félicitant de pouvoir monter chez Thérèse
80   sans être vu de la marchande de bijoux faux ; puis il s'imaginait être dans l'allée, dans le petit escalier par où il avait passé si souvent. Là, il éprouvait les joies cuisantes [1] de jadis, il se rappelait les terreurs délicieuses, les voluptés poignantes de l'adultère. Ses souvenirs devenaient des réalités qui impressionnaient tous
85   ses sens : il sentait l'odeur fade du couloir, il touchait les murs gluants, il voyait l'ombre sale qui traînait. Et il montait chaque marche, haletant, prêtant l'oreille, contentant déjà ses désirs dans cette approche craintive de la femme désirée. Enfin il grattait à la porte, la porte s'ouvrait, Thérèse était là qui l'attendait, en jupon,
90   toute blanche.

Ses pensées se déroulaient devant lui en spectacles réels. Les yeux fixés sur l'ombre, il voyait. Lorsque, au bout de sa course dans les rues, après être entré dans le passage et avoir gravi le petit escalier, il crut apercevoir Thérèse, ardente et pâle, il sauta
95   vivement de son lit, en murmurant : « Il faut que j'y aille, elle m'attend. » Le brusque mouvement qu'il venait de faire chassa l'hallucination : il sentit le froid du carreau, il eut peur. Il resta un moment immobile, les pieds nus, écoutant. Il lui semblait entendre du bruit sur le carré. S'il allait chez Thérèse, il lui faudrait pas-
100 ser de nouveau devant la porte de la cave, en bas ; cette pensée lui fit courir un grand frisson froid dans le dos. L'épouvante le reprit, une épouvante bête et écrasante. Il regarda avec défiance dans sa chambre, il y vit traîner des lambeaux blanchâtres de clarté ; alors, doucement, avec des précautions pleines d'une hâte anxieuse, il

---

1. *Cuisantes* : très fortes.

remonta sur son lit, et, là, se pelotonna, se cacha, comme pour se
dérober à une arme, à un couteau qui l'aurait menacé.

Le sang s'était porté violemment à son cou, et son cou le brûlait. Il y porta la main, il sentit sous ses doigts la cicatrice de la
morsure de Camille. Il avait presque oublié cette morsure. Il fut
terrifié en la retrouvant sur sa peau, il crut qu'elle lui mangeait
la chair. Il avait vivement retiré la main pour ne plus la sentir, et
il la sentait toujours, dévorante, trouant son cou. Alors, il voulut
la gratter délicatement, du bout de l'ongle ; la terrible cuisson
redoubla. Pour ne pas s'arracher la peau, il serra les deux mains
entre ses genoux repliés. Roidi, irrité, il resta là, le cou rongé, les
dents claquant de peur.

Maintenant ses idées s'attachaient à Camille, avec une fixité
effrayante. Jusque-là, le noyé n'avait pas troublé les nuits de
Laurent. Et voilà que la pensée de Thérèse amenait le spectre
de son mari. Le meurtrier n'osait plus ouvrir les yeux ; il craignait d'apercevoir sa victime dans un coin de la chambre. À un
moment, il lui sembla que sa couche était étrangement secouée ;
il s'imagina que Camille se trouvait caché sous le lit, et que
c'était lui qui le remuait ainsi, pour le faire tomber et le mordre.
Hagard, les cheveux dressés sur la tête, il se cramponna à son
matelas, croyant que les secousses devenaient de plus en plus
violentes.

Puis, il s'aperçut que le lit ne remuait pas. Il y eut une réaction
en lui. Il se mit sur son séant, alluma sa bougie, en se traitant
d'imbécile. Pour apaiser sa fièvre, il avala un grand verre d'eau.

« J'ai eu tort de boire chez ce marchand de vin, pensait-il... Je
ne sais ce que j'ai, cette nuit. C'est bête. Je serai éreinté aujourd'hui
à mon bureau. J'aurais dû dormir tout de suite, en me mettant au
lit, et ne pas penser à un tas de choses : c'est cela qui m'a donné
l'insomnie... Dormons. »

Il souffla de nouveau la lumière, il enfonça la tête dans
l'oreiller, un peu rafraîchi, bien décidé à ne plus penser, à ne plus
avoir peur. La fatigue commençait à détendre ses nerfs.

Il ne s'endormit pas de son sommeil ordinaire, lourd et accablé; il glissa lentement à une somnolence vague. Il était comme simplement engourdi, comme plongé dans un abrutissement doux et voluptueux. Il sentait son corps en sommeillant; son intelligence restait éveillée dans sa chair morte. Il avait chassé les pensées qui venaient, il s'était défendu contre la veille. Puis, quand il fut assoupi, quand les forces lui manquèrent et que la volonté lui échappa, les pensées revinrent doucement, une à une, reprenant possession de son être défaillant. Ses rêveries recommencèrent. Il refit le chemin qui le séparait de Thérèse : il descendit, passa devant la cave en courant et se trouva dehors; il suivit toutes les rues qu'il avait déjà suivies auparavant, lorsqu'il rêvait les yeux ouverts; il entra dans le passage du Pont-Neuf, monta le petit escalier et gratta à la porte. Mais au lieu de Thérèse, au lieu de la jeune femme en jupon, la gorge nue, ce fut Camille qui lui ouvrit, Camille tel qu'il l'avait vu à la Morgue, verdâtre, atrocement défiguré. Le cadavre lui tendait les bras, avec un rire ignoble, en montrant un bout de langue noirâtre dans la blancheur des dents.

Laurent poussa un cri et se réveilla en sursaut. Il était trempé d'une sueur glacée. Il ramena la couverture sur ses yeux, en s'injuriant, en se mettant en colère contre lui-même. Il voulut se rendormir.

Il se rendormit comme précédemment, avec lenteur; le même accablement le prit, et dès que la volonté lui eut de nouveau échappé dans la langueur du demi-sommeil, il se remit en marche, il retourna où le conduisait son idée fixe, il courut pour voir Thérèse, et ce fut encore le noyé qui lui ouvrit la porte.

Terrifié, le misérable se mit sur son séant. Il aurait voulu pour tout au monde chasser ce rêve implacable. Il souhaitait un sommeil de plomb qui écrasât ses pensées. Tant qu'il se tenait éveillé, il avait assez d'énergie pour chasser le fantôme de sa victime; mais dès qu'il n'était plus maître de son esprit, son esprit le conduisait à l'épouvante en le conduisant à la volupté.

Il tenta encore le sommeil. Alors ce fut une succession d'assoupissements voluptueux et de réveils brusques et déchirants. Dans son entêtement furieux, toujours il allait vers Thérèse, toujours il se heurtait contre le corps de Camille. À plus de dix reprises, il refit le chemin, il partit la chair brûlante, suivit le même itinéraire, eut les mêmes sensations, accomplit les mêmes actes, avec une exactitude minutieuse, et, à plus de dix reprises, il vit le noyé s'offrir à son embrassement, lorsqu'il étendait les bras pour saisir et étreindre sa maîtresse. Ce même dénouement sinistre qui le réveillait chaque fois, haletant et éperdu, ne décourageait pas son désir ; quelques minutes après, dès qu'il se rendormait, son désir oubliait le cadavre ignoble qui l'attendait, et courait chercher de nouveau le corps chaud et souple d'une femme. Pendant une heure, Laurent vécut dans cette suite de cauchemars, dans ce mauvais rêve sans cesse répété et sans cesse imprévu, qui, à chaque sursaut, le brisait d'une épouvante plus aiguë.

Une des secousses, la dernière, fut si violente, si douloureuse, qu'il se décida à se lever, à ne pas lutter davantage. Le jour venait ; une lueur grise et morne entrait par la fenêtre du toit qui coupait dans le ciel un carré blanchâtre couleur de cendre.

Laurent s'habilla lentement, avec une irritation sourde. Il était exaspéré de n'avoir pas dormi, exaspéré de s'être laissé prendre par une peur qu'il traitait maintenant d'enfantillage. Tout en mettant son pantalon, il s'étirait, il se frottait les membres, il se passait les mains sur son visage battu et brouillé par une nuit de fièvre. Et il répétait :

« Je n'aurais pas dû penser à tout ça, j'aurais dormi, je serais frais et dispos, à cette heure… Ah ! si Thérèse avait bien voulu, hier soir, si Thérèse avait couché avec moi… »

Cette idée, que Thérèse l'aurait empêché d'avoir peur, le tranquillisa un peu. Au fond, il redoutait de passer d'autres nuits semblables à celle qu'il venait d'endurer.

Il se jeta de l'eau à la face, puis se donna un coup de peigne. Ce bout de toilette rafraîchit sa tête et dissipa ses dernières terreurs. Il raisonnait librement, il ne sentait plus qu'une grande fatigue dans tous ses membres.

«Je ne suis pourtant pas poltron, se disait-il en achevant de
210 se vêtir, je ne me moque pas mal de Camille… C'est absurde de croire que ce pauvre diable est sous mon lit. Maintenant, je vais peut-être croire cela toutes les nuits… Décidément il faut que je me marie au plus tôt. Quand Thérèse me tiendra dans ses bras, je ne penserai guère à Camille. Elle m'embrassera sur le cou, et je
215 ne sentirai plus l'atroce cuisson que j'ai éprouvée… Voyons donc cette morsure.»

Il s'approcha de son miroir, tendit le cou et regarda. La cicatrice était d'un rose pâle. Laurent, en distinguant la marque des dents de sa victime, éprouva une certaine émotion, le sang lui
220 monta à la tête, et il s'aperçut alors d'un étrange phénomène. La cicatrice fut empourprée par le flot qui montait, elle devint vive et sanglante, elle se détacha, toute rouge, sur le cou gras et blanc. En même temps, Laurent ressentit des picotements aigus, comme si l'on eût enfoncé des aiguilles dans la plaie. Il se hâta de relever
225 le col de sa chemise.

«Bah! reprit-il, Thérèse guérira cela… Quelques baisers suffiront… Que je suis bête de songer à ces choses!»

Il mit son chapeau et descendit. Il avait besoin de prendre l'air, besoin de marcher. En passant devant la porte de la cave,
230 il sourit; il s'assura cependant de la solidité du crochet qui fermait cette porte. Dehors, il marcha à pas lents, dans l'air frais du matin, sur les trottoirs déserts. Il était environ cinq heures.

Laurent passa une journée atroce. Il dut lutter contre le sommeil accablant qui le saisit dans l'après-midi à son bureau. Sa
235 tête, lourde et endolorie, se penchait malgré lui, et il la relevait brusquement, dès qu'il entendait le pas d'un de ses chefs. Cette lutte, ces secousses achevèrent de briser ses membres, en lui causant des anxiétés intolérables.

Le soir, malgré sa lassitude, il voulut aller voir Thérèse. Il la
240 trouva fiévreuse, accablée, lasse comme lui.

« Notre pauvre Thérèse a passé une mauvaise nuit, lui dit Mme Raquin, lorsqu'il se fut assis. Il paraît qu'elle a eu des cauchemars, une insomnie terrible… À plusieurs reprises, je l'ai entendue crier. Ce matin, elle était toute malade. »

245   Pendant que sa tante parlait, Thérèse regardait fixement Laurent. Sans doute, ils devinèrent leurs communes terreurs, car un même frisson nerveux courut sur leurs visages. Ils restèrent en face l'un de l'autre jusqu'à dix heures, parlant de banalités, se comprenant, se conjurant tous deux du regard de hâter le
250   moment où ils pourraient s'unir contre le noyé.

XVIII

    Thérèse, elle aussi, avait été visitée par le spectre de Camille, pendant cette nuit de fièvre.

    La proposition brûlante de Laurent, demandant un rendez-vous, après plus d'une année d'indifférence, l'avait brusquement
5   fouettée. La chair s'était mise à lui cuire, lorsque, seule et couchée, elle avait songé que le mariage devait avoir bientôt lieu. Alors, au milieu des secousses de l'insomnie, elle avait vu se dresser le noyé ; elle s'était, comme Laurent, tordue dans le désir et dans l'épouvante, et, comme lui, elle s'était dit qu'elle n'aurait plus
10   peur, qu'elle n'éprouverait plus de telles souffrances, lorsqu'elle tiendrait son amant entre ses bras.

    Il y avait eu, à la même heure, chez cette femme et chez cet homme, une sorte de détraquement nerveux qui les rendait, pantelants [1] et terrifiés, à leurs terribles amours. Une parenté de sang
15   et de volupté s'était établie entre eux. Ils frissonnaient des mêmes frissons ; leurs cœurs, dans une espèce de fraternité poignante, se

---

1. *Pantelants* : profondément bouleversés.

serraient aux mêmes angoisses. Ils eurent dès lors un seul corps et une seule âme pour jouir et pour souffrir. Cette communauté, cette pénétration mutuelle est un fait de psychologie et de physio-logie qui a souvent lieu chez les êtres que de grandes secousses nerveuses heurtent violemment l'un à l'autre.

Pendant plus d'une année, Thérèse et Laurent portèrent légère-ment la chaîne rivée à leurs membres, qui les unissait ; dans l'affaisse-ment succédant à la crise aiguë du meurtre, dans les dégoûts et les besoins de calme et d'oubli qui avaient suivi, ces deux forçats purent croire qu'ils étaient libres, qu'un lien de fer ne les liait plus ; la chaîne détendue traînait à terre ; eux, ils se reposaient, ils se trouvaient frappés d'une sorte de stupeur heureuse, ils cherchaient à aimer ailleurs, à vivre avec un sage équilibre. Mais le jour où, poussés par les faits, ils en étaient venus à échanger de nouveau des paroles ardentes, la chaîne se tendit violemment, ils reçurent une secousse telle, qu'ils se sentirent à jamais attachés l'un à l'autre.

Dès le lendemain, Thérèse se mit à l'œuvre, travailla sourde-ment à amener son mariage avec Laurent. C'était là une tâche dif-ficile, pleine de périls. Les amants tremblaient de commettre une imprudence, d'éveiller les soupçons, de montrer trop brusque-ment l'intérêt qu'ils avaient eu à la mort de Camille. Comprenant qu'ils ne pouvaient parler de mariage, ils arrêtèrent un plan fort sage qui consistait à se faire offrir ce qu'ils n'osaient demander, par Mme Raquin elle-même et par les invités du jeudi. Il ne s'agis-sait plus que de donner l'idée de remarier Thérèse à ces braves gens, surtout de leur faire accroire que cette idée venait d'eux et leur appartenait en propre.

La comédie fut longue et délicate à jouer. Thérèse et Laurent avaient pris chacun le rôle qui leur convenait ; ils avançaient avec une prudence extrême, calculant le moindre geste, la moindre parole. Au fond, ils étaient dévorés par une impatience qui roi-dissait et tendait leurs nerfs. Ils vivaient au milieu d'une irritation continuelle, il leur fallait toute leur lâcheté pour s'imposer des airs souriants et paisibles.

S'ils avaient hâte d'en finir, c'est qu'ils ne pouvaient plus rester séparés et solitaires. Chaque nuit, le noyé les visitait, l'insomnie les couchait sur un lit de charbons ardents et les retournait avec des pinces de feu. L'état d'énervement [1] dans lequel ils vivaient
55 activait encore chaque soir la fièvre de leur sang, en dressant devant eux des hallucinations atroces. Thérèse, lorsque le crépuscule était venu, n'osait plus monter dans sa chambre, elle éprouvait des angoisses vives, quand il lui fallait s'enfermer jusqu'au
60 matin dans cette grande pièce, qui s'éclairait de lueurs étranges et se peuplait de fantômes, dès que la lumière était éteinte. Elle finit par laisser sa bougie allumée, par ne plus vouloir dormir, afin de tenir toujours ses yeux grands ouverts. Et quand la fatigue baissait ses paupières, elle voyait Camille dans le noir, elle rou-
65 vrait les yeux en sursaut. Le matin, elle se traînait, brisée, n'ayant sommeillé que quelques heures, au jour. Quant à Laurent, il était devenu décidément poltron depuis le soir où il avait eu peur en passant devant la porte de la cave ; auparavant, il vivait avec des confiances de brute ; maintenant, au moindre bruit, il tremblait,
70 il pâlissait, comme un petit garçon. Un frisson d'effroi avait brusquement secoué ses membres, et ne l'avait plus quitté. La nuit, il souffrait plus encore que Thérèse ; la peur, dans ce grand corps mou et lâche, amenait des déchirements profonds. Il voyait tomber le jour avec des appréhensions cruelles. Il lui arriva, à plusieurs
75 reprises, de ne pas vouloir rentrer, de passer des nuits entières à marcher au milieu des rues désertes. Une fois, il resta jusqu'au matin sous un pont, par une pluie battante ; là, accroupi, glacé, n'osant se lever pour remonter sur le quai, il regarda, pendant près de six heures, couler l'eau sale dans l'ombre blanchâtre ; par
80 moments, des terreurs l'aplatissaient contre la terre humide : il lui semblait voir, sous l'arche du pont, passer de longues traînées de noyés qui descendaient au fil du courant. Lorsque la lassitude le poussait chez lui, il s'y enfermait à double tour, il s'y débattait

---

1. *Énervement* : état d'une personne dont les nerfs sont agacés.

jusqu'à l'aube, au milieu d'accès effrayants de fièvre. Le même
cauchemar revenait avec persistance : il croyait tomber des bras
85 ardents et passionnés de Thérèse entre les bras froids et gluants
de Camille ; il rêvait que sa maîtresse l'étouffait dans une étreinte
chaude, et il rêvait ensuite que le noyé le serrait contre sa poitrine
pourrie, dans un embrassement glacial ; ces sensations brusques
et alternées de volupté et de dégoût, ces contacts successifs de
90 chair brûlante d'amour et de chair froide, amollie par la vase, le
faisaient haleter et frissonner, râler d'angoisse.

Et, chaque jour, l'épouvante des amants grandissait, chaque
jour leurs cauchemars les écrasaient, les affolaient davantage. Ils
ne comptaient plus que sur leurs baisers pour tuer l'insomnie. Par
95 prudence, ils n'osaient se donner des rendez-vous, ils attendaient
le jour du mariage comme un jour de salut qui serait suivi d'une
nuit heureuse.

C'est ainsi qu'ils voulaient leur union de tout le désir qu'ils
éprouvaient de dormir un sommeil calme. Pendant les heures
100 d'indifférence, ils avaient hésité, oubliant chacun les raisons égo-
ïstes et passionnées qui s'étaient comme évanouies, après les
avoir tous deux poussés au meurtre. La fièvre les brûlant de nouveau, ils retrouvaient, au fond de leur passion et de leur égoïsme,
ces raisons premières qui les avaient décidés à tuer Camille, pour
105 goûter ensuite les joies que, selon eux, leur assurait un mariage
légitime. D'ailleurs, c'était avec un vague désespoir qu'ils prenaient la résolution suprême de s'unir ouvertement. Tout au
fond d'eux, il y avait de la crainte. Leurs désirs frissonnaient. Ils
étaient penchés, en quelque sorte, l'un sur l'autre, comme sur un
110 abîme dont l'horreur les attirait ; ils se courbaient mutuellement,
au-dessus de leur être, cramponnés, muets, tandis que des verti-
ges, d'une volupté cuisante, alanguissaient leurs membres, leur
donnaient la folie de la chute. Mais en face du moment présent,
de leur attente anxieuse et de leurs désirs peureux, ils sentaient
115 l'impérieuse nécessité de s'aveugler, de rêver un avenir de félicités
amoureuses et de jouissances paisibles. Plus ils tremblaient l'un

devant l'autre, plus ils devinaient l'horreur du gouffre au fond duquel ils allaient se jeter, et plus ils cherchaient à se faire à eux-mêmes des promesses de bonheur, à étaler devant eux les faits invincibles qui les amenaient fatalement au mariage.

Thérèse désirait uniquement se marier parce qu'elle avait peur et que son organisme réclamait les caresses violentes de Laurent. Elle était en proie à une crise nerveuse qui la rendait comme folle. À vrai dire, elle ne raisonnait guère, elle se jetait dans la passion, l'esprit détraqué par les romans qu'elle venait de lire, la chair irritée par les insomnies cruelles qui la tenaient éveillée depuis plusieurs semaines.

Laurent, d'un tempérament plus épais, tout en cédant à ses terreurs et à ses désirs, entendait raisonner sa décision. Pour se bien prouver que son mariage était nécessaire et qu'il allait enfin être parfaitement heureux, pour dissiper les craintes vagues qui le prenaient, il refaisait tous ses calculs d'autrefois. Son père, le paysan de Jeufosse, s'entêtant à ne pas mourir, il se disait que l'héritage pouvait se faire longtemps attendre ; il craignait même que cet héritage ne lui échappât et n'allât dans les poches d'un de ses cousins, grand gaillard qui piochait la terre à la vive satis-faction du vieux Laurent. Et lui, il serait toujours pauvre, il vivrait sans femme, dans un grenier, dormant mal, mangeant plus mal encore. D'ailleurs, il comptait ne pas travailler toute sa vie ; il commençait à s'ennuyer singulièrement à son bureau ; la légère besogne qui lui était confiée devenait accablante pour sa paresse. Le résultat de ses réflexions était toujours que le suprême bon-heur consiste à ne rien faire. Alors il se rappelait qu'il avait noyé Camille pour épouser Thérèse et ne plus rien faire ensuite. Certes, le désir de posséder à lui seul sa maîtresse était entré pour beau-coup dans la pensée de son crime, mais il avait été conduit au meurtre peut-être plus encore par l'espérance de se mettre à la place de Camille, de se faire soigner comme lui, de goûter une béatitude de toutes les heures ; si la passion seule l'eût poussé, il n'aurait pas montré tant de lâcheté, tant de prudence ; la vérité était qu'il avait cherché à assurer, par un assassinat, le calme et l'oisiveté de sa vie, le contentement durable de ses appétits. Toutes ces pensées, avouées ou inconscientes, lui revenaient. Il se répétait, pour s'encourager, qu'il était temps de tirer le profit attendu de la mort de Camille. Et il étalait devant lui les avantages, les bonheurs de son existence future : il quitterait son bureau, il vivrait dans une paresse délicieuse ; il mangerait, il boirait, il dormirait son soûl ; il aurait sans cesse sous la main une femme ardente qui rétablirait l'équilibre de son sang et de ses nerfs ; bientôt il hériterait des quarante et quelques mille francs de Mme Raquin, car la pauvre vieille se mourait un peu chaque jour ; enfin, il se créerait une vie de brute heureuse, il oublierait tout. À chaque heure, depuis que leur mariage était décidé entre Thérèse et lui, Laurent se disait ces choses ; il cherchait encore d'autres avantages, et il était tout joyeux, lorsqu'il croyait avoir trouvé un nouvel argument, puisé dans son égoïsme, qui l'obligeait à épouser la veuve du noyé. Mais il avait beau se forcer à l'espérance, il avait beau rêver un avenir gras de paresse et de volupté, il sentait toujours de brusques frissons lui glacer la peau, il éprouvait toujours, par moments, une anxiété qui étouffait la joie dans sa gorge.

XIX

Cependant, le travail sourd de Thérèse et de Laurent amenait des résultats. Thérèse avait pris une attitude morne et désespérée, qui, au bout de quelques jours, inquiéta Mme Raquin. La vieille mercière voulut savoir ce qui attristait ainsi sa nièce. Alors, la jeune femme joua son rôle de veuve inconsolée avec une habileté exquise ; elle parla d'ennui, d'affaissement, de douleurs nerveuses, vaguement, sans rien préciser. Lorsque sa

tante la pressait de questions, elle répondait qu'elle se portait
bien, qu'elle ignorait ce qui l'accablait ainsi, qu'elle pleurait
10 sans savoir pourquoi. Et c'étaient des étouffements continus, des
sourires pâles et navrants, des silences écrasants de vide et de
désespérance. Devant cette jeune femme, pliée sur elle-même,
qui semblait mourir lentement d'un mal inconnu, Mme Raquin
finit par s'alarmer sérieusement ; elle n'avait plus au monde que
15 sa nièce, elle priait Dieu chaque soir de lui conserver cette enfant
pour lui fermer les yeux. Un peu d'égoïsme se mêlait à ce dernier amour de sa vieillesse. Elle se sentit frappée dans les faibles
consolations qui l'aidaient encore à vivre, lorsqu'il lui vint à la
pensée qu'elle pouvait perdre Thérèse et mourir seule au fond
20 de la boutique humide du passage. Dès lors, elle ne quitta plus
sa nièce du regard, elle étudia avec épouvante les tristesses de la
jeune femme, elle se demanda ce qu'elle pourrait bien faire pour
la guérir de ses désespoirs muets.

En de si graves circonstances, elle crut devoir prendre l'avis
25 de son vieil ami Michaud. Un jeudi soir, elle le retint dans sa
boutique et lui dit ses craintes.

« Pardieu, lui répondit le vieillard avec la brutalité franche
de ses anciennes fonctions, je m'aperçois depuis longtemps que
Thérèse boude, et je sais bien pourquoi elle a ainsi la figure toute
30 jaune et toute chagrine.

– Vous savez pourquoi ? dit la mercière. Parlez vite. Si nous
pouvions la guérir !

– Oh ! le traitement est facile, reprit Michaud en riant. Votre
nièce s'ennuie, parce qu'elle est seule, le soir, dans sa chambre,
35 depuis bientôt deux ans. Elle a besoin d'un mari ; cela se voit
dans ses yeux. »

La franchise brutale de l'ancien commissaire frappa douloureusement Mme Raquin. Elle pensait que la blessure qui saignait
toujours en elle, depuis l'affreux accident de Saint-Ouen, était
40 tout aussi vive, tout aussi cruelle au fond du cœur de la jeune
veuve. Son fils mort, il lui semblait qu'il ne pouvait plus exister de

mari pour sa nièce. Et voilà que Michaud affirmait, avec un gros rire, que Thérèse était malade par besoin de mari.

«Mariez-la au plus tôt, dit-il en s'en allant, si vous ne voulez
45 pas la voir se dessécher entièrement. Tel est mon avis, chère dame, et il est bon, croyez-moi.»

Mme Raquin ne put s'habituer tout de suite à la pensée que son fils était déjà oublié. Le vieux Michaud n'avait pas même prononcé le nom de Camille, et il s'était mis à plaisanter en par-
50 lant de la prétendue maladie de Thérèse. La pauvre mère comprit qu'elle gardait seule, au fond de son être, le souvenir vivant de son cher enfant. Elle pleura, il lui sembla que Camille venait de mourir une seconde fois. Puis, quand elle eut bien pleuré, qu'elle fut lasse de regrets, elle songea malgré elle aux paroles de
55 Michaud ; elle s'accoutuma à l'idée d'acheter un peu de bonheur au prix d'un mariage qui, dans les délicatesses de sa mémoire, tuait de nouveau son fils. Des lâchetés lui venaient, lorsqu'elle se trouvait seule en face de Thérèse, morne et accablée, au milieu du silence glacial de la boutique. Elle n'était pas un de ces esprits
60 roides et secs qui prennent une joie âpre à vivre d'un désespoir éternel : il y avait en elle des souplesses, des dévouements, des effusions, tout un tempérament de bonne dame, grasse et affable, qui la poussait à vivre dans une tendresse active. Depuis que sa nièce ne parlait plus et restait là, pâle et affaiblie, l'existence deve-
65 nait intolérable pour elle, la boutique lui paraissait un tombeau ; elle aurait voulu une affection chaude autour d'elle, de la vie, des caresses, quelque chose de doux et de gai qui l'aidât à attendre paisiblement la mort. Ces désirs inconscients lui firent accepter le projet de remarier Thérèse ; elle oublia même un peu son fils ;
70 il y eut, dans l'existence morte qu'elle menait, comme un réveil, comme des volontés et des occupations nouvelles d'esprit. Elle cherchait un mari pour sa nièce, et cela emplissait sa tête. Ce choix d'un mari était une grande affaire ; la pauvre vieille songeait encore plus à elle qu'à Thérèse ; elle voulait la marier de façon à
75 être heureuse elle-même, car elle craignait vivement que le nouvel

époux de la jeune femme ne vînt troubler les dernières heures de sa vieillesse. La pensée qu'elle allait introduire un étranger dans son existence de chaque jour l'épouvantait ; cette pensée seule l'arrêtait, l'empêchait de causer mariage avec sa nièce, ouverte-
80 ment.

Pendant que Thérèse jouait, avec cette hypocrisie parfaite que son éducation lui avait donnée, la comédie de l'ennui et de l'accablement, Laurent avait pris le rôle d'homme sensible et serviable. Il était aux petits soins pour les deux femmes, surtout pour
85 Mme Raquin, qu'il comblait d'attentions délicates. Peu à peu, il se rendit indispensable dans la boutique ; lui seul mettait un peu de gaieté au fond de ce trou noir. Quand il n'était pas là, le soir, la vieille mercière cherchait autour d'elle, mal à l'aise, comme s'il lui manquait quelque chose, ayant presque peur de se trouver
90 en tête à tête avec les désespoirs de Thérèse. D'ailleurs, Laurent ne s'absentait une soirée que pour mieux asseoir sa puissance ; il venait tous les jours à la boutique en sortant de son bureau, il y restait jusqu'à la fermeture du passage. Il faisait les commissions, il donnait à Mme Raquin, qui ne marchait qu'avec peine,
95 les menus objets dont elle avait besoin. Puis il s'asseyait, il causait. Il avait trouvé une voix d'acteur, douce et pénétrante, qu'il employait pour flatter les oreilles et le cœur de la bonne vieille. Surtout, il semblait s'inquiéter beaucoup de la santé de Thérèse, en ami, en homme tendre dont l'âme souffre de la souffrance
100 d'autrui. À plusieurs reprises, il prit Mme Raquin à part, il la terrifia en paraissant très effrayé lui-même des changements, des ravages qu'il disait voir sur le visage de la jeune femme.

«Nous la perdrons bientôt, murmurait-il avec des larmes dans la voix. Nous ne pouvons nous dissimuler qu'elle est bien malade.
105 Ah ! notre pauvre bonheur, nos bonnes et tranquilles soirées ! »

Mme Raquin l'écoutait avec angoisse. Laurent poussait même l'audace jusqu'à parler de Camille.

«Voyez-vous, disait-il encore à la mercière, la mort de mon pauvre ami a été trop terrible pour elle. Elle se meurt depuis deux

110 ans, depuis le jour funeste où elle a perdu Camille. Rien ne la
consolera, rien ne la guérira. Il faut nous résigner.»

Ces mensonges impudents faisaient pleurer la vieille dame à
chaudes larmes. Le souvenir de son fils la troublait et l'aveuglait.
Chaque fois qu'on prononçait le nom de Camille, elle éclatait
115 en sanglots, elle s'abandonnait, elle aurait embrassé la personne
qui nommait son pauvre enfant. Laurent avait remarqué l'effet
de trouble et d'attendrissement que ce nom produisait sur elle.
Il pouvait la faire pleurer à volonté, la briser d'une émotion qui
lui ôtait la vue nette des choses, et il abusait de son pouvoir pour
120 la tenir toujours souple et endolorie dans sa main. Chaque soir,
malgré les révoltes sourdes de ses entrailles qui tressaillaient, il
mettait la conversation sur les rares qualités, sur le cœur tendre et l'esprit de Camille ; il vantait sa victime avec une impudence parfaite. Par moments, lorsqu'il rencontrait les regards de
125 Thérèse fixés étrangement sur les siens, il frissonnait, il finissait
par croire lui-même tout le bien qu'il disait du noyé ; alors il se
taisait, pris brusquement d'une atroce jalousie, craignant que la
veuve n'aimât l'homme qu'il avait jeté à l'eau et qu'il vantait
maintenant avec une conviction d'halluciné. Pendant toute la
130 conversation, Mme Raquin était dans les larmes, ne voyant rien
autour d'elle. Tout en pleurant, elle songeait que Laurent était un
cœur aimant et généreux, lui seul se souvenait de son fils, lui seul
en parlait encore d'une voix tremblante et émue. Elle essuyait ses
larmes, elle regardait le jeune homme avec une tendresse infinie,
135 elle l'aimait comme son propre enfant.

Un jeudi soir, Michaud et Grivet se trouvaient déjà dans la
salle à manger, lorsque Laurent entra et s'approcha de Thérèse,
lui demandant avec une inquiétude douce des nouvelles de sa
santé. Il s'assit un instant à côté d'elle, jouant, pour les person-
140 nes qui étaient là, son rôle d'ami affectueux et effrayé. Comme
les jeunes gens étaient près l'un de l'autre, échangeant quelques
mots, Michaud, qui les regardait, se pencha et dit tout bas à la
vieille mercière, en lui montrant Laurent :

«Tenez, voilà le mari qu'il faut à votre nièce. Arrangez vite ce
145　mariage. Nous vous aiderons, s'il est nécessaire.»

Michaud souriait d'un air de gaillardise [1]; dans sa pensée,
Thérèse devait avoir besoin d'un mari vigoureux. Mme Raquin
fut comme frappée d'un trait de lumière; elle vit d'un coup tous
les avantages qu'elle retirerait personnellement du mariage de
150　Thérèse et de Laurent. Ce mariage ne ferait que resserrer les liens
qui les unissaient déjà, elle et sa nièce, à l'ami de son fils, à
l'excellent cœur qui venait les distraire, le soir. De cette façon,
elle n'introduirait pas un étranger chez elle, elle ne courrait pas
le risque d'être malheureuse; au contraire, tout en donnant un
155　soutien à Thérèse, elle mettrait une joie de plus autour de sa
vieillesse, elle trouverait un second fils dans ce garçon qui depuis
trois ans lui témoignait une affection filiale. Puis il lui semblait
que Thérèse serait moins infidèle au souvenir de Camille en épousant Laurent. Les religions du cœur ont des délicatesses étranges.
160　Mme Raquin, qui aurait pleuré en voyant un étranger embrasser
la jeune veuve, ne sentait en elle aucune révolte à la pensée de la
livrer aux embrassements [2] de l'ancien camarade de son fils. Elle
pensait, comme on dit, que cela ne sortait pas de la famille.

Pendant toute la soirée, tandis que ses invités jouaient aux
165　dominos, la vieille mercière regarda le couple avec des attendrissements qui firent deviner au jeune homme et à la jeune femme
que leur comédie avait réussi et que le dénouement était proche.
Michaud, avant de se retirer, eut une courte conversation à voix
basse avec Mme Raquin, puis il prit avec affectation le bras de
170　Laurent et déclara qu'il allait l'accompagner un bout de chemin.
Laurent, en s'éloignant, échangea un rapide regard avec Thérèse,
un regard plein de recommandations pressantes.

Michaud s'était chargé de tâter le terrain. Il trouva le jeune
homme très dévoué pour ces dames, mais très surpris d'un projet

---

1. Gaillardise : bonne humeur, gaieté un peu libre.
2. Embrassements : étreintes amoureuses.

175 de mariage entre Thérèse et lui. Laurent ajouta, d'une voix émue, qu'il aimait comme une sœur la veuve de son pauvre ami, et qu'il croirait commettre un véritable sacrilège en l'épousant. L'ancien commissaire de police insista ; il donna cent bonnes raisons pour obtenir un consentement, il parla même de dévouement, il alla
180 jusqu'à dire au jeune homme que son devoir lui dictait de rendre un fils à Mme Raquin et un époux à Thérèse. Peu à peu, Laurent se laissa vaincre ; il feignit de céder à l'émotion, d'accepter la pensée de mariage, comme une pensée tombée du ciel, dictée par le dévouement et le devoir, ainsi que le disait le vieux Michaud.
185 Quand celui-ci eut obtenu un oui formel, il quitta son compagnon, en se frottant les mains ; il venait, croyait-il, de remporter une grande victoire, il s'applaudissait d'avoir eu le premier l'idée de ce mariage qui rendrait aux soirées du jeudi toute leur ancienne joie.
190 Pendant que Michaud causait ainsi avec Laurent, en suivant lentement les quais, Mme Raquin avait une conversation toute semblable avec Thérèse. Au moment où sa nièce, pâle et chancelante comme toujours, allait se retirer, la vieille mercière la retint un instant. Elle la questionna d'une voix tendre, elle la
195 supplia d'être franche, de lui avouer les causes de cet ennui qui la pliait. Puis, comme elle n'obtenait que des réponses vagues, elle parla des vides du veuvage, elle en vint peu à peu à préciser l'offre d'un nouveau mariage, elle finit par demander nettement à Thérèse si elle n'avait pas le secret désir de se remarier. Thérèse se
200 récria, dit qu'elle ne songeait pas à cela, et qu'elle resterait fidèle à Camille. Mme Raquin se mit à pleurer. Elle plaida contre son cœur, elle fit entendre que le désespoir ne peut être éternel ; enfin, en réponse à un cri de la jeune femme disant que jamais elle ne remplacerait Camille, elle nomma brusquement Laurent. Alors,
205 elle s'étendit avec un flot de paroles sur la convenance [1], sur les avantages d'une pareille union ; elle vida son âme, répéta tout

---

1. **Convenance** : qualité de ce qui est convenable, décence.

haut ce qu'elle avait pensé durant la soirée ; elle peignit, avec un naïf égoïsme, le tableau de ses derniers bonheurs, entre ses deux chers enfants. Thérèse l'écoutait, la tête basse, résignée et docile,
210 prête à contenter ses moindres souhaits.

« J'aime Laurent comme un frère, dit-elle douloureusement, lorsque sa tante se tut. Puisque vous le désirez, je tâcherai de l'aimer comme un époux. Je veux vous rendre heureuse… J'espérais que vous me laisseriez pleurer en paix, mais j'essuierai
215 mes larmes, puisqu'il s'agit de votre bonheur. »

Elle embrassa la vieille dame, qui demeura surprise et effrayée d'avoir été la première à oublier son fils. En se mettant au lit, Mme Raquin sanglota amèrement en s'accusant d'être moins forte que Thérèse, de vouloir par égoïsme un mariage que la jeune
220 veuve acceptait par simple abnégation.

Le lendemain matin, Michaud et sa vieille amie eurent une courte conversation dans le passage, devant la porte de la boutique. Ils se communiquèrent le résultat de leurs démarches, et convinrent de mener les choses rondement, en forçant les jeunes
225 gens à se fiancer, le soir même.

Le soir, à cinq heures, Michaud était déjà dans le magasin, lorsque Laurent entra. Dès que le jeune homme fut assis, l'ancien commissaire de police lui dit à l'oreille :

« Elle accepte. »

230 Ce mot brutal fut entendu de Thérèse, qui resta pâle, les yeux impudemment fixés sur Laurent. Les deux amants se regardèrent pendant quelques secondes, comme pour se consulter. Ils comprirent tous deux qu'il fallait accepter la position sans hésiter et en finir d'un coup. Laurent, se levant, alla prendre la
235 main de Mme Raquin, qui faisait tous ses efforts pour retenir ses larmes.

« Chère mère, lui dit-il en souriant, j'ai causé de votre bonheur avec M. Michaud, hier soir. Vos enfants veulent vous rendre heureuse. »

240 La pauvre vieille, en s'entendant appeler «chère mère», laissa couler ses larmes. Elle saisit vivement la main de Thérèse et la mit dans celle de Laurent, sans pouvoir parler.

Les deux amants eurent un frisson en sentant leur peau se toucher. Ils restèrent les doigts serrés et brûlants, dans une étreinte 245 nerveuse. Le jeune homme reprit d'une voix hésitante :

«Thérèse, voulez-vous que nous fassions à votre tante une existence gaie et paisible ?

– Oui, répondit la jeune femme faiblement, nous avons une tâche à remplir.»

250 Alors Laurent se tourna vers Mme Raquin et ajouta, très pâle :

«Lorsque Camille est tombé à l'eau, il m'a crié : "Sauve ma femme, je te la confie." Je crois accomplir ses derniers vœux en épousant Thérèse.»

Thérèse lâcha la main de Laurent, en entendant ces mots. Elle 255 avait reçu comme un coup dans la poitrine. L'impudence de son amant l'écrasa. Elle le regarda avec des yeux hébétés, tandis que Mme Raquin, que les sanglots étouffaient, balbutiait :

«Oui, oui, mon ami, épousez-la, rendez-la heureuse, mon fils vous remerciera du fond de sa tombe.»

260 Laurent sentit qu'il fléchissait, il s'appuya sur le dossier d'une chaise. Michaud, qui, lui aussi, était ému aux larmes, le poussa vers Thérèse, en disant :

«Embrassez-vous, ce seront vos fiançailles.»

Le jeune homme fut pris d'un étrange malaise en posant ses 265 lèvres sur les joues de la veuve, et celle-ci se recula brusquement, comme brûlée par les deux baisers de son amant. C'étaient les premières caresses que cet homme lui faisait devant témoins ; tout son sang lui monta à la face, elle se sentit rouge et ardente, elle qui ignorait la pudeur et qui n'avait jamais rougi dans les 270 hontes de ses amours.

Après cette crise, les deux meurtriers respirèrent. Leur mariage était décidé, ils touchaient enfin au but qu'ils poursuivaient depuis si longtemps. Tout fut réglé le soir même. Le jeudi

suivant, le mariage fut annoncé à Grivet, à Olivier et à sa femme.
275 Michaud, en donnant cette nouvelle, était ravi ; il se frottait les
mains et répétait :

«C'est moi qui ai pensé à cela, c'est moi qui les ai mariés…
Vous verrez le joli couple ! »

Suzanne vint embrasser silencieusement Thérèse. Cette pau-
280 vre créature, toute morte et toute blanche, s'était prise d'amitié
pour la jeune veuve, sombre et roide. Elle l'aimait en enfant, avec
une sorte de terreur respectueuse. Olivier complimenta la tante
et la nièce, Grivet hasarda quelques plaisanteries épicées [1] qui
eurent un succès médiocre. En somme, la compagnie se montra
285 enchantée, ravie, et déclara que tout était pour le mieux ; à vrai
dire, la compagnie se voyait déjà à la noce.

L'attitude de Thérèse et de Laurent resta digne et savante. Ils
se témoignaient une amitié tendre et prévenante, simplement. Ils
avaient l'air d'accomplir un acte de dévouement suprême. Rien
290 dans leur physionomie ne pouvait faire soupçonner les terreurs,
les désirs qui les secouaient. Mme Raquin les regardait avec de
pâles sourires, avec des bienveillances molles et reconnaissantes.

Il y avait quelques formalités à remplir. Laurent dut écrire à
son père pour lui demander son consentement. Le vieux paysan
295 de Jeufosse, qui avait presque oublié qu'il eût un fils à Paris,
lui répondit, en quatre lignes, qu'il pouvait se marier et se faire
pendre, s'il voulait ; il lui fit comprendre que, résolu à ne jamais
lui donner un sou, il le laissait maître de son corps et l'autorisait
à commettre toutes les folies du monde. Une autorisation ainsi
300 accordée inquiéta singulièrement Laurent.

Mme Raquin, après avoir lu la lettre de ce père dénaturé [2], eut
un élan de bonté qui la poussa à faire une sottise. Elle mit sur
la tête de sa nièce les quarante et quelques mille francs qu'elle
possédait, elle se dépouilla entièrement pour les nouveaux époux,

---

1. *Épicées* : lestes, graveleuses.
2. *Dénaturé* : qui n'est plus soumis aux sentiments (ici paternels) qu'inspire
la nature.

305 se confiant à leur bon cœur, voulant tenir d'eux toute sa félicité.
Laurent n'apportait rien à la communauté ; il fit même entendre
qu'il ne garderait pas toujours son emploi et qu'il se remettrait
peut-être à la peinture. D'ailleurs, l'avenir de la petite famille était
assuré ; les rentes des quarante et quelques mille francs, jointes
310 aux bénéfices du commerce de mercerie, devaient faire vivre aisément trois personnes. Ils auraient tout juste assez pour être heureux.

Les préparatifs de mariage furent pressés. On abrégea les formalités autant qu'il fut possible. On eût dit que chacun avait hâte
315 de pousser Laurent dans la chambre de Thérèse. Le jour désiré
vint enfin.

XX

Le matin, Laurent et Thérèse, chacun dans sa chambre,
s'éveillèrent avec la même pensée de joie profonde : tous deux
se dirent que leur dernière nuit de terreur était finie. Ils ne coucheraient plus seuls, ils se défendraient mutuellement contre le
5 noyé.

Thérèse regarda autour d'elle et eut un étrange sourire en
mesurant des yeux son grand lit. Elle se leva, puis s'habilla lentement, en attendant Suzanne qui devait venir l'aider à faire sa
toilette de mariée.

10 Laurent se mit sur son séant. Il resta ainsi quelques minutes,
faisant ses adieux à son grenier qu'il trouvait ignoble. Enfin, il
allait quitter ce chenil [1] et avoir une femme à lui. On était en
décembre. Il frissonnait. Il sauta sur le carreau, en se disant qu'il
aurait chaud le soir.

---

1. *Chenil* : logement sale et mal tenu (terme péjoratif).

15 Mme Raquin, sachant combien il était gêné, lui avait glissé
dans la main, huit jours auparavant, une bourse contenant cinq
cents francs, toutes ses économies. Le jeune homme avait accepté
carrément et s'était fait habiller de neuf. L'argent de la vieille mercière lui avait en outre permis de donner à Thérèse les cadeaux
20 d'usage.

Le pantalon noir, l'habit, ainsi que le gilet blanc, la chemise
et la cravate de fine toile, étaient étalés sur deux chaises. Laurent
se savonna, se parfuma le corps avec un flacon d'eau de Cologne,
puis il procéda minutieusement à sa toilette. Il voulait être beau.
25 Comme il attachait son faux col [1], un faux col haut et roide,
il éprouva une souffrance vive au cou ; le bouton du faux col
lui échappait des doigts, il s'impatientait, et il lui semblait que
l'étoffe amidonnée lui coupait la chair. Il voulut voir, il leva le
menton : alors, il aperçut la morsure de Camille toute rouge ;
30 le faux col avait légèrement écorché la cicatrice. Laurent serra
les lèvres et devint pâle ; la vue de cette tache, qui lui marbrait
le cou, l'effraya et l'irrita, à cette heure. Il froissa le faux col, en
choisit un autre qu'il mit avec mille précautions. Puis il acheva
de s'habiller. Quand il descendit, ses vêtements neufs le tenaient
35 tout roide ; il n'osait tourner la tête, le cou emprisonné dans des
toiles gommées [2]. À chaque mouvement qu'il faisait, un pli de ces
toiles pinçait la plaie que les dents du noyé avaient creusée dans
sa chair. Ce fut en souffrant de ces sortes de piqûres aiguës qu'il
monta en voiture et alla chercher Thérèse pour la conduire à la
40 mairie et à l'église.

Il prit en passant un employé du chemin de fer d'Orléans et
le vieux Michaud, qui devaient lui servir de témoins. Lorsqu'ils
arrivèrent à la boutique, tout le monde était prêt : il y avait là
Grivet et Olivier, témoins de Thérèse, et Suzanne, qui regardait

---

1. *Faux col* : col de chemise amovible.
2. *Gommées* : imprégnées de gomme pour donner une certaine raideur,
empesées.

45 la mariée comme les petites filles regardent les poupées qu'elles viennent d'habiller. Mme Raquin, bien que ne pouvant plus marcher, voulut accompagner partout ses enfants. On la hissa dans une voiture, et l'on partit.

Tout se passa convenablement à la mairie et à l'église.
50 L'attitude calme et modeste des époux fut remarquée et approuvée. Ils prononcèrent le oui sacramentel [1] avec une émotion qui attendrit Grivet lui-même.

Ils étaient comme dans un rêve. Tandis qu'ils restaient assis ou agenouillés côte à côte, tranquillement, des pensées furieuses
55 les traversaient malgré eux et les déchiraient. Ils évitèrent de se regarder en face. Quand ils remontèrent en voiture, il leur sembla qu'ils étaient plus étrangers l'un à l'autre qu'auparavant.

Il avait été décidé que le repas se ferait en famille, dans un petit restaurant, sur les hauteurs de Belleville [2]. Les Michaud et
60 Grivet étaient seuls invités. En attendant six heures, la noce se promena en voiture tout le long des boulevards ; puis elle se rendit à la gargote où une table de sept couverts était dressée dans un cabinet peint en jaune, qui puait la poussière et le vin.

Le repas fut d'une gaieté médiocre. Les époux étaient graves,
65 pensifs. Ils éprouvaient depuis le matin des sensations étranges, dont ils ne cherchaient pas eux-mêmes à se rendre compte. Ils s'étaient trouvés étourdis, dès les premières heures, par la rapidité des formalités et de la cérémonie qui venaient de les lier à jamais. Puis, la longue promenade sur les boulevards les avait
70 comme bercés et endormis ; il leur semblait que cette promenade avait duré des mois entiers ; d'ailleurs, ils s'étaient laissé aller sans impatience dans la monotonie des rues, regardant les boutiques et les passants avec des yeux morts, pris d'un engourdissement qui les hébétait et qu'ils tâchaient de secouer en essayant des
75 éclats de rire. Quand ils étaient entrés dans le restaurant, une

---

1. *Sacramentel* : qui accompagne ou confère un sacrement.
2. *Belleville* : quartier populaire du nord-est de Paris.

fatigue accablante pesait à leurs épaules, une stupeur croissante les envahissait.

Placés à table en face l'un de l'autre, ils souriaient d'un air contraint et retombaient toujours dans une rêverie lourde ; ils
80 mangeaient, ils répondaient, ils remuaient les membres comme des machines. Au milieu de la lassitude paresseuse de leur esprit, une même série de pensées fuyantes revenaient sans cesse. Ils étaient mariés et ils n'avaient pas conscience d'un nouvel état ; cela les étonnait profondément. Ils s'imaginaient qu'un abîme les
85 séparait encore ; par moments, ils se demandaient comment ils pourraient franchir cet abîme. Ils croyaient être avant le meurtre, lorsqu'un obstacle matériel se dressait devant eux. Puis, brusquement, ils se rappelaient qu'ils coucheraient ensemble, le soir, dans quelques heures ; alors ils se regardaient, étonnés, ne comprenant
90 plus pourquoi cela leur serait permis. Ils ne sentaient pas leur union, ils rêvaient au contraire qu'on venait de les écarter violemment et de les jeter loin de l'autre.

Les invités, qui ricanaient bêtement autour d'eux, ayant voulu les entendre se tutoyer, pour dissiper toute gêne, ils balbutiè-
95 rent, ils rougirent, ils ne purent jamais se résoudre à se traiter en amants, devant le monde.

Dans l'attente leurs désirs s'étaient usés, tout le passé avait disparu. Ils perdaient leurs violents appétits de volupté, ils oubliaient même leur joie du matin, cette joie profonde qui les avait pris à la
100 pensée qu'ils n'auraient plus peur désormais. Ils étaient simplement las et ahuris de tout ce qui se passait ; les faits de la journée tournaient dans leur tête, incompréhensibles et monstrueux. Ils restaient là, muets, souriants, n'attendant rien, n'espérant rien. Au fond de leur accablement, s'agitait une anxiété vaguement
105 douloureuse.

Et Laurent, à chaque mouvement de son cou, éprouvait une cuisson ardente qui lui mordait la chair ; son faux col coupait et pinçait la morsure de Camille. Pendant que le maire lui lisait

le code [1], pendant que le prêtre lui parlait de Dieu, à toutes les
110 minutes de cette longue journée, il avait senti les dents du noyé
qui lui entraient dans la peau. Il s'imaginait par moments qu'un
filet de sang lui coulait sur la poitrine et allait tacher de rouge la
blancheur de son gilet.

Mme Raquin fut intérieurement reconnaissante aux époux
115 de leur gravité; une joie bruyante aurait blessé la pauvre mère;
pour elle, son fils était là, invisible, remettant Thérèse entre les
mains de Laurent. Grivet n'avait pas les mêmes idées; il trouvait
la noce triste, il cherchait vainement à l'égayer, malgré les regards
de Michaud et d'Olivier qui le clouaient sur sa chaise toutes les
120 fois qu'il voulait se dresser pour dire quelque sottise. Il réussit
cependant à se lever une fois. Il porta un toast.

«Je bois aux enfants de monsieur et de madame», dit-il d'un
ton égrillard.

Il fallut trinquer. Thérèse et Laurent étaient devenus extrême-
125 ment pâles, en entendant la phrase de Grivet. Ils n'avaient jamais
songé qu'ils auraient peut-être des enfants. Cette pensée les traversa comme un frisson glacial. Ils choquèrent leur verre d'un
mouvement nerveux, ils s'examinèrent, surpris, effrayés d'être là,
face à face.

130 On se leva de table de bonne heure. Les invités voulurent
accompagner les époux jusqu'à la chambre nuptiale. Il n'était
guère plus de neuf heures et demie lorsque la noce rentra dans
la boutique du passage. La marchande de bijoux faux se trouvait
encore au fond de son armoire, devant la boîte garnie de velours
135 bleu. Elle leva curieusement la tête, regardant les nouveaux époux
avec un sourire. Ceux-ci surprirent son regard, et en furent terrifiés. Peut-être cette vieille femme avait-elle eu connaissance de
leurs rendez-vous, autrefois, en voyant Laurent se glisser dans la
petite allée.

---

1. *Le code* : le code civil qui régit, entre autres, les lois relatives au mariage.
Traditionnellement, le maire en lit quelques passages aux futurs époux.

140   Thérèse se retira presque sur-le-champ, avec Mme Raquin et
Suzanne. Les hommes restèrent dans la salle à manger, tandis
que la mariée faisait sa toilette de nuit. Laurent, mou et affaissé,
n'éprouvait pas la moindre impatience ; il écoutait complaisam-
ment les grosses plaisanteries du vieux Michaud et de Grivet, qui
145   s'en donnaient à cœur joie, maintenant que les dames n'étaient
plus là. Lorsque Suzanne et Mme Raquin sortirent de la chambre nuptiale et que la vieille mercière dit d'une voix émue au
jeune homme que sa femme l'attendait, il tressaillit, il resta un
instant effaré ; puis il serra fiévreusement les mains qu'on lui ten-
150   dait, et il entra chez Thérèse en se tenant à la porte, comme un
homme ivre.

XXI

Laurent ferma soigneusement la porte derrière lui et demeura
un instant appuyé contre cette porte, regardant dans la chambre
d'un air inquiet et embarrassé.

Un feu clair flambait dans la cheminée, jetant de larges clartés
5   jaunes qui dansaient au plafond et sur les murs. La pièce était
ainsi éclairée d'une lueur vive et vacillante ; la lampe, posée sur
une table, pâlissait au milieu de cette lueur. Mme Raquin avait
voulu arranger coquettement la chambre qui se trouvait toute
blanche et toute parfumée, comme pour servir de nid à de jeunes
10   et fraîches amours ; elle s'était plu à ajouter au lit quelques bouts
de dentelle et à garnir de gros bouquets de roses les vases de
la cheminée. Une chaleur douce, des senteurs tièdes traînaient.
L'air était recueilli et apaisé, pris d'une sorte d'engourdissement
voluptueux. Au milieu du silence frissonnant, les pétillements du
15   foyer jetaient de petits bruits secs. On eût dit un désert heureux,
un coin ignoré, chaud et sentant bon, fermé à tous les cris du

dehors, un de ces coins faits et apprêtés pour les sensualités et les besoins de mystère de la passion.

Thérèse était assise sur une chaise basse, à droite de la cheminée. Le menton dans la main, elle regardait les flammes vives, fixement. Elle ne tourna pas la tête quand Laurent entra. Vêtue d'un jupon et d'une camisole brodée de dentelle, elle était d'une blancheur crue sous l'ardente clarté du foyer. Sa camisole glissait, et un bout d'épaule passait, rose, à demi caché par une mèche noire de cheveux.

Laurent fit quelques pas sans parler. Il ôta son habit et son gilet. Quand il fut en manches de chemise [1], il regarda de nouveau Thérèse qui n'avait pas bougé. Il semblait hésiter. Puis il aperçut le bout d'épaule, et il se baissa en frémissant pour coller ses lèvres à ce morceau de peau nue. La jeune femme retira son épaule en se retournant brusquement. Elle fixa sur Laurent un regard si étrange de répugnance et d'effroi, qu'il recula, mal à l'aise, comme pris lui-même de terreur et de dégoût.

Laurent s'assit en face de Thérèse, de l'autre côté de la cheminée. Ils restèrent ainsi, muets, immobiles, pendant cinq grandes minutes. Par instants, des jets de flammes rougeâtres s'échappaient du bois, et alors des reflets sanglants couraient sur le visage des meurtriers.

Il y avait près de deux ans que les amants ne s'étaient trouvés enfermés dans la même chambre, sans témoins, pouvant se livrer l'un à l'autre. Ils n'avaient plus eu de rendez-vous d'amour depuis le jour où Thérèse était venue rue Saint-Victor, apportant à Laurent l'idée du meurtre avec elle. Une pensée de prudence avait sevré leur chair. À peine s'étaient-ils permis de loin en loin un serrement de main, un baiser furtif. Après le meurtre de Camille, lorsque de nouveaux désirs les avaient brûlés, ils s'étaient contenus, attendant le soir des noces, se promettant des voluptés folles, lorsque l'impunité leur serait assurée. Et le soir des noces

---

1. *Quand il fut en manches de chemise* : quand il fut en chemise.

venait enfin d'arriver, et ils restaient face à face, anxieux, pris
50 d'un malaise subit. Ils n'avaient qu'à allonger les bras pour se
presser dans une étreinte passionnée, et leurs bras semblaient
mous, comme déjà las et rassasiés d'amour. L'accablement de la
journée les écrasait de plus en plus. Ils se regardaient sans désir,
avec un embarras peureux, souffrant de rester ainsi silencieux et
55 froids. Leurs rêves brûlants aboutissaient à une étrange réalité ; il
suffisait qu'ils eussent réussi à tuer Camille et à se marier ensemble, il suffisait que la bouche de Laurent eût effleuré l'épaule de
Thérèse, pour que leur luxure [1] fût contentée jusqu'à l'écœurement et à l'épouvante.

60   Ils se mirent à chercher désespérément en eux un peu de cette
passion qui les brûlait jadis. Il leur semblait que leur peau était
vide de muscles, vide de nerfs. Leur embarras, leur inquiétude
croissaient ; ils avaient une mauvaise honte de rester ainsi muets
et mornes en face l'un de l'autre. Ils auraient voulu avoir la force
65 de s'étreindre et de se briser, afin de ne point passer à leurs propres yeux pour des imbéciles. Hé quoi ! ils s'appartenaient, ils
avaient tué un homme et joué une atroce comédie pour pouvoir
se vautrer avec impudence dans un assouvissement de toutes les
heures, et ils se tenaient là, aux deux coins d'une cheminée, roi-
70 des, épuisés, l'esprit troublé, la chair morte. Un tel dénouement
finit par leur paraître d'un ridicule horrible et cruel. Alors Laurent
essaya de parler d'amour, d'évoquer les souvenirs d'autrefois, faisant appel à son imagination pour ressusciter ses tendresses.

    «Thérèse, dit-il en se penchant vers la jeune femme, te sou-
75 viens-tu de nos après-midi dans cette chambre ?… Je venais par
cette porte… Aujourd'hui, je suis entré par celle-ci… Nous sommes libres, nous allons pouvoir nous aimer en paix.»

    Il parlait d'une voix hésitante, mollement. La jeune femme,
accroupie sur la chaise basse, regardait toujours la flamme, son-
80 geuse, n'écoutant pas. Laurent continua :

---

1. *Luxure* : recherche de plaisirs charnels.

«Te rappelles-tu ? J'avais fait un rêve, je voulais passer une nuit entière avec toi, m'endormir dans tes bras et me réveiller le lendemain sous tes baisers. Je vais contenter ce rêve.»

Thérèse fit un mouvement, comme surprise d'entendre une voix qui balbutiait à ses oreilles ; elle se tourna vers Laurent sur le visage duquel le foyer envoyait en ce moment un large reflet rougeâtre, elle regarda ce visage sanglant, et frissonna.

Le jeune homme reprit, plus troublé, plus inquiet :

«Nous avons réussi, Thérèse, nous avons brisé tous les obstacles, et nous nous appartenons... L'avenir est à nous, n'est-ce pas ? un avenir de bonheur tranquille, d'amour satisfait... Camille n'est plus là... »

Laurent s'arrêta, la gorge sèche, étranglant [1], ne pouvant continuer. Au nom de Camille, Thérèse avait reçu un choc aux entrailles. Les deux meurtriers se contemplèrent, hébétés, pâles et tremblants. Les clartés jaunes du foyer dansaient toujours au plafond et sur les murs, l'odeur tiède des roses traînait, les pétillements du bois jetaient de petits bruits secs dans le silence.

Les souvenirs étaient lâchés. Le spectre de Camille évoqué venait de s'asseoir entre les nouveaux époux, en face du feu qui flambait. Thérèse et Laurent retrouvaient la senteur froide et humide du noyé dans l'air chaud qu'ils respiraient ; ils se disaient qu'un cadavre était là, près d'eux, et ils s'examinaient l'un l'autre, sans oser bouger. Alors toute la terrible histoire de leur crime se déroula au fond de leur mémoire. Le nom de leur victime suffit pour les emplir du passé, pour les obliger à vivre de nouveau les angoisses de l'assassinat. Ils n'ouvrirent pas les lèvres, ils se regardèrent, et tous deux eurent à la fois le même cauchemar, tous deux entamèrent mutuellement des yeux la même histoire cruelle. Cet échange de regards terrifiés, ce récit muet qu'ils allaient se faire du meurtre, leur causa une appréhension aiguë, intolérable. Leurs nerfs qui se tendaient les menaçaient d'une

---

1. *Étranglant* : perdant momentanément la faculté de respirer.

crise ; ils pouvaient crier, se battre peut-être. Laurent, pour chasser les souvenirs, s'arracha violemment à l'extase épouvantée qui
115 le tenait sous le regard de Thérèse ; il fit quelques pas dans la
chambre ; il retira ses bottes et mit des pantoufles, puis il revint
s'asseoir au coin de la cheminée, il essaya de parler de choses
indifférentes.

Thérèse comprit son désir. Elle s'efforça de répondre à ses
120 questions. Ils causèrent de la pluie et du beau temps. Ils voulurent
se forcer à une causerie banale. Laurent déclara qu'il faisait chaud
dans la chambre, Thérèse dit que cependant des courants d'air
passaient sous la petite porte de l'escalier. Et ils se retournèrent
vers la petite porte avec un frémissement subit. Le jeune homme
125 se hâta de parler des roses, du feu, de tout ce qu'il voyait ; la jeune
femme faisait effort, trouvait des monosyllabes, pour ne pas laisser tomber la conversation. Ils s'étaient reculés l'un de l'autre ; ils
prenaient des airs dégagés ; ils tâchaient d'oublier qui ils étaient
et de se traiter comme des étrangers qu'un hasard quelconque
130 aurait mis face à face.

Et malgré eux, par un étrange phénomène, tandis qu'ils prononçaient des mots vides, ils devinaient mutuellement les pensées
qu'ils cachaient sous la banalité de leurs paroles. Ils songeaient
invinciblement à Camille. Leurs yeux se continuaient le récit du
135 passé ; ils tenaient toujours du regard une conversation suivie
et muette, sous leur conversation à haute voix qui se traînait au
hasard. Les mots qu'ils jetaient çà et là ne signifiaient rien, ne se
liaient pas entre eux, se démentaient ; tout leur être s'employait
à l'échange silencieux de leurs souvenirs épouvantés. Lorsque
140 Laurent parlait des roses ou du feu, d'une chose ou d'une autre,
Thérèse entendait parfaitement qu'il lui rappelait la lutte dans la
barque, la chute sourde de Camille ; et, lorsque Thérèse répondait
un oui ou un non à une question insignifiante, Laurent comprenait qu'elle disait se souvenir ou ne pas se souvenir d'un détail
145 du crime. Ils causaient ainsi, à cœur ouvert, sans avoir besoin de
mots, parlant d'autre chose. N'ayant d'ailleurs pas conscience des

paroles qu'ils prononçaient, ils suivaient leurs pensées secrètes, phrase à phrase ; ils auraient pu brusquement continuer leurs confidences à voix haute, sans cesser de se comprendre. Cette sorte de divination [1], cet entêtement de leur mémoire à leur présenter sans cesse l'image de Camille les affolaient peu à peu ; ils voyaient bien qu'ils se devinaient, et que, s'ils ne se taisaient pas, les mots allaient monter d'eux-mêmes à leur bouche, nommer le noyé, décrire l'assassinat. Alors ils serrèrent fortement les lèvres, ils cessèrent leur causerie.

Et dans le silence accablant qui se fit, les deux meurtriers s'entretinrent encore de leur victime. Il leur sembla que leurs regards pénétraient mutuellement leur chair et enfonçaient en eux des phrases nettes et aiguës. Par moments, ils croyaient s'entendre parler à voix haute ; leurs sens se faussaient, la vue devenait une sorte d'ouïe, étrange et délicate ; ils lisaient si nettement leurs pensées sur leurs visages, que ces pensées prenaient un son étrange, éclatant, qui secouait tout leur organisme. Ils ne se seraient pas mieux entendus s'ils s'étaient crié d'une voix déchirante : «Nous avons tué Camille, et son cadavre est là, étendu entre nous, glaçant nos membres.» Et les terribles confidences allaient toujours, plus visibles, plus retentissantes, dans l'air calme et moite de la chambre.

Laurent et Thérèse avaient commencé le récit muet au jour de leur première entrevue dans la boutique. Puis les souvenirs étaient venus un à un, en ordre ; ils s'étaient conté les heures de volupté, les moments d'hésitation et de colère, le terrible instant du meurtre. C'est alors qu'ils avaient serré les lèvres, cessant de causer de ceci, de cela, par crainte de nommer tout à coup Camille sans le vouloir. Et leurs pensées, ne s'arrêtant pas, les avaient promenés ensuite dans les angoisses, dans l'attente peureuse qui avait suivi l'assassinat. Ils arrivèrent ainsi à songer au cadavre du noyé étalé sur une dalle de la Morgue. Laurent, dans un regard, dit toute

---

1. *Divination* : faculté de deviner.

son épouvante à Thérèse, et Thérèse poussée à bout, obligée par
une main de fer de desserrer les lèvres, continua brusquement la
conversation à voix haute :

«Tu l'as vu à la Morgue? » demanda-t-elle à Laurent, sans
nommer Camille.

Laurent paraissait s'attendre à cette question. Il la lisait depuis
un moment sur le visage blanc de la jeune femme.

«Oui», répondit-il d'une voix étranglée.

Les meurtriers eurent un frisson. Ils se rapprochèrent du feu ;
ils étendirent leurs mains devant la flamme, comme si un souffle
glacé eût subitement passé dans la chambre chaude. Ils gardèrent
un instant le silence, pelotonnés, accroupis. Puis Thérèse reprit
sourdement :

«Paraissait-il avoir beaucoup souffert? »

Laurent ne put répondre. Il fit un geste d'effroi, comme pour
écarter une vision ignoble. Il se leva, alla vers le lit, et revint avec
violence, les bras ouverts, s'avançant vers Thérèse.

«Embrasse-moi», lui dit-il en tendant le cou.

Thérèse s'était levée, toute pâle dans sa toilette de nuit ; elle
se renversait à demi, le coude posé sur le marbre de la cheminée.
Elle regarda le cou de Laurent. Sur la blancheur de la peau, elle
venait d'apercevoir une tache rose. Le flot de sang qui montait
agrandit cette tache, qui devint d'un rouge ardent.

«Embrasse-moi, embrasse-moi», répétait Laurent, le visage et
le cou en feu.

La jeune femme renversa la tête davantage pour éviter un baiser, et, appuyant le bout de son doigt sur la morsure de Camille,
elle demanda à son mari :

«Qu'as-tu là? je ne te connaissais pas cette blessure.»

Il sembla à Laurent que le doigt de Thérèse lui trouait la gorge.
Au contact de ce doigt, il eut un brusque mouvement de recul, en
poussant un léger cri de douleur.

«Ça, dit-il en balbutiant, ça…»

Il hésita, mais il ne put mentir, il dit la vérité malgré lui.

«C'est Camille qui m'a mordu, tu sais, dans la barque. Ce n'est rien, c'est guéri… Embrasse-moi, embrasse-moi.»

Et le misérable tendait son cou qui le brûlait, il désirait que Thérèse le baisât sur la cicatrice, il comptait que le baiser de cette femme apaiserait les mille piqûres qui lui déchiraient la chair. Le menton levé, le cou en avant, il s'offrait. Thérèse, presque couchée sur le marbre de la cheminée, fit un geste de suprême dégoût et s'écria d'une voix suppliante :

«Oh! non, pas là… Il y a du sang.»

Elle retomba sur la chaise basse, frémissante, le front entre les mains. Laurent resta stupide. Il abaissa le menton, il regarda vaguement Thérèse. Puis, tout d'un coup, avec une étreinte de bête fauve, il lui prit la tête dans ses larges mains, et, de force, lui appliqua les lèvres sur son cou, sur la morsure de Camille. Il garda, il écrasa un instant cette tête de femme contre sa peau. Thérèse s'était abandonnée, elle poussait des plaintes sourdes, elle étouffait sur le cou de Laurent. Quand elle se fut dégagée de ses doigts, elle s'essuya violemment la bouche, elle cracha dans le foyer. Elle n'avait pas prononcé une parole.

Laurent, honteux de sa brutalité, se mit à marcher lentement, allant du lit à la fenêtre. La souffrance seule, l'horrible cuisson lui avait fait exiger un baiser de Thérèse, et, quand les lèvres de Thérèse s'étaient trouvées froides sur la cicatrice brûlante, il avait souffert davantage. Ce baiser obtenu par la violence venait de le briser. Pour rien au monde, il n'aurait voulu en recevoir un second, tant le choc avait été douloureux. Et il regardait la femme avec laquelle il devait vivre et qui frissonnait, pliée devant le feu, lui tournant le dos; il se répétait qu'il n'aimait plus cette femme et que cette femme ne l'aimait plus. Pendant près d'une heure, Thérèse resta affaissée, Laurent se promena de long en large, silencieusement. Tous deux s'avouaient avec terreur que leur passion était morte, qu'ils avaient tué leurs désirs en tuant Camille. Le feu se mourait doucement; un grand brasier rose luisait sur les cendres. Peu à peu, la chaleur était devenue étouffante dans la chambre, les fleurs se fanaient, alanguissant [1] l'air épais de leurs senteurs lourdes.

Tout à coup Laurent crut avoir une hallucination. Comme il se tournait, revenant de la fenêtre au lit, il vit Camille dans un coin plein d'ombre, entre la cheminée et l'armoire à glace. La face de sa victime était verdâtre et convulsionnée, telle qu'il l'avait aperçue sur une dalle de la Morgue. Il demeura cloué sur le tapis, défaillant, s'appuyant contre un meuble. Au râle [2] sourd qu'il poussa, Thérèse leva la tête.

« Là, là », disait Laurent d'une voix terrifiée.

Le bras tendu, il montrait le coin d'ombre dans lequel il apercevait le visage sinistre de Camille. Thérèse, gagnée par l'épouvante, vint se serrer contre lui.

« C'est son portrait, murmura-t-elle à voix basse, comme si la figure peinte de son ancien mari eût pu l'entendre.

– Son portrait ? répéta Laurent dont les cheveux se dressaient.

– Oui, tu sais, la peinture que tu as faite. Ma tante devait le prendre chez elle à partir d'aujourd'hui. Elle aura oublié de le décrocher.

– Bien sûr, c'est son portrait… »

Le meurtrier hésitait à reconnaître la toile. Dans son trouble, il oubliait qu'il avait lui-même dessiné ces traits heurtés, étalé ces teintes sales qui l'épouvantaient. L'effroi lui faisait voir le tableau tel qu'il était, ignoble, mal bâti, boueux, montrant sur un fond noir une face grimaçante de cadavre. Son œuvre l'étonnait et l'écrasait par sa laideur atroce ; il y avait surtout les deux yeux blancs flottant dans les orbites molles et jaunâtres, qui lui rappelaient exactement les yeux pourris du noyé de la Morgue. Il resta un moment haletant, croyant que Thérèse mentait pour le rassurer. Puis il distingua le cadre, il se calma peu à peu.

---

1. *Alanguissant* : répandant une certaine langueur dans l'air.
2. *Râle* : son rauque.

«Va le décrocher, dit-il tout bas à la jeune femme.

– Oh! non, j'ai peur», répondit celle-ci avec un frisson.

Laurent se remit à trembler. Par instants, le cadre disparaissait, il ne voyait plus que les deux yeux blancs qui se fixaient sur lui, longuement.

«Je t'en prie, reprit-il en suppliant sa compagne, va le décrocher.

– Non, non.

– Nous le tournerons contre le mur, nous n'aurons plus peur.

– Non, je ne puis pas.»

Le meurtrier, lâche et humble, poussait la jeune femme vers la toile, se cachant derrière elle, pour se dérober aux regards du noyé. Elle s'échappa, et il voulut se payer d'audace; il s'approcha du tableau, levant la main, cherchant le clou. Mais le portrait eut un regard si écrasant, si ignoble, si long, que Laurent, après avoir voulu lutter de fixité avec lui, fut vaincu et recula, accablé, en murmurant :

«Non, tu as raison, Thérèse, nous ne pouvons pas… Ta tante le décrochera demain.»

Il reprit sa marche de long en large, baissant la tête, sentant que le portrait le regardait, le suivait des yeux. Il ne pouvait s'empêcher, par instants, de jeter un coup d'œil du côté de la toile; alors, au fond de l'ombre, il apercevait toujours les regards ternes et morts du noyé. La pensée que Camille était là, dans un coin, le guettant, assistant à sa nuit de noces, les examinant, Thérèse et lui, acheva de rendre Laurent fou de terreur et de désespoir.

Un fait, dont tout autre aurait souri, lui fit perdre entièrement la tête. Comme il se trouvait devant la cheminée, il entendit une sorte de grattement. Il pâlit, il s'imagina que ce grattement venait du portrait, que le bruit avait lieu à la petite porte donnant sur l'escalier. Il regarda Thérèse que la peur reprenait.

«Il y a quelqu'un dans l'escalier, murmura-t-il. Qui peut venir par là ? »

La jeune femme ne répondit pas. Tous deux songeaient au noyé, une sueur glacée mouillait leurs tempes. Ils se réfugièrent au fond de la chambre, s'attendant à voir la porte s'ouvrir brus-
315 quement en laissant tomber sur le carreau le cadavre de Camille. Le bruit continuant plus sec, plus irrégulier, ils pensèrent que leur victime écorchait le bois avec ses ongles pour entrer. Pendant près de cinq minutes, ils n'osèrent bouger. Enfin un miaulement se fit entendre. Laurent, en s'approchant, reconnut le chat tigré de
320 Mme Raquin, qui avait été enfermé par mégarde dans la cham-bre, et qui tentait d'en sortir en secouant la petite porte avec ses griffes. François eut peur de Laurent ; d'un bond, il sauta sur une chaise ; le poil hérissé, les pattes roidies, il regardait son nouveau maître en face, d'un air dur et cruel. Le jeune homme n'aimait
325 pas les chats, François l'effrayait presque. Dans cette heure de fièvre et de crainte, il crut que le chat allait lui sauter au visage pour venger Camille. Cette bête devait tout savoir : il y avait des pensées dans ses yeux ronds, étrangement dilatés. Laurent baissa les paupières, devant la fixité de ces regards de brute. Comme il
330 allait donner un coup de pied à François :

«Ne lui fais pas de mal», s'écria Thérèse.

Ce cri lui causa une étrange impression. Une idée absurde lui emplit la tête.

«Camille est entré dans ce chat, pensa-t-il. Il faudra que je tue
335 cette bête… Elle a l'air d'une personne.»

Il ne donna pas le coup de pied, craignant d'entendre François lui parler avec le son de voix de Camille. Puis il se rappela les plai-santeries de Thérèse, aux temps de leurs voluptés, lorsque le chat était témoin des baisers qu'ils échangeaient. Il se dit alors que
340 cette bête en savait trop et qu'il fallait la jeter par la fenêtre. Mais il n'eut pas le courage d'accomplir son dessein. François gardait une attitude de guerre ; les griffes allongées, le dos soulevé par une irritation sourde, il suivait les moindres mouvements de son ennemi avec une tranquillité superbe. Laurent fut gêné par l'éclat

₃₄₅ métallique de ses yeux ; il se hâta de lui ouvrir la porte de la salle à manger, et le chat s'enfuit en poussant un miaulement aigu.

Thérèse s'était assise de nouveau devant le foyer éteint. Laurent reprit sa marche du lit à la fenêtre. C'est ainsi qu'ils attendirent le jour. Ils ne songèrent pas à se coucher ; leur chair
₃₅₀ et leur cœur étaient bien morts. Un seul désir les tenait, le désir de sortir de cette chambre où ils étouffaient. Ils éprouvaient un véritable malaise à être enfermés ensemble, à respirer le même air ; ils auraient voulu qu'il y eût là quelqu'un pour rompre leur tête-à-tête, pour les tirer de l'embarras cruel où ils étaient, en res-
₃₅₅ tant l'un devant l'autre sans parler, sans pouvoir ressusciter leur passion. Leurs longs silences les torturaient ; ces silences étaient lourds de plaintes amères et désespérées, de reproches muets, qu'ils entendaient distinctement dans l'air tranquille.

Le jour vint enfin, sale et blanchâtre, amenant avec lui un
₃₆₀ froid pénétrant.

Lorsqu'une clarté pâle eut empli la chambre, Laurent qui grelottait se sentit plus calme. Il regarda en face le portrait de Camille, et le vit tel qu'il était, banal et puéril ; il le décrocha en haussant les épaules, en se traitant de bête. Thérèse s'était levée
₃₆₅ et défaisait le lit pour tromper sa tante, pour faire croire à une nuit heureuse.

« Ah ça, lui dit brutalement Laurent, j'espère que nous dormirons ce soir ?... Ces enfantillages-là ne peuvent durer. »

Thérèse lui jeta un coup d'œil grave et profond.

₃₇₀ « Tu comprends, continua-t-il, je ne me suis pas marié pour passer des nuits blanches. Nous sommes des enfants... C'est toi qui m'as troublé, avec tes airs de l'autre monde. Ce soir, tu tâcheras d'être gaie et de ne pas m'effrayer. »

Il se força à rire, sans savoir pourquoi il riait.

₃₇₅ « Je tâcherai », reprit sourdement la jeune femme.

Telle fut la nuit de noces de Thérèse et de Laurent.

XXII

Les nuits suivantes furent encore plus cruelles. Les meurtriers avaient voulu être deux, la nuit, pour se défendre contre le noyé, et, par un étrange effet, depuis qu'ils se trouvaient ensemble, ils frissonnaient davantage. Ils s'exaspéraient, ils irritaient leurs
5 nerfs, ils subissaient des crises atroces de souffrance et de terreur, en échangeant une simple parole, un simple regard. À la moindre conversation qui s'établissait entre eux, au moindre tête-à-tête qu'ils avaient, ils voyaient rouge, ils déliraient.

La nature sèche et nerveuse de Thérèse avait agi d'une façon
10 bizarre sur la nature épaisse et sanguine de Laurent. Jadis, aux jours de passion, leur différence de tempérament avait fait de cet homme et de cette femme un couple puissamment lié, en établissant entre eux une sorte d'équilibre, en complétant pour ainsi dire leur organisme. L'amant donnait de son sang, l'amante de
15 ses nerfs, et ils vivaient l'un dans l'autre, ayant besoin de leurs baisers pour régulariser le mécanisme de leur être. Mais un détraquement venait de se produire ; les nerfs surexcités de Thérèse avaient dominé. Laurent s'était trouvé tout d'un coup jeté en plein éréthisme [1] nerveux ; sous l'influence ardente de la jeune
20 femme, son tempérament était devenu peu à peu celui d'une fille secouée par une névrose [2] aiguë. Il serait curieux d'étudier les changements qui se produisent parfois dans certains organismes, à la suite de circonstances déterminées. Ces changements, qui partent de la chair, ne tardent pas à se communiquer au cerveau,
25 à tout l'individu.

Avant de connaître Thérèse, Laurent avait la lourdeur, le calme prudent, la vie sanguine d'un fils de paysan. Il dormait, mangeait,

---

1. *Éréthisme* : irritation, excitation anormale (terme de physiologie).
2. *Névrose* : trouble fonctionnel du système nerveux. Les névroses portent aussi à l'époque le nom de maux de nerfs, d'état nerveux.

buvait en brute. À toute heure, dans tous les faits de l'existence journalière, il respirait d'un souffle large et épais, content de lui,
30 un peu abêti par sa graisse. À peine, au fond de sa chair alourdie, sentait-il parfois des chatouillements. C'étaient ces chatouillements que Thérèse avait développés en horribles secousses. Elle avait fait pousser dans ce grand corps, gras et mou, un système nerveux d'une sensibilité étonnante. Laurent qui, auparavant,
35 jouissait de la vie plus par le sang que par les nerfs, eut des sens moins grossiers. Une existence nerveuse, poignante [1] et nouvelle pour lui, lui fut brusquement révélée, aux premiers baisers de sa maîtresse. Cette existence décupla ses voluptés, donna un caractère si aigu à ses joies, qu'il en fut d'abord comme affolé ;
40 il s'abandonna éperdument à ces crises d'ivresse que jamais son sang ne lui avait procurées. Alors eut lieu en lui un étrange travail : les nerfs se développèrent, l'emportèrent sur l'élément sanguin, et ce fait seul modifia sa nature. Il perdit son calme, sa lourdeur, il ne vécut plus une vie endormie. Un moment arriva où les nerfs
45 et le sang se tinrent en équilibre ; ce fut là un moment de jouissance profonde, d'existence parfaite. Puis les nerfs dominèrent, et il tomba dans les angoisses qui secouent les corps et les esprits détraqués.

C'est ainsi que Laurent s'était mis à trembler devant un coin
50 d'ombre, comme un enfant poltron. L'être frissonnant et hagard, le nouvel individu qui venait de se dégager en lui du paysan épais et abruti, éprouvait les peurs, les anxiétés des tempéraments nerveux. Toutes les circonstances, les caresses fauves de Thérèse, la fièvre du meurtre, l'attente épouvantée de la volupté,
55 l'avaient rendu comme fou, en exaltant ses sens, en frappant à coups brusques et répétés sur ses nerfs. Enfin l'insomnie était venue fatalement, apportant avec elle l'hallucination. Dès lors, Laurent avait roulé dans la vie intolérable, dans l'effroi éternel où il se débattait.

---

1. **Poignante** : qui cause une impression vive et pénible.

60   Ses remords étaient purement physiques. Son corps, ses
nerfs irrités et sa chair tremblante avaient seuls peur du noyé. Sa
conscience n'entrait pour rien dans ses terreurs, il n'avait pas le
moindre regret d'avoir tué Camille; lorsqu'il était calme, lorsque
le spectre [1] ne se trouvait pas là, il aurait commis de nouveau
65   le meurtre, s'il avait pensé que son intérêt l'exigeât. Pendant
le jour, il se raillait de ses effrois, il se promettait d'être fort, il
gourmandait [2] Thérèse, qu'il accusait de le troubler; selon lui,
c'était Thérèse qui frissonnait, c'était Thérèse seule qui amenait
des scènes épouvantables, le soir, dans la chambre. Et, dès que la
70   nuit tombait, dès qu'il était enfermé avec sa femme, des sueurs
glacées montaient à sa peau, des effrois d'enfant le secouaient.
Il subissait ainsi des crises périodiques, des crises de nerfs qui
revenaient tous les soirs, qui détraquaient ses sens, en lui montrant la face verte et ignoble de sa victime. On eût dit les accès
75   d'une effrayante maladie, d'une sorte d'hystérie [3] du meurtre. Le
nom de maladie, d'affection nerveuse était réellement le seul qui
convînt aux épouvantes de Laurent. Sa face se convulsionnait,
ses membres se raidissaient; on voyait que les nerfs se nouaient
en lui. Le corps souffrait horriblement, l'âme restait absente. Le
80   misérable n'éprouvait pas un repentir; la passion de Thérèse lui
avait communiqué un mal effroyable, et c'était tout.

Thérèse se trouvait, elle aussi, en proie à des secousses profondes. Mais, chez elle, la nature première n'avait fait que s'exalter
outre mesure. Depuis l'âge de dix ans, cette femme était troublée
85   par des désordres nerveux, dus en partie à la façon dont elle
grandissait dans l'air tiède et nauséabond de la chambre où râlait

---

1. *Spectre* : fantôme.

2. *Gourmandait* : réprimandait avec dureté ou vivacité.

3. *Hystérie* : ensemble de troubles psychiques, neurologiques et fonctionnels
très divers. Employé par Zola, le mot est relativement récent, puisqu'il n'est
attesté par le *Dictionnaire de l'Académie* que depuis 1835. En outre son
étymologie (*hustera* en latin, «utérus») souligne que la maladie est perçue à
l'époque comme profondément féminine.

le petit Camille. Il s'amassait en elle des orages, des fluides [1] puissants qui devaient éclater plus tard en véritables tempêtes. Laurent avait été pour elle ce qu'elle avait été pour Laurent, une sorte de choc brutal. Dès la première étreinte d'amour, son tempérament sec et voluptueux s'était développé avec une énergie sauvage ; elle n'avait plus vécu que pour la passion. S'abandonnant de plus en plus aux fièvres qui la brûlaient, elle en était arrivée à une sorte de stupeur maladive. Les faits l'écrasaient, tout la poussait à la folie. Dans ses effrois, elle se montrait plus femme que son nouveau mari ; elle avait de vagues remords, des regrets inavoués ; il lui prenait des envies de se jeter à genoux et d'implorer le spectre de Camille, de lui demander grâce en lui jurant de l'apaiser par son repentir. Peut-être Laurent s'apercevait-il de ces lâchetés de Thérèse. Lorsqu'une épouvante commune les agitait, il s'en prenait à elle, il la traitait avec brutalité.

Les premières nuits, ils ne purent se coucher. Ils attendirent le jour, assis devant le feu, se promenant de long en large, comme le jour des noces. La pensée de s'étendre côte à côte sur le lit leur causait une sorte de répugnance effrayée. D'un accord tacite, ils évitèrent de s'embrasser, ils ne regardèrent même pas la couche que Thérèse défaisait le matin. Quand la fatigue les accablait, ils s'endormaient pendant une ou deux heures dans des fauteuils, pour s'éveiller en sursaut, sous le coup du dénouement sinistre de quelque cauchemar. Au réveil, les membres roidis et brisés, le visage marbré de taches livides, tout grelottants de malaise et de froid, ils se contemplaient avec stupeur, étonnés de se voir là, ayant vis-à-vis l'un de l'autre des pudeurs étranges, des hontes de montrer leur écœurement et leur terreur.

Ils luttaient d'ailleurs contre le sommeil autant qu'ils pouvaient. Ils s'asseyaient aux deux coins de la cheminée et causaient de mille riens, ayant grand soin de ne pas laisser tomber la conversation. Il y avait un large espace entre eux, en face du foyer.

---

1. *Fluides* : forces subtiles. Le terme relève de la parapsychologie.

Quand ils tournaient la tête, ils s'imaginaient que Camille avait
approché un siège et qu'il occupait cet espace, se chauffant les
pieds d'une façon lugubrement goguenarde. Cette vision qu'ils
avaient eue le soir des noces revenait chaque nuit. Ce cadavre qui
assistait, muet et railleur, à leurs entretiens, ce corps horriblement
défiguré qui se tenait toujours là, les accablait d'une continuelle
anxiété. Ils n'osaient bouger, ils s'aveuglaient à regarder les flammes ardentes, et, lorsque invinciblement ils jetaient un coup d'œil
craintif à côté d'eux, leurs yeux, irrités par les charbons ardents,
créaient la vision et lui donnaient des reflets rougeâtres.

Laurent finit par ne plus vouloir s'asseoir, sans avouer à Thérèse
la cause de ce caprice. Thérèse comprit que Laurent devait voir
Camille, comme elle le voyait ; elle déclara à son tour que la chaleur lui faisait mal, qu'elle serait mieux à quelques pas de la cheminée. Elle poussa son fauteuil au pied du lit et y resta affaissée,
tandis que son mari reprenait ses promenades dans la chambre.
Par moments, il ouvrait la fenêtre, il laissait les nuits froides de janvier emplir la pièce de leur souffle glacial. Cela calmait sa fièvre.

Pendant une semaine, les nouveaux époux passèrent ainsi les
nuits entières. Ils s'assoupissaient, ils se reposaient un peu dans
la journée, Thérèse derrière le comptoir de la boutique, Laurent à
son bureau. La nuit, ils appartenaient à la douleur et à la crainte.
Et le fait le plus étrange était encore l'attitude qu'ils gardaient
vis-à-vis l'un de l'autre. Ils ne prononçaient pas un mot d'amour,
ils feignaient d'avoir oublié le passé ; ils semblaient s'accepter,
se tolérer, comme des malades éprouvant une pitié secrète pour
leurs souffrances communes. Tous les deux avaient l'espérance
de cacher leurs dégoûts et leurs peurs, et aucun des deux ne
paraissait songer à l'étrangeté des nuits qu'ils passaient, et qui
devaient les éclairer mutuellement sur l'état véritable de leur être.
Lorsqu'ils restaient debout jusqu'au matin, se parlant à peine,
pâlissant au moindre bruit, ils avaient l'air de croire que tous les
nouveaux époux se conduisaient ainsi, les premiers jours de leur
mariage. C'était l'hypocrisie maladroite de deux fous.

La lassitude les écrasa bientôt à tel point qu'ils se décidèrent, un soir, à se coucher sur le lit. Ils ne se déshabillèrent pas,
ils se jetèrent tout vêtus sur le couvre-pied [1], craignant que leur
peau ne vînt à se toucher. Il leur semblait qu'ils recevraient une
secousse douloureuse au moindre contact. Puis, lorsqu'ils eurent
sommeillé ainsi, pendant deux nuits, d'un sommeil inquiet, ils
se hasardèrent à quitter leurs vêtements et à se couler entre les
draps. Mais ils restèrent écartés l'un de l'autre, ils prirent des précautions pour ne point se heurter. Thérèse montait la première et
allait se mettre au fond, contre le mur. Laurent attendait qu'elle
se fût bien étendue ; alors il se risquait à s'étendre lui-même sur
le devant du lit, tout au bord. Il y avait entre eux une large place.
Là couchait le cadavre de Camille.

Lorsque les deux meurtriers étaient allongés sous le même
drap, et qu'ils fermaient les yeux, ils croyaient sentir le corps
humide de leur victime, couché au milieu du lit, qui leur glaçait
la chair. C'était comme un obstacle ignoble qui les séparait. La
fièvre, le délire les prenait, et cet obstacle devenait matériel pour
eux ; ils touchaient le corps, ils le voyaient étalé, pareil à un lambeau verdâtre et dissous, ils respiraient l'odeur infecte de ce tas de
pourriture humaine ; tous leurs sens s'hallucinaient, donnant une
acuité intolérable à leurs sensations. La présence de cet immonde
compagnon de lit les tenait immobiles, silencieux, éperdus d'angoisse. Laurent songeait parfois à prendre violemment Thérèse
dans ses bras ; mais il n'osait bouger, il se disait qu'il ne pouvait
allonger la main sans saisir une poignée de la chair molle de
Camille. Il pensait alors que le noyé venait se coucher entre eux,
pour les empêcher de s'étreindre. Il finit par comprendre que le
noyé était jaloux.

Parfois, cependant, ils cherchaient à échanger un baiser timide
pour voir ce qui arriverait. Le jeune homme raillait sa femme en
lui ordonnant de l'embrasser. Mais leurs lèvres étaient si froides,

---

1. *Couvre-pied* : couvre-lit, dessus de lit.

185 que la mort semblait s'être placée entre leurs bouches. Des nausées leur venaient, Thérèse avait un frisson d'horreur, et Laurent,
qui entendait ses dents claquer, s'emportait contre elle.

« Pourquoi trembles-tu ? lui criait-il. Aurais-tu peur de
Camille ?… Va, le pauvre homme ne sent plus ses os, à cette
190 heure. »

Ils évitaient tous deux de se confier la cause de leurs frissons.
Quand une hallucination dressait devant l'un d'eux le masque
blafard du noyé, il fermait les yeux, il se renfermait dans sa terreur, n'osant parler à l'autre de sa vision, par crainte de déter-
195 miner une crise encore plus terrible. Lorsque Laurent, poussé à
bout, dans une rage de désespoir, accusait Thérèse d'avoir peur
de Camille, ce nom, prononcé tout haut, amenait un redouble-
ment d'angoisse. Le meurtrier délirait.

« Oui, oui, balbutiait-il en s'adressant à la jeune femme, tu as
200 peur de Camille… Je le vois bien, parbleu !… Tu es une sotte, tu
n'as pas deux sous de courage. Eh ! dors tranquillement. Crois-tu
que ton premier mari va venir te tirer par les pieds, parce que je
suis couché avec toi… »

Cette pensée, cette supposition que le noyé pouvait venir leur
205 tirer les pieds, faisait dresser les cheveux de Laurent. Il continuait,
avec plus de violence, en se déchirant lui-même :

« Il faudra que je te mène une nuit au cimetière… Nous ouvri-
rons la bière de Camille et tu verras quel tas de pourriture ! Alors
tu n'auras plus peur, peut-être… Va, il ne sait pas que nous l'avons
210 jeté à l'eau. »

Thérèse, la tête dans les draps, poussait des plaintes étouf-
fées.

« Nous l'avons jeté à l'eau parce qu'il nous gênait, reprenait
son mari… Nous l'y jetterions encore, n'est-ce pas ?… Ne fais
215 donc pas l'enfant comme ça. Sois forte. C'est bête de troubler
notre bonheur… Vois-tu, ma bonne, quand nous serons morts,
nous ne nous trouverons ni plus ni moins heureux dans la terre,
parce que nous avons lancé un imbécile à la Seine, et nous aurons

joui librement de notre amour, ce qui est un avantage… Voyons,
220 embrasse-moi.»

La jeune femme l'embrassait, glacée, folle, et il était tout aussi
frémissant qu'elle.

Laurent, pendant plus de quinze jours, se demanda comment
il pourrait bien faire pour tuer de nouveau Camille. Il l'avait jeté
225 à l'eau, et voilà qu'il n'était pas assez mort, qu'il revenait toutes
les nuits se coucher dans le lit de Thérèse. Lorsque les meurtriers
croyaient avoir achevé l'assassinat et pouvoir se livrer en paix aux
douceurs de leurs tendresses, leur victime ressuscitait pour glacer
leur couche. Thérèse n'était pas veuve, Laurent se trouvait être
230 l'époux d'une femme qui avait déjà pour mari un noyé.

XXIII

Peu à peu, Laurent en vint à la folie furieuse. Il résolut de
chasser Camille de son lit. Il s'était d'abord couché tout habillé,
puis il avait évité de toucher la peau de Thérèse. Par rage, par
désespoir, il voulut enfin prendre sa femme sur sa poitrine, et
5 l'écraser plutôt que de la laisser au spectre de sa victime. Ce fut
une révolte superbe de brutalité.

En somme, l'espérance que les baisers de Thérèse le guéri-
raient de ses insomnies l'avait seule amené dans la chambre de
la jeune femme. Lorsqu'il s'était trouvé dans cette chambre, en
10 maître, sa chair, déchirée par des crises plus atroces, n'avait même
plus songé à tenter la guérison. Et il était resté comme écrasé
pendant trois semaines, ne se rappelant pas qu'il avait tout fait
pour posséder Thérèse, et ne pouvant la toucher sans accroître ses
souffrances, maintenant qu'il la possédait.

15 L'excès de ses angoisses le fit sortir de cet abrutissement.
Dans le premier moment de stupeur, dans l'étrange accablement

de la nuit de noces, il avait pu oublier les raisons qui venaient de le pousser au mariage. Mais sous les coups répétés de ses mauvais rêves, une irritation sourde l'envahit, qui triompha de ses lâche-
20 tés et lui rendit la mémoire. Il se souvint qu'il s'était marié pour chasser ses cauchemars, en serrant sa femme étroitement. Alors il prit brusquement Thérèse entre ses bras, une nuit, au risque de passer sur le corps du noyé, et la tira à lui avec violence.

La jeune femme était poussée à bout, elle aussi ; elle se serait
25 jetée dans la flamme, si elle eût pensé que la flamme purifiât sa chair et la délivrât de ses maux. Elle rendit à Laurent son étreinte, décidée à être brûlée par les caresses de cet homme ou à trouver en elles un soulagement.

Et ils se serrèrent dans un embrassement horrible. La douleur
30 et l'épouvante leur tinrent lieu de désirs. Quand leurs membres se touchèrent, ils crurent qu'ils étaient tombés sur un brasier. Ils poussèrent un cri et se pressèrent davantage, afin de ne pas laisser entre leur chair de place pour le noyé. Et ils sentaient toujours des lambeaux de Camille, qui s'écrasaient ignoblement entre eux,
35 glaçant leur peau par endroits, tandis que le reste de leur corps brûlait.

Leurs baisers furent affreusement cruels. Thérèse chercha des lèvres la morsure de Camille sur le cou gonflé et roidi de Laurent, et elle y colla sa bouche avec emportement. Là était la plaie vive ;
40 cette blessure guérie, les meurtriers dormiraient en paix. La jeune femme comprenait cela, elle tentait de cautériser [1] le mal sous le feu de ses caresses. Mais elle se brûla les lèvres, et Laurent la repoussa violemment, en jetant une plainte sourde ; il lui sem-blait qu'on lui appliquait un fer rouge sur le cou. Thérèse, affo-
45 lée, revint, voulut baiser encore la cicatrice ; elle éprouvait une volupté âcre à poser sa bouche sur cette peau où s'étaient enfon-cées les dents de Camille. Un instant, elle eut la pensée de mordre son mari à cet endroit, d'arracher un large morceau de chair, de

---

1. *Cautériser* : brûler, rendre insensible.

faire une nouvelle blessure, plus profonde, qui emporterait, les
marques de l'ancienne. Et elle se disait qu'elle ne pâlirait plus
alors en voyant l'empreinte de ses propres dents. Mais Laurent
défendait son cou contre ses baisers ; il éprouvait des cuissons
trop dévorantes, il la repoussait chaque fois qu'elle allongeait les
lèvres. Ils luttèrent ainsi, râlant, se débattant dans l'horreur de
leurs caresses.

Ils sentaient bien qu'ils ne faisaient qu'augmenter leurs souffrances. Ils avaient beau se briser dans des étreintes terribles, ils
criaient de douleur, ils se brûlaient et se meurtrissaient, mais ils
ne pouvaient apaiser leurs nerfs épouvantés. Chaque embrassement ne donnait que plus d'acuité à leurs dégoûts. Tandis qu'ils
échangeaient ces baisers affreux, ils étaient en proie à d'effrayantes hallucinations ; ils s'imaginaient que le noyé les tirait par les
pieds et imprimait au lit de violentes secousses.

Ils se lâchèrent un moment. Ils avaient des répugnances, des
révoltes nerveuses invincibles. Puis ils ne voulurent pas être vaincus ; ils se reprirent dans une nouvelle étreinte et furent encore
obligés de se lâcher, comme si des pointes rougies étaient entrées
dans leurs membres. À plusieurs fois, ils tentèrent ainsi de triom-
pher de leurs dégoûts, de tout oublier en lassant, en brisant leurs
nerfs. Et chaque fois, leurs nerfs s'irritèrent et se tendirent en leur
causant des exaspérations telles qu'ils seraient peut-être morts
d'énervement s'ils étaient restés dans les bras l'un de l'autre. Ce
combat contre leur propre corps les avait exaltés jusqu'à la rage ;
ils s'entêtaient, ils voulaient l'emporter. Enfin une crise plus aiguë
les brisa ; ils reçurent un choc d'une violence inouïe et crurent
qu'ils allaient tomber du haut mal [1].

Rejetés aux deux bords de la couche, brûlés et meurtris, ils se
mirent à sangloter.

Et, dans leurs sanglots, il leur sembla entendre les rires de
triomphe du noyé, qui se glissait de nouveau sous le drap avec
des ricanements. Ils n'avaient pu le chasser du lit ; ils étaient vaincus. Camille s'étendit doucement entre eux, tandis que Laurent

---

1. *Haut mal* : violentes convulsions, épilepsie.

pleurait son impuissance et que Thérèse tremblait qu'il ne prît
au cadavre la fantaisie de profiter de sa victoire pour la serrer
85 à son tour entre ses bras pourris, en maître légitime. Ils avaient
tenté un moyen suprême ; devant leur défaite, ils comprenaient
que, désormais, ils n'oseraient plus échanger le moindre baiser.
La crise de l'amour fou qu'ils avaient essayé de déterminer pour
tuer leurs terreurs venait de les plonger plus profondément dans
90 l'épouvante. En sentant le froid du cadavre, qui, maintenant,
devait les séparer à jamais, ils versaient des larmes de sang, ils se
demandaient avec angoisse ce qu'ils allaient devenir.

XXIV

Ainsi que l'espérait le vieux Michaud en travaillant au mariage
de Thérèse et de Laurent, les soirées du jeudi reprirent leur
ancienne gaieté, dès le lendemain de la noce. Ces soirées avaient
couru un grand péril, lors de la mort de Camille. Les invités ne
5 s'étaient plus présentés que craintivement dans cette maison en
deuil ; chaque semaine, ils tremblaient de recevoir un congé défi-
nitif. La pensée que la porte de la boutique finirait sans doute par
se fermer devant eux épouvantait Michaud et Grivet, qui tenaient
à leurs habitudes avec l'instinct et l'entêtement des brutes. Ils se
10 disaient que la vieille mère et la jeune veuve s'en iraient un beau
matin pleurer leur défunt à Vernon ou ailleurs, et qu'ils se trouveraient ainsi sur le pavé, le jeudi soir, ne sachant que faire ; ils se
voyaient dans le passage, errant d'une façon lamentable, rêvant à
des parties de dominos gigantesques. En attendant ces mauvais
15 jours, ils jouissaient timidement de leurs derniers bonheurs, ils
venaient d'un air inquiet et doucereux à la boutique en se répétant chaque fois qu'ils n'y reviendraient peut-être plus. Pendant
plus d'un an, ils eurent ces craintes, ils n'osèrent s'étaler et rire

en face des larmes de Mme Raquin et des silences de Thérèse. Ils
ne se sentaient plus chez eux, comme au temps de Camille ; ils
semblaient, pour ainsi dire, voler chaque soirée qu'ils passaient
autour de la table de la salle à manger. C'est dans ces circonstances désespérées que l'égoïsme du vieux Michaud le poussa à faire
un coup de maître en mariant la veuve du noyé.

Le jeudi qui suivit le mariage, Grivet et Michaud firent une
entrée triomphale. Ils avaient vaincu. La salle à manger leur
appartenait de nouveau, ils ne craignaient plus qu'on les en
congédiât. Ils entrèrent en gens heureux, ils s'étalèrent, ils dirent
à la file leurs anciennes plaisanteries. À leur attitude béate et
confiante, on voyait que, pour eux, une révolution venait de s'accomplir. Le souvenir de Camille n'était plus là ; le mari mort,
ce spectre qui les glaçait, avait été chassé par le mari vivant. Le
passé ressuscitait avec ses joies. Laurent remplaçait Camille, toute
raison de s'attrister disparaissait, les invités pouvaient rire sans
chagriner personne, et même ils devaient rire pour égayer l'excellente famille qui voulait bien les recevoir. Dès lors, Grivet et
Michaud, qui depuis près de dix-huit mois venaient sous prétexte
de consoler Mme Raquin, purent mettre leur petite hypocrisie de
côté et venir franchement pour s'endormir l'un en face de l'autre,
au bruit sec des dominos.

Et chaque semaine ramena un jeudi soir, chaque semaine réunit une fois autour de la table ces têtes mortes et grotesques qui
exaspéraient Thérèse jadis. La jeune femme parla de mettre ces
gens à la porte ; ils l'irritaient avec leurs éclats de rire bêtes, avec
leurs réflexions sottes. Mais Laurent lui fit comprendre qu'un
pareil congé serait une faute ; il fallait autant que possible que le
présent ressemblât au passé ; il fallait surtout conserver l'amitié
de la police, de ces imbéciles qui les protégeaient contre tout
soupçon. Thérèse plia ; les invités, bien reçus, virent avec béatitude s'étendre une longue suite de soirées tièdes devant eux.

Ce fut vers cette époque que la vie des époux se dédoubla en
quelque sorte.

Le matin, lorsque le jour chassait les effrois de la nuit, Laurent s'habillait en toute hâte. Il n'était à son aise, il ne reprenait son calme égoïste que dans la salle à manger, attablé devant un énorme bol de café au lait, que lui préparait Thérèse. Mme Raquin, impotente, pouvant à peine descendre à la boutique, le regardait manger avec des sourires maternels. Il avalait du pain grillé, il s'emplissait l'estomac, il se rassurait peu à peu. Après le café, il buvait un petit verre de cognac. Cela le remettait complètement. Il disait : «À ce soir» à Mme Raquin et à Thérèse, sans jamais les embrasser, puis il se rendait à son bureau en flânant. Le printemps venait ; les arbres des quais se couvraient de feuilles, d'une légère dentelle d'un vert pâle. En bas, la rivière coulait avec des bruits caressants ; en haut, les rayons des premiers soleils avaient des tiédeurs douces. Laurent se sentait renaître dans l'air frais ; il respirait largement ces souffles de vie jeune qui descendent des cieux d'avril et de mai ; il cherchait le soleil, s'arrêtait pour regarder les reflets d'argent qui moiraient la Seine, écoutait les bruits des quais, se laissait pénétrer par les senteurs âcres du matin, jouissait par tous ses sens de la matinée claire et heureuse. Certes, il ne songeait guère à Camille ; quelquefois il lui arrivait de contempler machinalement la Morgue, de l'autre côté de l'eau ; il pensait alors au noyé en homme courageux qui penserait à une peur bête qu'il aurait eue. L'estomac plein, le visage rafraîchi, il retrouvait sa tranquillité épaisse, il arrivait à son bureau et y passait la journée entière à bâiller, à attendre l'heure de la sortie. Il n'était plus qu'un employé comme les autres, abruti et ennuyé, ayant la tête vide. La seule idée qu'il eût alors était l'idée de donner sa démission et de louer un atelier ; il rêvait vaguement une nouvelle existence de paresse, et cela suffisait pour l'occuper jusqu'au soir. Jamais le souvenir de la boutique du passage ne venait le troubler. Le soir, après avoir désiré l'heure de la sortie depuis le matin, il sortait avec regret, il reprenait les quais, sourdement troublé et inquiet. Il avait beau marcher lentement, il lui fallait enfin rentrer à la boutique. Là, l'épouvante l'attendait.

Thérèse éprouvait les mêmes sensations. Tant que Laurent n'était pas auprès d'elle, elle se trouvait à l'aise. Elle avait congédié la femme de ménage, disant que tout traînait, que tout était sale dans la boutique et dans l'appartement. Des idées d'ordre lui venaient. La vérité était qu'elle avait besoin de marcher, d'agir, de briser ses membres roidis. Elle tournait toute la matinée, balayant, époussetant, nettoyant les chambres, lavant la vaisselle, faisant des besognes qui l'auraient écœurée autrefois. Jusqu'à midi, ces soins de ménage la tenaient sur les jambes, active et muette, sans lui laisser le temps de songer à autre chose qu'aux toiles d'araignée qui pendaient du plafond et qu'à la graisse qui salissait les assiettes. Alors elle se mettait en cuisine, elle préparait le déjeuner. À table, Mme Raquin se désolait de la voir toujours se lever pour aller prendre les plats ; elle était émue et fâchée de l'activité que déployait sa nièce ; elle la grondait, et Thérèse répondait qu'il fallait faire des économies. Après le repas, la jeune femme s'habillait et se décidait enfin à rejoindre sa tante derrière le comptoir. Là, des somnolences la prenaient ; brisée par les veilles, elle sommeillait, elle cédait à l'engourdissement voluptueux qui s'emparait d'elle, dès qu'elle était assise. Ce n'étaient que de légers assoupissements, pleins d'un charme vague, qui calmaient ses nerfs. La pensée de Camille s'en allait ; elle goûtait ce repos profond des malades que leurs douleurs quittent tout d'un coup. Elle se sentait la chair assouplie, l'esprit libre, elle s'enfonçait dans une sorte de néant tiède et réparateur. Sans ces quelques moments de calme, son organisme aurait éclaté sous la tension de son système nerveux ; elle y puisait les forces nécessaires pour souffrir encore et s'épouvanter la nuit suivante. D'ailleurs, elle ne s'endormait point, elle baissait à peine les paupières, perdue au fond d'un rêve de paix ; lorsqu'une cliente entrait, elle ouvrait les yeux, elle servait les quelques sous de marchandise demandés, puis retombait dans sa rêverie flottante. Elle passait ainsi trois ou quatre heures, parfaitement heureuse, répondant par monosyllabes à sa tante, se laissant aller avec une véritable jouissance

aux évanouissements qui lui ôtaient la pensée et qui l'affaissaient sur elle-même. Elle jetait à peine, de loin en loin, un coup d'œil dans le passage, se trouvant surtout à l'aise par les temps gris, lorsqu'il faisait noir et qu'elle cachait sa lassitude au fond de
125 l'ombre. Le passage humide, ignoble, traversé par un peuple de pauvres diables mouillés, dont les parapluies s'égouttaient sur les dalles, lui semblait l'allée d'un mauvais lieu, une sorte de corridor sale et sinistre où personne ne viendrait la chercher et la troubler. Par moments, en voyant les lueurs terreuses qui traînaient
130 autour d'elle, en sentant l'odeur âcre de l'humidité, elle s'imaginait qu'elle venait d'être enterrée vive ; elle croyait se trouver dans la terre, au fond d'une fosse commune où grouillaient des morts. Et cette pensée la consolait, l'apaisait ; elle se disait qu'elle était en sûreté maintenant, qu'elle allait mourir, qu'elle ne souffrirait
135 plus. D'autres fois, il lui fallait tenir les yeux ouverts ; Suzanne lui rendait visite et restait à broder auprès du comptoir toute l'après-midi. La femme d'Olivier, avec son visage mou, avec ses gestes lents, plaisait maintenant à Thérèse, qui éprouvait un étrange soulagement à regarder cette pauvre créature toute dissoute [1] ; elle en
140 avait fait son amie, elle aimait à la voir à son côté, souriant d'un sourire pâle, vivant à demi, mettant dans la boutique une fade senteur de cimetière. Quand les yeux bleus de Suzanne, d'une transparence vitreuse, se fixaient sur les siens, elle éprouvait au fond de ses os un froid bienfaisant. Thérèse attendait ainsi quatre
145 heures. À ce moment, elle se remettait en cuisine, elle cherchait de nouveau la fatigue, elle préparait le dîner de Laurent avec une hâte fébrile. Et quand son mari paraissait sur le seuil de la porte, sa gorge se serrait, l'angoisse tordait de nouveau tout son être.

Chaque jour, les sensations des époux étaient à peu près les
150 mêmes. Pendant la journée, lorsqu'ils ne se trouvaient pas face à face, ils goûtaient des heures délicieuses de repos ; le soir, dès qu'ils étaient réunis, un malaise poignant les envahissait.

---

1. *Toute dissoute* : sans consistance.

C'étaient d'ailleurs de calmes soirées. Thérèse et Laurent, qui frissonnaient à la pensée de rentrer dans leur chambre, faisaient durer la veillée le plus longtemps possible. Mme Raquin, à demi-couchée au fond d'un large fauteuil, était placée entre eux et causait de sa voix placide. Elle parlait de Vernon, pensant toujours à son fils, mais évitant de le nommer, par une sorte de pudeur ; elle souriait à ses chers enfants, elle faisait pour eux des projets d'avenir. La lampe jetait sur sa face blanche des lueurs pâles ; ses paroles prenaient une douceur extraordinaire dans l'air mort et silencieux. Et, à ses côtés, les deux meurtriers, muets, immobiles, semblaient l'écouter avec recueillement ; à la vérité, ils ne cherchaient pas à suivre le sens des bavardages de la bonne vieille, ils étaient simplement heureux de ce bruit de paroles douces qui les empêchait d'entendre l'éclat de leurs pensées. Ils n'osaient se regarder, ils regardaient Mme Raquin pour avoir une contenance. Jamais ils ne parlaient de se coucher ; ils seraient restés là jusqu'au matin, dans le radotage caressant de l'ancienne mercière, dans l'apaisement qu'elle mettait autour d'elle, si elle n'avait pas témoigné elle-même le désir de gagner son lit. Alors seulement ils quittaient la salle à manger et rentraient chez eux avec désespoir, comme on se jette au fond d'un gouffre.

À ces soirées intimes, ils préférèrent bientôt de beaucoup les soirées du jeudi. Quand ils étaient seuls avec Mme Raquin, ils ne pouvaient s'étourdir ; le mince filet de voix de leur tante, sa gaieté attendrie n'étouffaient pas les cris qui les déchiraient. Ils sentaient venir l'heure du coucher, ils frémissaient lorsque, par hasard, ils rencontraient du regard la porte de leur chambre ; l'attente de l'instant où ils seraient seuls devenait de plus en plus cruelle, à mesure que la soirée avançait. Le jeudi, au contraire, ils se grisaient de sottise, ils oubliaient mutuellement leur présence, ils souffraient moins. Thérèse elle-même finit par souhaiter ardemment les jours de réception. Si Michaud et Grivet n'étaient pas venus, elle serait allée les chercher. Lorsqu'il y avait des étrangers dans la salle à manger, entre elle et Laurent, elle se sentait plus calme ; elle aurait voulu qu'il y eût toujours là des invités, du bruit, quelque chose qui l'étourdit et l'isolât. Devant le monde, elle montrait une sorte de gaieté nerveuse. Laurent retrouvait, lui aussi, ses grosses plaisanteries de paysan, ses rires gras, ses farces d'ancien rapin [1]. Jamais les réceptions n'avaient été si gaies ni si bruyantes.

C'est ainsi qu'une fois par semaine, Laurent et Thérèse pouvaient rester face à face sans frissonner.

Bientôt une crainte les prit. La paralysie gagnait peu à peu Mme Raquin, et ils prévirent le jour où elle serait clouée dans son fauteuil, impotente et hébétée. La pauvre vieille commençait à balbutier des lambeaux de phrases qui se cousaient mal les uns aux autres ; sa voix faiblissait, ses membres se mouraient un à un. Elle devenait une chose. Thérèse et Laurent voyaient avec effroi s'en aller cet être qui les séparait encore et dont la voix les tirait de leurs mauvais rêves. Quand l'intelligence aurait abandonné l'ancienne mercière et qu'elle resterait muette et roidie au fond de son fauteuil, ils se trouveraient seuls ; le soir, ils ne pourraient plus échapper à un tête-à-tête redoutable. Alors leur épouvante commencerait à six heures, au lieu de commencer à minuit ; ils en deviendraient fous.

Tous leurs efforts tendirent à conserver à Mme Raquin une santé qui leur était si précieuse. Ils firent venir des médecins, ils furent aux petits soins auprès d'elle, ils trouvèrent même dans ce métier de garde-malade un oubli, un apaisement qui les engagea à redoubler de zèle. Ils ne voulaient pas perdre un tiers qui leur rendait les soirées supportables ; ils ne voulaient pas que la salle à manger, que la maison tout entière devînt un lieu cruel et sinistre comme leur chambre. Mme Raquin fut singulièrement touchée des soins empressés qu'ils lui prodiguaient ; elle s'applaudissait, avec des larmes, de les avoir unis et de leur avoir abandonné ses quarante et quelques mille francs. Jamais, après la mort de son

---

1. *Rapin* : apprenti peintre.

fils, elle n'avait compté sur une pareille affection à ses dernières
heures ; sa vieillesse était tout attiédie par la tendresse de ses chers
enfants. Elle ne sentait pas la paralysie implacable qui, malgré
tout, la roidissait davantage chaque jour.

Cependant Thérèse et Laurent menaient leur double existence.
Il y avait en chacun d'eux comme deux êtres bien distincts : un être
nerveux et épouvanté qui frissonnait dès que tombait le crépuscule, et un être engourdi et oublieux, qui respirait à l'aise dès que
se levait le soleil. Ils vivaient deux vies, ils criaient d'angoisse, seul
à seul, et ils souriaient paisiblement lorsqu'il y avait du monde.
Jamais leur visage, en public, ne laissait deviner les souffrances
qui venaient de les déchirer dans l'intimité ; ils paraissaient calmes et heureux, ils cachaient instinctivement leurs maux.

Personne n'aurait soupçonné, à les voir si tranquilles pendant
le jour, que les hallucinations les torturaient chaque nuit. On les
eût pris pour un ménage béni du ciel, vivant en pleine félicité.
Grivet les appelait galamment «les tourtereaux». Lorsque leurs
yeux étaient cernés par des veilles prolongées, il les plaisantait, il
demandait à quand le baptême. Et toute la société riait. Laurent
et Thérèse pâlissaient à peine, parvenaient à sourire ; ils s'habi-
tuaient aux plaisanteries risquées du vieil employé. Tant qu'ils
se trouvaient dans la salle à manger, ils étaient maîtres de leurs
terreurs. L'esprit ne pouvait deviner l'effroyable changement qui
se produisait en eux, lorsqu'ils s'enfermaient dans la chambre à
coucher. Le jeudi soir surtout, ce changement était d'une brutalité
si violente qu'il semblait s'accomplir dans un monde surnaturel.
Le drame de leurs nuits, par son étrangeté, par ses emportements
sauvages, dépassait toute croyance et restait profondément caché
au fond de leur être endolori. Ils auraient parlé qu'on les eût crus
fous.

«Sont-ils heureux, ces amoureux-là ! » disait souvent le vieux
Michaud. Ils ne causent guère, mais ils n'en pensent pas moins.
Je parie qu'ils se dévorent de caresses, quand nous ne sommes
plus là.

Telle était l'opinion de toute la société. Il arriva que Thérèse et Laurent furent donnés comme un ménage modèle. Le passage du Pont-Neuf entier célébrait l'affection, le bonheur tranquille, la lune de miel éternelle des deux époux. Eux seuls savaient que le cadavre de Camille couchait entre eux ; eux seuls sentaient, sous la chair calme de leur visage, les contractions nerveuses qui, la nuit, tiraient horriblement leurs traits et changeaient l'expression placide de leur physionomie en un masque ignoble et douloureux.

XXV

Au bout de quatre mois, Laurent songea à retirer les bénéfices qu'il s'était promis de son mariage. Il aurait abandonné sa femme et se serait enfui devant le spectre de Camille, trois jours après la noce, si son intérêt ne l'eût pas cloué dans la boutique du passage. Il acceptait ses nuits de terreur, il restait au milieu des angoisses qui l'étouffaient, pour ne pas perdre les profits de son crime. En quittant Thérèse, il retombait dans la misère, il était forcé de conserver son emploi ; en demeurant auprès d'elle, il pouvait au contraire contenter ses appétits de paresse, vivre grassement, sans rien faire, sur les rentes que Mme Raquin avait mises au nom de sa femme. Il est à croire qu'il se serait sauvé avec les quarante mille francs, s'il avait pu les réaliser ; mais la vieille mercière, conseillée par Michaud, avait eu la prudence de sauvegarder dans le contrat les intérêts de sa nièce. Laurent se trouvait ainsi attaché à Thérèse par un lien puissant. En dédommagement de ses nuits atroces, il voulut au moins se faire entretenir dans une oisiveté heureuse, bien nourri, chaudement vêtu, ayant en poche l'argent nécessaire pour contenter ses caprices. À ce prix seul, il consentait à coucher avec le cadavre du noyé.

Un soir, il annonça à Mme Raquin et à sa femme qu'il avait donné sa démission et qu'il quittait son bureau à la fin de la quinzaine. Thérèse eut un geste d'inquiétude. Il se hâta d'ajouter qu'il allait louer un petit atelier où il se remettrait à faire de la peinture. Il s'étendit longuement sur les ennuis de son emploi, sur les larges horizons que l'art lui ouvrait ; maintenant qu'il avait quelques sous et qu'il pouvait tenter le succès, il voulait voir s'il n'était pas capable de grandes choses. La tirade qu'il déclama à ce propos cachait simplement une féroce envie de reprendre son ancienne vie d'atelier. Thérèse, les lèvres pincées, ne répondit pas ; elle n'entendait point que Laurent lui dépensât la petite fortune qui assurait sa liberté. Lorsque son mari la pressa de questions, pour obtenir son consentement, elle fit quelques réponses sèches ; elle lui donna à comprendre que, s'il quittait son bureau, il ne gagnerait plus rien et serait complètement à sa charge. Tandis qu'elle parlait, Laurent la regardait d'une façon aiguë qui la troubla et arrêta dans sa gorge le refus qu'elle allait formuler ; elle crut lire dans les yeux de son complice cette pensée menaçante : «Je dis tout, si tu ne consens pas.» Elle se mit à balbutier. Mme Raquin s'écria alors que le désir de son cher fils était trop juste, et qu'il fallait lui donner les moyens de devenir un homme de talent. La bonne dame gâtait Laurent comme elle avait gâté Camille ; elle était tout amollie par les caresses que lui prodiguait le jeune homme, elle lui appartenait et se rangeait toujours à son avis.

Il fut donc décidé que l'artiste louerait un atelier et qu'il toucherait cent francs par mois pour les divers frais qu'il aurait à faire. Le budget de la famille fut ainsi réglé : les bénéfices réalisés dans le commerce de mercerie paieraient le loyer de la boutique et de l'appartement, et suffiraient presque aux dépenses journalières du ménage ; Laurent prendrait le loyer de son atelier et ses cent francs par mois sur les deux mille et quelques cents francs de rente ; le reste de ces rentes serait appliqué aux besoins communs. De cette façon, on n'entamerait pas le capital. Thérèse se tranquillisa un peu. Elle fit jurer à son mari de ne jamais dépasser la

somme qui lui était allouée. D'ailleurs, elle se disait que Laurent
55 ne pouvait s'emparer des quarante mille francs sans avoir sa
signature, et elle se promettait bien de ne signer aucun papier.

Dès le lendemain, Laurent loua, vers le bas de la rue Mazarine,
un petit atelier qu'il convoitait depuis un mois. Il ne voulait pas
quitter son emploi sans avoir un refuge pour passer tranquille-
60 ment ses journées, loin de Thérèse. Au bout de la quinzaine, il
fit ses adieux à ses collègues. Grivet fut stupéfait de son départ.
Un jeune homme, disait-il, qui avait devant lui un si bel avenir,
un jeune homme qui en était arrivé, en quatre années, au chiffre
d'appointements que lui, Grivet, avait mis vingt ans à atteindre !
65 Laurent le stupéfia encore davantage en lui disant qu'il allait se
remettre tout entier à la peinture.

Enfin l'artiste s'installa dans son atelier. Cet atelier était une
sorte de grenier carré, long et large d'environ cinq ou six mètres ;
le plafond s'inclinait brusquement, en pente raide, percé d'une
70 large fenêtre qui laissait tomber une lumière blanche et crue sur
le plancher et sur les murs noirâtres. Les bruits de la rue ne montaient pas jusqu'à ces hauteurs. La pièce, silencieuse, blafarde,
s'ouvrant en haut sur le ciel, ressemblait à un trou, à un caveau
creusé dans une argile grise. Laurent meubla ce caveau tant bien
75 que mal ; il y apporta deux chaises dépaillées, une table qu'il
appuya contre un mur pour qu'elle ne se laissât pas glisser à terre,
un vieux buffet de cuisine, sa boîte à couleurs et son ancien chevalet ; tout le luxe du lieu consista en un vaste divan qu'il acheta
trente francs chez un brocanteur.

80 Il resta quinze jours sans songer seulement à toucher à ses
pinceaux. Il arrivait entre huit et neuf heures, fumait, se couchait
sur le divan, attendait midi, heureux d'être au matin et d'avoir
encore devant lui de longues heures de jour. À midi, il allait déjeuner, puis il se hâtait de revenir, pour être seul, pour ne plus voir le
85 visage pâle de Thérèse. Alors il digérait, il dormait, il se vautrait
jusqu'au soir. Son atelier était un lieu de paix où il ne tremblait
pas. Un jour sa femme lui demanda à visiter son cher refuge. Il

refusa, et comme, malgré son refus, elle vint frapper à sa porte, il n'ouvrit pas ; il lui dit le soir qu'il avait passé la journée au musée du Louvre.

Il craignait que Thérèse n'introduisît avec elle le spectre de Camille.

L'oisiveté finit par lui peser. Il acheta une toile et des couleurs, il se mit à l'œuvre. N'ayant pas assez d'argent pour payer des modèles, il résolut de peindre au gré de sa fantaisie, sans se soucier de la nature. Il entreprit une tête d'homme.

D'ailleurs, il ne se cloîtra plus autant ; il travailla pendant deux ou trois heures chaque matin et employa ses après-midi à flâner ici et là, dans Paris et dans la banlieue. Ce fut en rentrant d'une de ces longues promenades qu'il rencontra, devant l'Institut, son ancien ami de collège, qui avait obtenu un joli succès de camaraderie au dernier Salon.

« Comment, c'est toi ! s'écria le peintre. Ah ! mon pauvre Laurent, je ne t'aurais jamais reconnu. Tu as maigri.

– Je me suis marié, répondit Laurent d'un ton embarrassé.

– Marié, toi ! Ça ne m'étonne plus de te voir tout drôle... Et que fais-tu maintenant ?

– J'ai loué un petit atelier ; je peins un peu, le matin. »

Laurent conta son mariage en quelques mots ; puis il exposa ses projets d'avenir d'une voix fiévreuse. Son ami le regardait d'un air étonné qui le troublait et l'inquiétait. La vérité était que le peintre ne retrouvait pas dans le mari de Thérèse le garçon épais et commun qu'il avait connu autrefois. Il lui semblait que Laurent prenait des allures distinguées ; le visage s'était aminci et avait des pâleurs de bon goût, le corps entier se tenait plus digne et plus souple.

« Mais tu deviens joli garçon, ne put s'empêcher de s'écrier l'artiste, tu as une tenue d'ambassadeur. C'est du dernier chic. À quelle école es-tu donc ? »

L'examen qu'il subissait pesait beaucoup à Laurent. Il n'osait s'éloigner d'une façon brusque.

«Veux-tu monter un instant à mon atelier? demanda-t-il enfin à son ami, qui ne le quittait pas.

– Volontiers», répondit celui-ci.

125 Le peintre, ne se rendant pas compte des changements qu'il observait, était désireux de visiter l'atelier de son ancien camarade. Certes, il ne montait pas cinq étages pour voir les nouvelles œuvres de Laurent, qui allaient sûrement lui donner des nausées; il avait la seule envie de contenter sa curiosité.

130 Quand il fut monté et qu'il eut jeté un coup d'œil sur les toiles accrochées aux murs, son étonnement redoubla. Il y avait là cinq études, deux têtes de femme et trois têtes d'homme, peintes avec une véritable énergie; l'allure en était grasse et solide, chaque morceau s'enlevait par taches magnifiques sur les fonds d'un gris 135 clair. L'artiste s'approcha vivement, et, stupéfait, ne cherchant même pas à cacher sa surprise:

«C'est toi qui as fait cela? demanda-t-il à Laurent.

– Oui, répondit celui-ci. Ce sont des esquisses qui me serviront pour un grand tableau que je prépare.

140 – Voyons, pas de blague, tu es vraiment l'auteur de ces machines-là [1]?

– Eh! oui. Pourquoi n'en serais-je pas l'auteur?»

Le peintre n'osa répondre: «Parce que ces toiles sont d'un artiste, et que tu n'as jamais été qu'un ignoble maçon [2].» Il resta 145 longtemps en silence devant les études [3]. Certes, ces études étaient gauches, mais elles avaient une étrangeté, un caractère si puissant qu'elles annonçaient un sens artistique des plus développés. On eût dit de la peinture vécue. Jamais l'ami de Laurent n'avait vu des ébauches si pleines de hautes promesses. Quand il eut bien 150 examiné les toiles, il se tourna vers l'auteur:

---

1. *Ces machines-là* : ces œuvres-là; le mot «machines» désigne des grands ouvrages de génie.
2. *Maçon* : se dit d'une personne qui fait grossièrement une besogne qui demanderait quelque délicatesse. Le terme est familier.
3. *Études* : travaux préparatoires, esquisses exécutées en vue d'une composition d'ensemble.

«Là, franchement, lui dit-il, je ne t'aurais pas cru capable de peindre ainsi. Où diable as-tu appris à avoir du talent? Ça ne s'apprend pas d'ordinaire.»

Et il considérait Laurent, dont la voix lui semblait plus douce, dont chaque geste avait une sorte d'élégance. Il ne pouvait deviner l'effroyable secousse qui avait changé cet homme, en développant en lui des nerfs de femme, des sensations aiguës et délicates. Sans doute un phénomène étrange s'était accompli dans l'organisme du meurtrier de Camille. Il est difficile à l'analyse de pénétrer à de telles profondeurs. Laurent était peut-être devenu artiste comme il était devenu peureux, à la suite du grand détraquement qui avait bouleversé sa chair et son esprit. Auparavant, il étouffait sous le poids lourd de son sang, il restait aveuglé par l'épaisse vapeur de santé qui l'entourait; maintenant, maigri, frissonnant, il avait la verve inquiète, les sensations vives et poignantes des tempéraments nerveux. Dans la vie de terreur qu'il menait, sa pensée délirait et montait jusqu'à l'extase du génie; la maladie en quelque sorte morale, la névrose dont tout son être était secoué, développait en lui un sens artistique d'une lucidité étrange; depuis qu'il avait tué, sa chair s'était comme allégée, son cerveau éperdu lui semblait immense, et, dans ce brusque agrandissement de sa pensée, il voyait passer des créations exquises, des rêveries de poète. Et c'est ainsi que ses gestes avaient pris une distinction subite, c'est ainsi que ses œuvres étaient belles, rendues tout d'un coup personnelles et vivantes.

Son ami n'essaya pas davantage de s'expliquer la naissance de cet artiste. Il s'en alla avec son étonnement. Avant de partir, il regarda encore les toiles et dit à Laurent :

«Je n'ai qu'un reproche à te faire, c'est que toutes tes études ont un air de famille. Ces cinq têtes se ressemblent. Les femmes elles-mêmes prennent je ne sais quelle allure violente qui leur donne l'air d'hommes déguisés… Tu comprends, si tu veux faire un tableau avec ces ébauches-là, il faudra changer quelques-unes des physionomies; tes personnages ne peuvent pas être tous frères, cela ferait rire.»

185 Il sortit de l'atelier, et ajouta sur le carré [1], en riant :

«Vrai, mon vieux, ça me fait plaisir de t'avoir vu. Maintenant je vais croire aux miracles… Bon Dieu ! es-tu comme il faut ! »

Il descendit. Laurent rentra dans l'atelier, vivement troublé. Lorsque son ami lui avait fait l'observation que toutes ses têtes 190 d'étude avaient un air de famille, il s'était brusquement tourné pour cacher sa pâleur. C'est que déjà cette ressemblance fatale l'avait frappé. Il revint lentement se placer devant les toiles ; à mesure qu'il les contemplait, qu'il passait de l'une à l'autre, une sueur glacée lui mouillait le dos.

195 «Il a raison, murmura-t-il, ils se ressemblent tous… Ils ressemblent à Camille…»

Il se recula, il s'assit sur le divan, sans pouvoir détacher les yeux des têtes d'étude. La première était une face de vieillard, avec une longue barbe blanche ; sous cette barbe blanche, l'artiste 200 devinait le menton maigre de Camille. La seconde représentait une jeune fille blonde, et cette jeune fille le regardait avec les yeux bleus de sa victime. Les trois autres figures avaient chacune quelque trait du noyé. On eût dit Camille grimé en vieillard, en jeune fille, prenant le déguisement qu'il plaisait au peintre de lui don-205 ner, mais gardant toujours le caractère général de sa physionomie. Il existait une autre ressemblance terrible entre ces têtes : elles paraissaient souffrantes et terrifiées, elles étaient comme écrasées sous le même sentiment d'horreur. Chacune avait un léger pli à gauche de la bouche, qui tirait les lèvres et les faisait grimacer. Ce 210 pli, que Laurent se rappela avoir vu sur la face convulsionnée du noyé, les frappait d'un signe d'ignoble parenté.

Laurent comprit qu'il avait trop regardé Camille à la Morgue. L'image du cadavre s'était gravée profondément en lui. Maintenant, sa main, sans qu'il en eût conscience, traçait 215 toujours les lignes de ce visage atroce dont le souvenir le suivait partout.

---

1. *Carré* : palier d'étage.

Peu à peu, le peintre, qui se renversait sur le divan, crut voir les figures s'animer. Et il eut cinq Camille devant lui, cinq Camille que ses propres doigts avaient puissamment créés, et qui, par une étrangeté effrayante, prenaient tous les âges et tous les sexes. Il se leva, il lacéra les toiles et les jeta dehors. Il se disait qu'il mourrait d'effroi dans son atelier, s'il le peuplait lui-même des portraits de sa victime.

Une crainte venait de le prendre : il redoutait de ne pouvoir plus dessiner une tête, sans dessiner celle du noyé. Il voulut savoir tout de suite s'il était maître de sa main. Il posa une toile blanche sur son chevalet ; puis, avec un bout de fusain, il indiqua une figure en quelques traits. La figure ressemblait à Camille. Laurent effaça brusquement cette esquisse et en tenta une autre. Pendant une heure, il se débattit contre la fatalité qui poussait ses doigts. À chaque nouvel essai, il revenait à la tête du noyé. Il avait beau tendre sa volonté, éviter les lignes qu'il connaissait si bien ; malgré lui, il traçait ces lignes, il obéissait à ses muscles, à ses nerfs révoltés. Il avait d'abord jeté les croquis rapidement ; il s'appliqua ensuite à conduire le fusain avec lenteur. Le résultat fut le même : Camille, grimaçant et douloureux, apparaissait sans cesse sur la toile. L'artiste esquissa successivement les têtes les plus diverses, des têtes d'anges, de vierges avec des auréoles, de guerriers romains coiffés de leur casque, d'enfants blonds et roses, de vieux bandits couturés de cicatrices ; toujours, toujours le noyé renaissait, il était tour à tour ange, vierge, guerrier, enfant et bandit. Alors Laurent se jeta dans la caricature, il exagéra les traits, il fit des profils monstrueux, il inventa des têtes grotesques, et il ne réussit qu'à rendre plus horribles les portraits frappants de sa victime. Il finit par dessiner des animaux, des chiens et des chats ; les chiens et les chats ressemblaient vaguement à Camille.

Une rage sourde s'était emparée de Laurent. Il creva la toile d'un coup de poing, en songeant avec désespoir à son grand tableau. Maintenant il n'y fallait plus penser ; il sentait bien que, désormais, il ne dessinerait plus que la tête de Camille, et, comme

le lui avait dit son ami, des figures qui se ressembleraient toutes feraient rire. Il s'imaginait ce qu'aurait été son œuvre; il voyait sur les épaules de ses personnages, des hommes et des femmes, la face blafarde et épouvantée du noyé; l'étrange spectacle qu'il
255 évoquait ainsi lui parut d'un ridicule atroce et l'exaspéra.

Ainsi il n'oserait plus travailler, il redouterait toujours de ressusciter sa victime au moindre coup de pinceau. S'il voulait vivre paisible dans son atelier, il devrait ne jamais y peindre. Cette pensée que ses doigts avaient la faculté fatale et inconsciente de
260 reproduire sans cesse le portrait de Camille lui fit regarder sa main avec terreur. Il lui semblait que cette main ne lui appartenait plus.

XXVI

La crise dont Mme Raquin était menacée se déclara. Brusquement, la paralysie, qui depuis plusieurs mois rampait le long de ses membres, toujours près de l'étreindre, la prit à la gorge et lui lia le corps. Un soir, comme elle s'entretenait paisiblement avec
5 Thérèse et Laurent, elle resta, au milieu d'une phrase, la bouche béante : il lui semblait qu'on l'étranglait. Quand elle voulut crier, appeler au secours, elle ne put balbutier que des sons rauques. Sa langue était devenue de pierre. Ses mains et ses pieds s'étaient roidis. Elle se trouvait frappée de mutisme et d'immobilité.
10 Thérèse et Laurent se levèrent, effrayés devant ce coup de foudre, qui tordit la vieille mercière en moins de cinq secondes. Quand elle fut roide et qu'elle fixa sur eux des regards suppliants, ils la pressèrent de questions pour connaître la cause de sa souffrance. Elle ne put répondre, elle continua à les regarder avec
15 une angoisse profonde. Ils comprirent alors qu'ils n'avaient plus qu'un cadavre devant eux, un cadavre vivant à moitié qui les

voyait et les entendait, mais qui ne pouvait leur parler. Cette crise les désespéra : au fond, ils se souciaient peu des douleurs de la paralytique, ils pleuraient sur eux, qui vivraient désormais dans un éternel tête-à-tête.

Dès ce jour, la vie des époux devint intolérable, Ils passèrent des soirées cruelles, en face de la vieille impotente qui n'endormait plus leur effroi de ses doux radotages. Elle gisait dans un fauteuil, comme un paquet, comme une chose, et ils restaient seuls, aux deux bouts de la table, embarrassés et inquiets. Ce cadavre ne les séparait plus ; par moments, ils l'oubliaient, ils le confondaient avec les meubles. Alors leurs épouvantes de la nuit les prenaient, la salle à manger devenait, comme la chambre, un lieu terrible où se dressait le spectre de Camille. Ils souffrirent ainsi quatre ou cinq heures de plus par jour. Dès le crépuscule, ils frissonnaient, baissant l'abat-jour de la lampe pour ne pas se voir, tâchant de croire que Mme Raquin allait parler et leur rappeler ainsi sa présence. S'ils la gardaient, s'ils ne se débarrassaient pas d'elle, c'est que ses yeux vivaient encore, et qu'ils éprouvaient parfois quelque soulagement à les regarder se mouvoir et briller.

Ils plaçaient toujours la vieille impotente sous la clarté crue de la lampe, afin de bien éclairer son visage et de l'avoir sans cesse devant eux. Ce visage mou et blafard eût été un spectacle insoutenable pour d'autres, mais ils éprouvaient un tel besoin de compagnie, qu'ils y reposaient leurs regards avec une véritable joie. On eût dit le masque dissous d'une morte, au milieu duquel on aurait mis deux yeux vivants ; ces yeux seuls bougeaient, roulant rapidement dans leur orbite ; les joues, la bouche étaient comme pétrifiées, elles gardaient une immobilité qui épouvantait. Lorsque Mme Raquin se laissait aller au sommeil et baissait les paupières, sa face, alors toute blanche et toute muette, était vraiment celle d'un cadavre ; Thérèse et Laurent, qui ne sentaient plus personne avec eux, faisaient du bruit jusqu'à ce que la paralytique eût relevé les paupières et les eût regardés. Ils l'obligeaient ainsi à rester éveillée.

Ils la considéraient comme une distraction qui les tirait de leurs mauvais rêves. Depuis qu'elle était infirme, il fallait la soigner ainsi qu'un enfant. Les soins qu'ils lui prodiguaient les forçaient à secouer leurs pensées. Le matin, Laurent la levait, la
55 portait dans son fauteuil, et, le soir, il la remettait sur son lit ; elle était lourde encore, il devait user de toute sa force pour la prendre délicatement entre ses bras et la transporter. C'était également lui qui roulait son fauteuil. Les autres soins regardaient Thérèse : elle habillait l'impotente, elle la faisait manger, elle cher-
60 chait à comprendre ses moindres désirs. Mme Raquin conserva pendant quelques jours l'usage de ses mains, elle put écrire sur une ardoise et demander ainsi ce dont elle avait besoin ; puis ses mains moururent, il lui devint impossible de les soulever et de tenir un crayon ; dès lors, elle n'eut plus que le langage du regard,
65 il fallut que sa nièce devinât ce qu'elle désirait. La jeune femme se voua au rude métier de garde-malade ; cela lui créa une occupation de corps et d'esprit qui lui fit grand bien.

Les époux, pour ne point rester face à face, roulaient dès le matin, dans la salle à manger, le fauteuil de la pauvre vieille.
70 Ils l'apportaient entre eux, comme si elle eût été nécessaire à leur existence ; ils la faisaient assister à leurs repas, à toutes leurs entrevues. Ils feignaient de ne pas comprendre, lorsqu'elle témoignait le désir de passer dans sa chambre. Elle n'était bonne qu'à rompre leur tête-à-tête, elle n'avait pas le droit de vivre à part. À
75 huit heures, Laurent allait à son atelier, Thérèse descendait à la boutique, la paralytique demeurait seule dans la salle à manger jusqu'à midi ; puis, après le déjeuner, elle se trouvait seule de nouveau jusqu'à six heures. Souvent, pendant la journée, sa nièce montait et tournait autour d'elle, s'assurant si elle ne manquait
80 de rien. Les amis de la famille ne savaient quels éloges inventer pour exalter les vertus de Thérèse et de Laurent.

Les réceptions du jeudi continuèrent, et l'impotente y assista, comme par le passé. On approchait son fauteuil de la table ; de huit heures à onze heures elle tenait les yeux ouverts, regardant tour à tour les invités avec des lueurs pénétrantes. Les premiers jours, le vieux Michaud et Grivet demeurèrent un peu embarrassés en face du cadavre de leur vieille amie ; ils ne savaient quelle contenance tenir, ils n'éprouvaient qu'un chagrin médiocre, et ils se demandaient dans quelle juste mesure il était convenable de s'attrister. Fallait-il parler à cette face morte, fallait-il ne pas s'en occuper du tout ? Peu à peu, ils prirent le parti de traiter Mme Raquin comme si rien ne lui était arrivé. Ils finirent par feindre d'ignorer complètement son état. Ils causaient avec elle, faisant les demandes et les réponses, riant pour elle et pour eux, ne se laissant jamais démonter par l'expression rigide de son visage. Ce fut un étrange spectacle ; ces hommes avaient l'air de parler raisonnablement à une statue, comme les petites filles parlent à leur poupée. La paralytique se tenait roide et muette devant eux, et ils bavardaient, et ils multipliaient les gestes, ayant avec elle des conversations très animées. Michaud et Grivet s'applaudirent de leur excellente tenue. En agissant ainsi, ils croyaient faire preuve de politesse, ils s'évitaient, en outre, l'ennui des condoléances [1] d'usage. Mme Raquin devait être flattée de se voir traitée en personne bien portante, et, dès lors, il leur était permis de s'égayer en sa présence sans le moindre scrupule.

Grivet eut une manie. Il affirma qu'il s'entendait parfaitement avec Mme Raquin, qu'elle ne pouvait le regarder sans qu'il comprît sur-le-champ ce qu'elle désirait. C'était encore là une attention délicate. Seulement, à chaque fois, Grivet se trompait. Souvent, il interrompait la partie de dominos, il examinait la paralytique dont les yeux suivaient paisiblement le jeu, et il déclarait qu'elle demandait telle ou telle chose. Vérification faite, Mme Raquin ne demandait rien du tout ou demandait une chose toute différente. Cela ne décourageait pas Grivet, qui lançait un victorieux : « Quand je vous le disais ! » et qui recommençait quelques minu-

---

1. Condoléances : expression de la part que l'on prend à la douleur de quelqu'un.

tes plus tard. C'était une bien autre affaire lorsque l'impotente témoignait ouvertement un désir ; Thérèse, Laurent, les invités nommaient l'un après l'autre les objets qu'elle pouvait souhaiter. Grivet se faisait alors remarquer par la maladresse de ses offres.

120 Il nommait tout ce qui lui passait par la tête, au hasard, offrant toujours le contraire de ce que Mme Raquin désirait. Ce qui ne lui empêchait pas de répéter :

«Moi, je lis dans ses yeux comme dans un livre. Tenez, elle me dit que j'ai raison… N'est-ce pas, chère dame… Oui, oui.»

125 D'ailleurs, ce n'était pas une chose facile que de saisir les souhaits de la pauvre vieille. Thérèse seule avait cette science. Elle communiquait assez aisément avec cette intelligence murée, vivante encore et enterrée au fond d'une chair morte. Que se passait-il dans cette misérable créature qui vivait juste assez pour

130 assister à la vie sans y prendre part ? Elle voyait, elle entendait, elle raisonnait sans doute d'une façon nette et claire et elle n'avait plus le geste, elle n'avait plus la voix pour exprimer au-dehors les pensées qui naissaient en elle. Ses idées l'étouffaient peut-être. Elle n'aurait pu lever la main, ouvrir la bouche, quand même un

135 de ses mouvements, une de ses paroles eût décidé des destinées du monde. Son esprit était comme un de ces vivants qu'on ensevelit par mégarde et qui se réveillent dans la nuit de la terre, à deux ou trois mètres au-dessous du sol ; ils crient, ils se débattent, et l'on passe sur eux sans entendre leurs atroces lamentations.

140 Souvent, Laurent regardait Mme Raquin, les lèvres serrées, les mains allongées sur les genoux, mettant toute sa vie dans ses yeux vifs et rapides, et il se disait :

«Qui sait à quoi elle peut penser toute seule… Il doit se passer quelque drame cruel au fond de cette morte.»

145 Laurent se trompait, Mme Raquin était heureuse, heureuse des soins et de l'affection de ses chers enfants. Elle avait toujours rêvé de finir comme cela, lentement, au milieu de dévouements et de caresses. Certes, elle aurait voulu conserver la parole pour remercier ses amis qui l'aidaient à mourir en paix. Mais elle

acceptait son état sans révolte ; la vie paisible et retirée qu'elle avait toujours menée, les douceurs de son tempérament lui empêchaient de sentir trop rudement les souffrances du mutisme et de l'immobilité. Elle était redevenue enfant, elle passait des journées sans ennui, à regarder devant elle, à songer au passé. Elle finit même par goûter des charmes à rester bien sage dans son fauteuil, comme une petite fille.

Ses yeux prenaient chaque jour une douceur, une clarté plus pénétrantes. Elle en était arrivée à se servir de ses yeux comme d'une main, comme d'une bouche, pour demander et remercier. Elle suppléait, ainsi, d'une façon étrange et charmante, aux organes qui lui faisaient défaut. Ses regards étaient beaux, d'une beauté céleste, au milieu de sa face dont les chairs pendaient molles et grimaçantes. Depuis que ses lèvres tordues et inertes ne pouvaient plus sourire, elle souriait du regard, avec des tendresses adorables ; des lueurs humides passaient, et des rayons d'aurore sortaient des orbites. Rien n'était plus singulier que ces yeux qui riaient comme des lèvres dans ce visage mort ; le bas du visage restait morne et blafard, le haut s'éclairait divinement. C'était surtout pour ses chers enfants qu'elle mettait ainsi toutes ses reconnaissances, toutes les affections de son âme dans un simple coup d'œil. Lorsque, le soir et le matin, Laurent la prenait entre ses bras pour la transporter, elle le remerciait avec amour par des regards pleins d'une tendre effusion.

Elle vécut ainsi pendant plusieurs semaines, attendant la mort, se croyant à l'abri de tout nouveau malheur. Elle pensait avoir payé sa part de souffrance. Elle se trompait. Un soir, un effroyable coup l'écrasa.

Thérèse et Laurent avaient beau la mettre entre eux, en pleine lumière, elle ne vivait plus assez pour les séparer et les défendre contre leurs angoisses. Quand ils oubliaient qu'elle était là, qu'elle les voyait et les entendait, la folie les prenait, ils apercevaient Camille et cherchaient à le chasser. Alors, ils balbutiaient, ils laissaient échapper malgré eux des aveux, des phrases qui

finirent par tout révéler à Mme Raquin. Laurent eut une sorte de
185 crise pendant laquelle il parla comme un halluciné. Brusquement,
la paralytique comprit.

Une effrayante contraction passa sur son visage, et elle
éprouva une telle secousse, que Thérèse crut qu'elle allait bondir
et crier. Puis elle retomba dans une rigidité de fer. Cette espèce
190 de choc fut d'autant plus épouvantable qu'il sembla galvaniser [1]
un cadavre. La sensibilité, un instant rappelée, disparut ; l'impotente demeura plus écrasée, plus blafarde. Ses yeux, si doux
d'ordinaire, étaient devenus noirs et durs, pareils à des morceaux
de métal.

195 Jamais désespoir n'était tombé plus rudement dans un être.
La sinistre vérité, comme un éclair, brûla les yeux de la paralytique et entra en elle avec le heurt suprême d'un coup de foudre. Si
elle avait pu se lever, jeter le cri d'horreur qui montait à sa gorge,
maudire les assassins de son fils, elle eût moins souffert. Mais,
200 après avoir tout entendu, tout compris, il lui fallut rester immobile et muette, gardant en elle l'éclat de sa douleur. Il lui sembla
que Thérèse et Laurent l'avaient liée, clouée sur son fauteuil pour
l'empêcher de s'élancer, et qu'ils prenaient un atroce plaisir à
lui répéter : «Nous avons tué Camille», après avoir posé sur ses
205 lèvres un bâillon qui étouffait ses sanglots. L'épouvante, l'angoisse couraient furieusement dans son corps, sans trouver une
issue. Elle faisait des efforts surhumains pour soulever le poids
qui l'écrasait, pour dégager sa gorge et trouver ainsi passage
au flot de son désespoir. Et vainement elle tendait ses dernières
210 énergies ; elle sentait sa langue froide contre son palais, elle ne
pouvait s'arracher de la mort. Une impuissance de cadavre la
tenait rigide. Ses sensations ressemblaient à celles d'un homme
tombé en léthargie qu'on enterrerait et qui, bâillonné par les
liens de sa chair, entendrait sur sa tête le bruit sourd des pelletées
215 de sable.

---

1. *Galvaniser* : donner une vie apparente, animer momentanément.

Le ravage qui se fit dans son cœur fut plus terrible encore. Elle sentit en elle un écroulement qui la brisa. Sa vie entière était désolée, toutes ses tendresses, toutes ses bontés, tous ses dévouements venaient d'être brutalement renversés et foulés aux pieds. Elle avait mené une vie d'affection et de douceur, et, à ses heures dernières, lorsqu'elle allait emporter dans la tombe la croyance aux bonheurs calmes de l'existence, une voix lui criait que tout est mensonge et que tout est crime. Le voile qui se déchirait lui montrait, au-delà des amours et des amitiés qu'elle avait cru voir, un spectacle effroyable de sang et de honte. Elle eût injurié Dieu, si elle avait pu crier un blasphème. Dieu l'avait trompée pendant plus de soixante ans, en la traitant en petite fille douce et bonne, en amusant ses yeux par des tableaux mensongers de joie tranquille. Et elle était demeurée enfant, croyant sottement à mille choses niaises, ne voyant pas la vie réelle se traîner dans la boue sanglante des passions. Dieu était mauvais ; il aurait dû lui dire la vérité plus tôt, ou la laisser s'en aller avec ses innocences et son aveuglement. Maintenant, il ne lui restait qu'à mourir en niant l'amour, en niant l'amitié, en niant le dévouement. Rien n'existait que le meurtre et la luxure.

Hé quoi ! Camille était mort sous les coups de Thérèse et de Laurent, et ceux-ci avaient conçu le crime au milieu des hontes de l'adultère ! Il y avait pour Mme Raquin un tel abîme dans cette pensée, qu'elle ne pouvait la raisonner ni la saisir d'une façon nette et détaillée. Elle n'éprouvait qu'une sensation, celle d'une chute horrible ; il lui semblait qu'elle tombait dans un trou noir et froid. Et elle se disait : «Je vais aller me briser au fond.»

Après la première secousse, la monstruosité du crime lui parut invraisemblable. Puis elle eut peur de devenir folle, lorsque la conviction de l'adultère et du meurtre s'établit en elle, au souvenir de petites circonstances qu'elle ne s'était pas expliquées jadis. Thérèse et Laurent étaient bien les meurtriers de Camille, Thérèse qu'elle avait élevée, Laurent qu'elle avait aimé en mère dévouée et tendre. Cela tournait dans sa tête comme une roue immense,

250 avec un bruit assourdissant. Elle devinait des détails si ignobles, elle descendait dans une hypocrisie si grande, elle assistait en pensée à un double spectacle d'une ironie si atroce, qu'elle eût voulu mourir pour ne plus penser. Une seule idée, machinale et implacable, broyait son cerveau avec une pesanteur et un entête-
255 ment de meule. Elle se répétait : «Ce sont mes enfants qui ont tué mon enfant», et elle ne trouvait rien autre chose pour exprimer son désespoir.

Dans le brusque changement de son cœur, elle se cherchait avec égarement et ne se reconnaissait plus ; elle restait écrasée
260 sous l'envahissement brutal des pensées de vengeance qui chassaient toute la bonté de sa vie. Quand elle eut été transformée, il fit noir en elle ; elle sentit naître dans sa chair mourante un nouvel être, impitoyable et cruel, qui aurait voulu mordre les assassins de son fils.

265 Lorsqu'elle eut succombé sous l'étreinte accablante de la paralysie, lorsqu'elle eut compris qu'elle ne pouvait sauter à la gorge de Thérèse et de Laurent, qu'elle rêvait d'étrangler, elle se résigna au silence et à l'immobilité, et de grosses larmes tombèrent lentement de ses yeux. Rien ne fut plus navrant que ce désespoir muet
270 et immobile. Ces larmes qui coulaient une à une sur ce visage mort dont pas une ride ne bougeait, cette face inerte et blafarde qui ne pouvait pleurer par tous ses traits et où les yeux seuls sanglotaient, offraient un spectacle poignant.

Thérèse fut prise d'une pitié épouvantée.

275 «Il faut la coucher», dit-elle à Laurent, en lui montrant sa tante.

Laurent se hâta de rouler la paralytique dans sa chambre. Puis il se baissa pour la prendre entre ses bras. À ce moment, Mme Raquin espéra qu'un ressort puissant allait la mettre sur ses pieds ; elle tenta un effort suprême. Dieu ne pouvait permet-
280 tre que Laurent la serrât contre sa poitrine ; elle comptait que la foudre allait l'écraser s'il avait cette impudence monstrueuse. Mais aucun ressort ne la poussa, et le ciel réserva son tonnerre. Elle resta affaissée, passive, comme un paquet de linge. Elle fut

saisie, soulevée, transportée par l'assassin, elle éprouva l'angoisse
285 de se sentir, molle et abandonnée, entre les bras du meurtrier de
Camille. Sa tête roula sur l'épaule de Laurent, qu'elle regarda
avec des yeux agrandis par l'horreur.

«Va, va, regarde-moi bien, murmura-t-il, tes yeux ne me man-
geront pas... »
290 Et il la jeta brutalement sur le lit. L'impotente y tomba évanouie. Sa dernière pensée avait été une pensée de terreur et de
dégoût. Désormais, il lui faudrait, matin et soir, subir l'étreinte
immonde des bras de Laurent.

XXVII

Une crise d'épouvante avait seule pu amener les époux à parler, à faire des aveux en présence de Mme Raquin. Ils n'étaient
cruels ni l'un ni l'autre ; ils auraient évité une semblable révélation par humanité, si leur sûreté ne leur eût pas déjà fait une loi
5 de garder le silence.

Le jeudi suivant, ils furent singulièrement inquiets. Le matin,
Thérèse demanda à Laurent s'il croyait prudent de laisser la paralytique dans la salle à manger pendant la soirée. Elle savait tout,
elle pourrait donner l'éveil.
10 «Bah ! répondit Laurent, il lui est impossible de remuer le petit
doigt. Comment veux-tu qu'elle bavarde ?

– Elle trouvera peut-être un moyen, répondit Thérèse. Depuis
l'autre soir, je lis dans ses yeux une pensée implacable.

– Non, vois-tu, le médecin m'a dit que tout était bien fini
15 pour elle. Si elle parle encore une fois, elle parlera dans le dernier
hoquet de l'agonie... Elle n'en a pas pour longtemps, va. Ce
serait bête de charger encore notre conscience en l'empêchant
d'assister à cette soirée... »

Thérèse frissonna.

20 «Tu ne m'as pas comprise, cria-t-elle. Oh! tu as raison, il y a
assez de sang… Je voulais te dire que nous pourrions enfermer
ma tante dans sa chambre et prétendre qu'elle est plus souffrante,
et qu'elle dort.

– C'est cela, reprit Laurent, et cet imbécile de Michaud entre-
25 rait carrément dans la chambre pour voir quand même sa vieille
amie… Ce serait une excellente façon pour nous perdre.»

Il hésitait, il voulait paraître tranquille, et l'anxiété le faisait
balbutier.

«Il vaut mieux laisser aller les événements, continua-t-il. Ces
30 gens-là sont bêtes comme des oies; ils n'entendront certainement
rien aux désespoirs muets de la vieille. Jamais ils ne se douteront
de la chose, car ils sont trop loin de la vérité. Une fois l'épreuve
faite, nous serons tranquilles sur les suites de notre imprudence…
Tu verras, tout ira bien.»

35 Le soir, quand les invités arrivèrent, Mme Raquin occupait
sa place ordinaire, entre le poêle et la table. Laurent et Thérèse
jouaient la belle humeur, cachant leurs frissons, attendant avec
angoisse l'incident qui ne pouvait manquer de se produire. Ils
avaient baissé très bas l'abat-jour de la lampe; la toile cirée seule
40 était éclairée.

Les invités eurent ce bout de causerie banale et bruyante
qui précédait toujours la première partie de dominos. Grivet et
Michaud ne manquèrent pas d'adresser à la paralytique les questions d'usage sur sa santé, questions auxquelles ils firent eux-mê-
45 mes des réponses excellentes, comme ils en avaient l'habitude.
Après quoi, sans plus s'occuper de la pauvre vieille, la compagnie
se plongea dans le jeu avec délices.

Mme Raquin, depuis qu'elle connaissait l'horrible secret,
attendait fiévreusement cette soirée; elle avait réuni ses dernières
50 forces pour dénoncer les coupables. Jusqu'au dernier moment,
elle craignit de ne pas assister à la soirée; elle pensait que Laurent
la ferait disparaître, la tuerait peut-être, ou tout au moins l'en-

fermerait dans sa chambre. Quand elle vit qu'on la laissait là, quand elle fut en présence des invités, elle goûta une joie chaude
55 en songeant qu'elle allait tenter de venger son fils. Comprenant que sa langue était bien morte, elle essaya un nouveau langage. Par une puissance de volonté étonnante, elle parvint à galvaniser en quelque sorte sa main droite, à la soulever légèrement de son genou où elle était toujours étendue, inerte ; elle la fit ensuite ram-
60 per peu à peu le long d'un des pieds de la table, qui se trouvait devant elle, et parvint à la poser sur la toile cirée. Là, elle agita faiblement les doigts comme pour attirer l'attention.

Quand les joueurs aperçurent au milieu d'eux cette main de morte, blanche et molle, ils furent très surpris. Grivet s'arrêta,
65 le bras en l'air, au moment où il allait poser victorieusement le double-six. Depuis son attaque, l'impotente n'avait plus remué les mains.

«Hé ! voyez donc, Thérèse, cria Michaud, voilà Mme Raquin qui agite les doigts… Elle désire sans doute quelque chose.»
70 Thérèse ne put répondre ; elle avait suivi, ainsi que Laurent, le labeur de la paralytique, elle regardait la main de sa tante, bla-farde sous la lumière crue de la lampe, comme une main venge-resse qui allait parler. Les deux meurtriers attendaient, haletants.

«Pardieu ! oui, dit Grivet, elle désire quelque chose… Oh !
75 nous nous comprenons bien tous les deux… Elle veut jouer aux dominos… Hein ! n'est-ce pas, chère dame ? »

Mme Raquin fit un signe violent de dénégation [1]. Elle allon-gea un doigt, replia les autres, avec des peines infinies, et se mit à tracer péniblement des lettres sur la table. Elle n'avait pas indiqué
80 quelques traits, que Grivet s'écria de nouveau avec triomphe :

«Je comprends : elle dit que je fais bien de poser le double-six.»

L'impotente jeta sur le vieil employé un regard terrible et reprit le mot qu'elle voulait écrire. Mais, à chaque instant, Grivet

---

1. *Dénégation* : contestation, négation.

85 l'interrompait en déclarant que c'était inutile, qu'il avait compris, et il avançait une sottise. Michaud finit par le faire taire.

«Que diable! laissez parler Mme Raquin dit-il. Parlez, ma vieille amie.»

Et il regarda sur la toile cirée, comme il aurait prêté l'oreille.
90 Mais les doigts de la paralytique se lassaient, ils avaient recommencé un mot à plus de dix reprises, et ils ne traçaient plus ce mot qu'en s'égarant à droite et à gauche. Michaud et Olivier se penchaient, ne pouvant lire, forçant l'impotente à toujours reprendre les premières lettres.

95 «Ah! bien, s'écria tout à coup Olivier, j'ai lu, cette fois... Elle vient d'écrire votre nom, Thérèse... Voyons : *"Thérèse et..."* Achevez, chère dame.»

Thérèse faillit crier d'angoisse. Elle regardait les doigts de sa tante glisser sur la toile cirée, et il lui semblait que ces doigts
100 traçaient son nom et l'aveu de son crime en caractères de feu. Laurent s'était levé violemment, se demandant s'il n'allait pas se précipiter sur la paralytique et lui briser le bras. Il crut que tout était perdu, il sentit sur son être la pesanteur et le froid du châtiment, en voyant cette main revivre pour révéler l'assassinat
105 de Camille.

Mme Raquin écrivait toujours, d'une façon de plus en plus hésitante.

«C'est parfait, je lis très bien, reprit Olivier au bout d'un instant, en regardant les époux. Votre tante écrit vos deux noms :
110 «*Thérèse et Laurent...*»

La vieille dame fit coup sur coup des signes d'affirmation, en jetant sur les meurtriers des regards qui les écrasèrent. Puis elle voulut achever. Mais ses doigts s'étaient roidis, la volonté suprême qui les galvanisait lui échappait; elle sentait la paralysie
115 remonter lentement le long de son bras, et de nouveau s'emparer de son poignet. Elle se hâta, elle traça encore un mot. Le vieux Michaud lut à haute voix :

«*Thérèse et Laurent ont...*»

Et Olivier demanda :

«Qu'est-ce qu'ils ont, vos chers enfants ? »

Les meurtriers, pris d'une terreur folle, furent sur le point d'achever la phrase tout haut. Ils contemplaient la main vengeresse avec des yeux fixes et troubles, lorsque, tout d'un coup, cette main fut prise d'une convulsion et s'aplatit sur la table ; elle glissa et retomba le long du genou de l'impotente comme une masse de chair inanimée. La paralysie était revenue et avait arrêté le châtiment. Michaud et Olivier se rassirent, désappointés [1], tandis que Thérèse et Laurent goûtaient une joie si âcre, qu'ils se sentaient défaillir sous le flux brusque du sang qui battait dans leur poitrine.

Grivet était vexé de ne pas avoir été cru sur parole. Il pensa que le moment était venu de reconquérir son infaillibilité en complétant la phrase inachevée de Mme Raquin. Comme on cherchait le sens de cette phrase :

«C'est très clair, dit-il, je devine la phrase entière dans les yeux de madame. Je n'ai pas besoin qu'elle écrive sur une table, moi ; un de ses regards me suffit... Elle a voulu dire : "Thérèse et Laurent ont bien soin de moi."»

Grivet dut s'applaudir de son imagination, car toute la société fut de son avis. Les invités se mirent à faire l'éloge des époux, qui se montraient si bons pour la pauvre dame.

«Il est certain, dit gravement le vieux Michaud, que Mme Raquin a voulu rendre hommage aux tendres attentions que lui prodiguent ses enfants. Cela honore toute la famille.»

Et il ajouta en reprenant ses dominos :

«Allons, continuons. Où en étions-nous ?... Grivet allait poser le double-six, je crois.»

Grivet posa le double-six. La partie continua, stupide et monotone.

---

1. *Désappointés* : déçus, dépités.

150   La paralytique regardait sa main, abîmée [1] dans un affreux désespoir. Sa main venait de la trahir. Elle la sentait lourde comme du plomb, maintenant ; jamais plus elle ne pourrait la soulever. Le ciel ne voulait pas que Camille fût vengé, il retirait à sa mère le seul moyen de faire connaître aux hommes le meurtre dont il

155 avait été la victime. Et la malheureuse se disait qu'elle n'était plus bonne qu'à aller rejoindre son enfant dans la terre. Elle baissa les paupières, se sentant inutile désormais, voulant se croire déjà dans la nuit du tombeau.

XXVIII

    Depuis deux mois, Thérèse et Laurent se débattaient dans les angoisses de leur union. Ils souffraient l'un par l'autre. Alors la haine monta lentement en eux, ils finirent par se jeter des regards de colère, pleins de menaces sourdes.

5   La haine devait forcément venir. Ils s'étaient aimés comme des brutes, avec une passion chaude, toute de sang ; puis, au milieu des énervements du crime, leur amour était devenu de la peur, et ils avaient éprouvé une sorte d'effroi physique de leurs baisers ; aujourd'hui, sous la souffrance que le mariage, que la vie en com-

10 mun leur imposait, ils se révoltaient et s'emportaient.

    Ce fut une haine atroce, aux éclats terribles. Ils sentaient bien qu'ils se gênaient l'un l'autre ; ils se disaient qu'ils mèneraient une existence tranquille, s'ils n'étaient pas toujours là face à face. Quand ils étaient en présence, il leur semblait qu'un poids énorme

15 les étouffait, et ils auraient voulu écarter ce poids, l'anéantir ; leurs lèvres se pinçaient, des pensées de violence passaient dans leurs yeux clairs, il leur prenait des envies de s'entre-dévorer.

---

1. *Abîmée* : absorbée.

Au fond, une pensée unique les rongeait : ils s'irritaient contre leur crime, ils se désespéraient d'avoir à jamais troublé leur vie. De là venaient toute leur colère et toute leur haine. Ils sentaient que le mal était incurable, qu'ils souffriraient jusqu'à leur mort du meurtre de Camille, et cette idée de perpétuité dans la souffrance les exaspérait. Ne sachant sur qui frapper, ils s'en prenaient à eux-mêmes, ils s'exécraient.

Ils ne voulaient pas reconnaître tout haut que leur mariage était le châtiment fatal du meurtre ; ils se refusaient à entendre la voix intérieure qui leur criait la vérité, en étalant devant eux l'histoire de leur vie. Et pourtant, dans les crises d'emportement qui les secouaient, ils lisaient chacun nettement au fond de leur colère, ils devinaient les fureurs de leur être égoïste qui les avaient poussés à l'assassinat pour contenter ses appétits, et qui ne trouvait dans l'assassinat qu'une existence désolée et intolérable. Ils se souvenaient du passé, ils savaient que leur espérance trompée de luxure et de bonheur paisible les amenait seule aux remords ; s'ils avaient pu s'embrasser en paix et vivre en joie, ils n'auraient point pleuré Camille, ils se seraient engraissés de leur crime. Mais leur corps s'était révolté, refusant le mariage, et ils se demandaient avec terreur où allaient les conduire l'épouvante et le dégoût. Ils n'apercevaient qu'un avenir effroyable de douleur, qu'un dénouement sinistre et violent. Alors, comme deux ennemis qu'on aurait attachés ensemble et qui feraient de vains efforts pour se soustraire à cet embrassement forcé, ils tendaient leurs muscles et leurs nerfs, ils se roidissaient sans parvenir à se délivrer. Puis, comprenant que jamais ils n'échapperaient à leur étreinte, irrités par les cordes qui leur coupaient la chair, écœurés de leur contact, sentant à chaque heure croître leur malaise, oubliant qu'ils s'étaient eux-mêmes liés l'un à l'autre, et ne pouvant supporter leurs liens un instant de plus, ils s'adressaient des reproches sanglants, ils essayaient de souffrir moins, de panser les blessures qu'ils se faisaient, en s'injuriant, en s'étourdissant de leurs cris et de leurs accusations.

Chaque soir une querelle éclatait. On eût dit que les meurtriers cherchaient des occasions pour s'exaspérer, pour détendre
leurs nerfs roidis. Ils s'épiaient, se tâtaient du regard, fouillant
55 leurs blessures, trouvant le vif de chaque plaie, et prenant une
âcre volupté à se faire crier de douleur. Ils vivaient ainsi au milieu
d'une irritation continuelle, las d'eux-mêmes, ne pouvant plus
supporter un mot, un geste, un regard, sans souffrir et sans déli-
rer. Leur être entier se trouvait préparé pour la violence ; la plus
60 légère impatience, la contrariété la plus ordinaire grandissaient
d'une façon étrange dans leur organisme détraqué, et devenaient
tout d'un coup grosses de brutalité. Un rien soulevait un orage
qui durait jusqu'au lendemain. Un plat trop chaud, une fenêtre
ouverte, un démenti, une simple observation suffisaient pour les
65 pousser à de véritables crises de folie. Et toujours, à un moment
de la dispute, ils se jetaient le noyé à la face. De parole en parole,
ils en arrivaient à se reprocher la noyade de Saint-Ouen ; alors
ils voyaient rouge, ils s'exaltaient jusqu'à la rage. C'étaient des
scènes atroces, des étouffements, des coups, des cris ignobles,
70 des brutalités honteuses. D'ordinaire, Thérèse et Laurent s'exaspéraient ainsi après le repas ; ils s'enfermaient dans la salle à
manger pour que le bruit de leur désespoir ne fût pas entendu. Là,
ils pouvaient se dévorer à l'aise, au fond de cette pièce humide,
de cette sorte de caveau que la lampe éclairait de lueurs jaunâ-
75 tres. Leurs voix, au milieu du silence et de la tranquillité de l'air,
prenaient des sécheresses déchirantes. Et ils ne cessaient que
lorsqu'ils étaient brisés de fatigue ; alors seulement ils pouvaient
aller goûter quelques heures de repos. Leurs querelles devinrent
comme un besoin pour eux, comme un moyen de gagner le som-
80 meil en hébétant leurs nerfs.

Mme Raquin les écoutait. Elle était là sans cesse, dans son
fauteuil, les mains pendantes sur les genoux, la tête droite, la face
muette. Elle entendait tout, et sa chair morte n'avait pas un frisson. Ses yeux s'attachaient sur les meurtriers avec une fixité aiguë.
85 Son martyre devait être atroce. Elle sut ainsi, détail par détail,

les faits qui avaient précédé et suivi le meurtre de Camille, elle descendit peu à peu dans les saletés et les crimes de ceux qu'elle avait appelés ses chers enfants.

Les querelles des époux la mirent au courant des moindres circonstances, étalèrent devant son esprit terrifié, un à un, les épisodes de l'horrible aventure. Et à mesure qu'elle pénétrait plus avant dans cette boue sanglante, elle criait grâce, elle croyait toucher le fond de l'infamie, et il lui fallait descendre encore. Chaque soir, elle apprenait quelque nouveau détail. Toujours l'affreuse histoire s'allongeait devant elle; il lui semblait qu'elle était perdue dans un rêve d'horreur qui n'aurait pas de fin. Le premier aveu avait été brutal et écrasant, mais elle souffrait davantage de ces coups répétés, de ces petits faits que les époux laissaient échapper au milieu de leur emportement et qui éclairaient le crime de lueurs sinistres. Une fois par jour, cette mère entendait le récit de l'assassinat de son fils, et, chaque jour, ce récit devenait plus épouvantable, plus circonstancié, et était crié à ses oreilles avec plus de cruauté et d'éclat.

Parfois, Thérèse était prise de remords, en face de ce masque blafard sur lequel coulaient silencieusement de grosses larmes. Elle montrait sa tante à Laurent, le conjurant du regard de se taire.

« Eh! laisse donc! criait celui-ci avec brutalité, tu sais bien qu'elle ne peut pas nous livrer... Est-ce que je suis plus heureux qu'elle, moi?... Nous avons son argent, je n'ai pas besoin de me gêner. »

Et la querelle continuait, âpre, éclatante, tuant de nouveau Camille. Ni Thérèse ni Laurent n'osaient céder à la pensée de pitié qui leur venait parfois, d'enfermer la paralytique dans sa chambre, lorsqu'ils se disputaient, et de lui éviter ainsi le récit du crime. Ils redoutaient de s'assommer l'un l'autre, s'ils n'avaient plus entre eux ce cadavre à demi vivant. Leur pitié cédait devant leur lâcheté, ils imposaient à Mme Raquin des souffrances indicibles, parce qu'ils avaient besoin de sa présence pour se protéger contre leurs hallucinations.

120 Toutes leurs disputes se ressemblaient et les amenaient aux mêmes accusations. Dès que le nom de Camille était prononcé, dès que l'un d'eux accusait l'autre d'avoir tué cet homme, il y avait un choc effrayant.

Un soir, à dîner, Laurent, qui cherchait un prétexte pour s'ir-
125 riter, trouva que l'eau de la carafe était tiède ; il déclara que l'eau tiède lui donnait des nausées, et qu'il en voulait de la fraîche.

«Je n'ai pu me procurer de la glace, répondit sèchement Thérèse.

– C'est bien, je ne boirai pas, reprit Laurent.

130 – Cette eau est excellente.

– Elle est chaude et a un goût de bourbe [1]. On dirait de l'eau de rivière.»

Thérèse répéta :

«De l'eau de rivière… »

135 Et elle éclata en sanglots. Un rapprochement d'idées venait d'avoir lieu dans son esprit.

«Pourquoi pleures-tu ? demanda Laurent, qui prévoyait la réponse et qui pâlissait.

– Je pleure, sanglota la jeune femme, je pleure parce que… tu
140 le sais bien… Oh! mon Dieu! mon Dieu! c'est toi qui l'as tué.

– Tu mens ! cria l'assassin avec véhémence, avoue que tu mens… Si je l'ai jeté à la Seine, c'est que tu m'as poussé à ce meurtre.

– Moi! moi!

145 – Oui, toi !… Ne fais pas l'ignorante, ne m'oblige pas à te faire avouer de force la vérité. J'ai besoin que tu confesses ton crime, que tu acceptes ta part dans l'assassinat. Cela me tranquillise et me soulage.

– Mais ce n'est pas moi qui ai noyé Camille.

150 – Si, mille fois si, c'est toi !… Oh! tu feins l'étonnement et l'oubli. Attends, je vais rappeler tes souvenirs.»

---

1. *Bourbe* : boue, limon, fange.

Il se leva de table, se pencha vers la jeune femme, et, le visage en feu, lui cria dans la face :

«Tu étais au bord de l'eau, tu te souviens, et je t'ai dit tout
155 bas : "Je vais le jeter à la rivière." Alors tu as accepté, tu es entrée dans la barque... Tu vois bien que tu l'as assassiné avec moi.

– Ce n'est pas vrai... J'étais folle, je ne sais plus ce que j'ai fait, mais je n'ai jamais voulu le tuer. Toi seul as commis le crime.»

Ces dénégations torturaient Laurent. Comme il le disait,
160 l'idée d'avoir une complice le soulageait ; il aurait tenté, s'il l'avait osé, de se prouver à lui-même que toute l'horreur du meurtre retombait sur Thérèse. Il lui venait des envies de battre la jeune femme pour lui faire confesser qu'elle était la plus coupable.

165 Il se mit à marcher de long en large, criant, délirant, suivi par les regards fixes de Mme Raquin.

«Ah ! la misérable ! la misérable ! balbutiait-il d'une voix étranglée, elle veut me rendre fou... Eh ! n'es-tu pas montée un soir dans ma chambre comme une prostituée, ne m'as-tu pas saoulé
170 de tes caresses pour me décider à te débarrasser de ton mari ? Il te déplaisait, il sentait l'enfant malade, me disais-tu lorsque je venais te voir ici... Il y a trois ans, est-ce que je pensais à tout cela, moi ? est-ce que j'étais un coquin [1] ? Je vivais tranquille, en honnête homme, ne faisant de mal à personne. Je n'aurais pas
175 écrasé une mouche.

– C'est toi qui as tué Camille, répéta Thérèse avec une obstination désespérée qui faisait perdre la tête à Laurent.

– Non, c'est toi, je te dis que c'est toi, reprit-il avec un éclat terrible... Vois-tu, ne m'exaspère pas, cela pourrait mal finir...
180 Comment, malheureuse, tu ne te rappelles rien ! Tu t'es livrée à moi comme une fille, là, dans la chambre de ton mari ; tu m'y as fait connaître des voluptés qui m'ont affolé. Avoue que tu avais

---

1. Coquin : personne sans scrupules, capable d'actions malhonnêtes, répréhensibles.

calculé tout cela, que tu haïssais Camille, et que depuis longtemps tu voulais le tuer. Tu m'as sans doute pris pour amant afin
185 de me heurter contre lui et de le briser.

– Ce n'est pas vrai... C'est monstrueux ce que tu dis là...
Tu n'as pas le droit de me reprocher ma faiblesse. Je puis dire,
comme toi, qu'avant de te connaître, j'étais une honnête femme
qui n'avait jamais fait de mal à personne. Si je t'ai rendu fou, tu
190 m'as rendue plus folle encore. Ne nous disputons pas, entends-tu,
Laurent... J'aurais trop de choses à te reprocher.

– Qu'aurais-tu donc à me reprocher ?

– Non, rien... Tu ne m'as pas sauvée de moi-même, tu as
profité de mes abandons, tu t'es plu à désoler ma vie... Je te
195 pardonne tout cela... Mais, par grâce, ne m'accuse pas d'avoir
tué Camille. Garde ton crime pour toi, ne cherche pas à m'épouvanter davantage.»

Laurent leva la main pour frapper Thérèse au visage.

«Bats-moi, j'aime mieux ça, ajouta-t-elle, je souffrirai moins.»
200 Et elle tendit la face. Il se retint, il prit une chaise et s'assit à
côté de la jeune femme.

«Écoute, lui dit-il d'une voix qu'il s'efforçait de rendre calme,
il y a de la lâcheté à refuser ta part du crime. Tu sais parfaitement
que nous l'avons commis ensemble, tu sais que tu es aussi coupa-
205 ble que moi. Pourquoi veux-tu rendre ma charge plus lourde en te
disant innocente ? Si tu étais innocente, tu n'aurais pas consenti à
m'épouser. Souviens-toi des deux années qui ont suivi le meurtre.
Désires-tu tenter une épreuve ? Je vais aller tout dire au procureur [1] impérial, et tu verras si nous ne serons pas condamnés l'un
210 et l'autre.»

Ils frissonnèrent, et Thérèse reprit :

«Les hommes me condamneraient peut-être, mais Camille sait
bien que tu as tout fait... Il ne me tourmente pas la nuit comme
il te tourmente.

---

1. Procureur : magistrat.

215 – Camille me laisse en repos, dit Laurent pâle et tremblant, c'est toi qui le vois passer dans tes cauchemars, je t'ai entendue crier.

– Ne dis pas cela, s'écria la jeune femme avec colère, je n'ai pas crié, je ne veux pas que le spectre vienne. Oh ! je comprends,
220 tu cherches à le détourner de toi… Je suis innocente ! »

Ils se regardèrent terrifiés, brisés de fatigue, craignant d'avoir évoqué le cadavre du noyé. Leurs querelles finissaient toujours ainsi ; ils protestaient de leur innocence, ils cherchaient à se tromper eux-mêmes pour mettre en fuite les mauvais rêves. Leurs
225 continuels efforts tendaient à rejeter à tour de rôle la responsabilité du crime, à se défendre comme devant un tribunal, en faisant mutuellement peser sur eux les charges les plus graves. Le plus étrange était qu'ils ne parvenaient pas à être dupes de leurs serments, qu'ils se rappelaient parfaitement tous deux les
230 circonstances de l'assassinat. Ils lisaient des aveux dans leurs yeux, lorsque leurs lèvres se donnaient des démentis. C'étaient des mensonges puérils, des affirmations ridicules, la dispute toute de mots de deux misérables qui mentaient pour mentir, sans pouvoir se cacher qu'ils mentaient. Successivement, ils prenaient le
235 rôle d'accusateur, et, bien que jamais le procès qu'ils se faisaient n'eût amené un résultat, ils le recommençaient chaque soir avec un acharnement cruel. Ils savaient qu'ils ne se prouveraient rien, qu'ils ne parviendraient pas à effacer le passé, et ils tentaient toujours cette besogne, ils revenaient toujours à la charge, aiguillon-
240 nés par la douleur et l'effroi, vaincus à l'avance par l'accablante réalité. Le bénéfice le plus net qu'ils tiraient de leurs disputes était de produire une tempête de mots et de cris dont le tapage les étourdissait un moment.

Et tant que duraient leurs emportements, tant qu'ils s'ac-
245 cusaient, la paralytique ne les quittait pas du regard. Une joie ardente luisait dans ses yeux, lorsque Laurent levait sa large main sur la tête de Thérèse.

XXIX

Une nouvelle phase se déclara. Thérèse, poussée à bout par la peur, ne sachant où trouver une pensée consolante, se mit à pleurer le noyé tout haut devant Laurent.

Il y eut un brusque affaissement en elle. Ses nerfs trop tendus
5 se brisèrent, sa nature sèche et violente s'amollit. Déjà elle avait eu des attendrissements pendant les premiers jours du mariage. Ces attendrissements revinrent, comme une réaction nécessaire et fatale. Lorsque la jeune femme eut lutté de toute son énergie nerveuse contre le spectre de Camille, lorsqu'elle eut vécu pen-
10 dant plusieurs mois sourdement irritée, révoltée contre ses souf-frances, cherchant à les guérir par les seules volontés de son être, elle éprouva tout d'un coup une telle lassitude qu'elle plia et fut vaincue. Alors, redevenue femme, petite fille même, ne se sentant plus la force de se roidir, de se tenir fiévreusement debout en face
15 de ses épouvantes, elle se jeta dans la pitié, dans les larmes et les regrets, espérant y trouver quelque soulagement. Elle essaya de tirer parti des faiblesses de chair et d'esprit qui la prenaient ; peut-être le noyé, qui n'avait pas cédé devant ses irritations, céderait-il devant ses pleurs. Elle eut ainsi des remords par calcul, se disant
20 que c'était sans doute le meilleur moyen d'apaiser et de contenter Camille. Comme certaines dévotes, qui pensent tromper Dieu et en arracher un pardon en priant des lèvres et en prenant l'attitude humble de la pénitence, Thérèse s'humilia, frappa sa poitrine, trouva des mots de repentir, sans avoir au fond du cœur autre
25 chose que de la crainte et de la lâcheté. D'ailleurs, elle éprouvait une sorte de plaisir physique à s'abandonner, à se sentir molle et brisée, à s'offrir à la douleur sans résistance.

Elle accabla Mme Raquin de son désespoir larmoyant. La paralytique lui devint d'un usage journalier ; elle lui servait en
30 quelque sorte de prie-Dieu, de meuble devant lequel elle pouvait sans crainte avouer ses fautes et en demander le pardon. Dès

qu'elle éprouvait le besoin de pleurer, de se distraire en sanglotant, elle s'agenouillait devant l'impotente, et là, criait, étouffait,
jouait à elle seule une scène de remords qui la soulageait en l'af-
35 faiblissant.

« Je suis une misérable, balbutiait-elle, je ne mérite pas de
grâce. Je vous ai trompée, j'ai poussé votre fils à la mort. Jamais
vous ne me pardonnerez !... Et pourtant si vous lisiez en moi
les remords qui me déchirent, si vous saviez combien je souf-
40 fre, peut-être auriez-vous pitié... Non, pas de pitié pour moi.
Je voudrais mourir ainsi à vos pieds, écrasée par la honte et la
douleur.

Elle parlait de la sorte pendant des heures entières, passant
du désespoir à l'espérance, se condamnant, puis se pardonnant ;
45 elle prenait une voix de petite fille malade, tantôt brève, tantôt
plaintive ; elle s'aplatissait sur le carreau et se redressait ensuite,
obéissant à toutes les idées d'humilité et de fierté, de repentir et
de révolte qui lui passaient par la tête. Parfois même elle oubliait
qu'elle était agenouillée devant Mme Raquin, elle continuait son
50 monologue dans le rêve. Quand elle s'était bien étourdie de ses
propres paroles, elle se relevait chancelante, hébétée, et elle descendait à la boutique, calmée, ne craignant plus d'éclater en sanglots nerveux devant ses clientes. Lorsqu'un nouveau besoin de
remords la prenait, elle se hâtait de remonter et de s'agenouiller
55 encore aux pieds de l'impotente. Et la scène recommençait dix
fois par jour.

Thérèse ne songeait jamais que ses larmes et l'étalage de son
repentir devaient imposer à sa tante des angoisses indicibles. La
vérité était que, si l'on avait cherché à inventer un supplice pour
60 torturer Mme Raquin, on n'en aurait pas à coup sûr trouvé de
plus effroyable que la comédie du remords jouée par sa nièce. La
paralytique devinait l'égoïsme caché sous ces effusions de douleur. Elle souffrait horriblement de ces longs monologues qu'elle
était forcée de subir à chaque instant, et qui toujours remettaient
65 devant elle l'assassinat de Camille. Elle ne pouvait pardonner,

elle s'enfermait dans une pensée implacable de vengeance, que son impuissance rendait plus aiguë, et, toute la journée, il lui fallait entendre des demandes de pardon, des prières humbles et lâches. Elle aurait voulu répondre ; certaines phrases de sa nièce
70 faisaient monter à sa gorge des refus écrasants, mais elle devait rester muette, laissant Thérèse plaider sa cause, sans jamais l'interrompre. L'impossibilité où elle était de crier et de se boucher les oreilles l'emplissait d'un tourment inexprimable. Et, une à une, les paroles de la jeune femme entraient dans son esprit, len-
75 tes et plaintives, comme un chant irritant. Elle crut un instant que les meurtriers lui infligeaient ce genre de supplice par une pensée diabolique de cruauté. Son unique moyen de défense était de fermer les yeux, dès que sa nièce s'agenouillait devant elle ; si elle l'entendait, elle ne la voyait pas.

80 Thérèse finit par s'enhardir jusqu'à embrasser sa tante. Un jour, pendant un accès de repentir, elle feignit d'avoir surpris dans les yeux de la paralytique une pensée de miséricorde ; elle se traîna sur les genoux, elle se souleva, en criant d'une voix éperdue : « Vous me pardonnez ! vous me pardonnez ! » puis elle baisa
85 le front et les joues de la pauvre vieille, qui ne put rejeter la tête en arrière. La chair froide sur laquelle Thérèse posa les lèvres lui causa un violent dégoût. Elle pensa que ce dégoût serait, comme les larmes et les remords, un excellent moyen d'apaiser ses nerfs ; elle continua à embrasser chaque jour l'impotente, par pénitence
90 et pour se soulager.

« Oh ! que vous êtes bonne ! s'écriait-elle parfois. Je vois bien que mes larmes vous ont touchée… Vos regards sont pleins de pitié… Je suis sauvée… »

Et elle l'accablait de caresses, elle posait sa tête sur ses genoux,
95 lui baisait les mains, lui souriait d'une façon heureuse, la soignait avec les marques d'une affection passionnée. Au bout de quelque temps, elle crut à la réalité de cette comédie, elle s'imagina qu'elle avait obtenu le pardon de Mme Raquin, et ne l'entretint plus que du bonheur qu'elle éprouvait d'avoir sa grâce.

C'en était trop pour la paralytique. Elle faillit en mourir. Sous les baisers de sa nièce, elle ressentait cette sensation âcre de répugnance et de rage qui l'emplissait matin et soir, lorsque Laurent la prenait dans ses bras pour la lever ou la coucher. Elle était obligée de subir les caresses immondes de la misérable qui avait trahi et tué son fils, elle ne pouvait même essuyer de la main les baisers que cette femme laissait sur ses joues. Pendant de longues heures, elle sentait ces baisers qui la brûlaient. C'est ainsi qu'elle était devenue la poupée des meurtriers de Camille, poupée qu'ils habillaient, qu'ils tournaient à droite et à gauche, dont ils se servaient selon leurs besoins et leurs caprices. Elle restait inerte entre leurs mains, comme si elle n'avait eu que du son dans les entrailles, et cependant ses entrailles vivaient, révoltées et déchirées, au moindre contact de Thérèse ou de Laurent. Ce qui l'exaspéra surtout, ce fut l'atroce moquerie de la jeune femme qui prétendait lire des pensées de miséricorde dans ses regards, lorsque ses regards auraient voulu foudroyer la criminelle. Elle fit souvent des efforts suprêmes pour jeter un cri de protestation, elle mit toute sa haine dans ses yeux. Mais Thérèse, qui trouvait son compte à se répéter vingt fois par jour qu'elle était pardonnée, redoubla de caresses, ne voulant rien deviner. Il fallut que la paralytique acceptât des remerciements et des effusions que son cœur repoussait. Elle vécut, dès lors, pleine d'une irritation amère et impuissante, en face de sa nièce assouplie qui cherchait des tendresses adorables pour la récompenser de ce qu'elle nommait sa bonté céleste.

Lorsque Laurent était là et que sa femme s'agenouillait devant Mme Raquin, il la relevait avec brutalité :

«Pas de comédie, lui disait-il. Est-ce que je pleure, est-ce que je me prosterne, moi ?… Tu fais tout cela pour me troubler.»

Les remords de Thérèse l'agitaient étrangement. Il souffrait davantage depuis que sa complice se traînait autour de lui, les yeux rougis par les larmes, les lèvres suppliantes. La vue de ce regret vivant redoublait ses effrois, augmentait son malaise.

C'était comme un reproche éternel qui marchait dans la maison.
135 Puis, il craignait que le repentir ne poussât un jour sa femme à
tout révéler. Il aurait préféré qu'elle restât roidie et menaçante,
se défendant avec âpreté contre ses accusations. Mais elle avait
changé de tactique, elle reconnaissait volontiers maintenant la
part qu'elle avait prise au crime, elle s'accusait elle-même, elle
140 se faisait molle et craintive, et partait de là pour implorer la
rédemption [1] avec des humilités ardentes. Cette attitude irritait
Laurent. Leurs querelles étaient, chaque soir, plus accablantes et
plus sinistres.

«Écoute, disait Thérèse à son mari, nous sommes de grands
145 coupables, il faut nous repentir, si nous voulons goûter quelque
tranquillité… Vois, depuis que je pleure, je suis plus paisible.
Imite-moi. Disons ensemble que nous sommes justement punis
d'avoir commis un crime horrible.

– Bah! répondait brusquement Laurent, dis ce que tu voudras.
150 Je te sais diablement habile et hypocrite. Pleure, si cela peut te distraire. Mais, je t'en prie, ne me casse pas la tête avec tes larmes.

– Ah! tu es mauvais, tu refuses le remords. Tu es lâche, cependant, tu as pris Camille en traître.

– Veux-tu dire que je suis seul coupable?
155 – Non, je ne dis pas cela. Je suis coupable, plus coupable que
toi. J'aurais dû sauver mon mari de tes mains. Oh! je connais
toute l'horreur de ma faute, mais je tâche de me la faire pardonner, et j'y réussirai, Laurent, tandis que toi, tu continueras à
mener une vie désolée… Tu n'as pas même le cœur d'éviter à ma
160 pauvre tante la vue de tes ignobles colères, tu ne lui as jamais
adressé un mot de regret.»

Et elle embrassait Mme Raquin, qui fermait les yeux. Elle tournait autour d'elle, remontant l'oreiller qui lui soutenait la tête, lui
prodiguant mille amitiés [2]. Laurent était exaspéré.

---

1. *Rédemption* : rachat.
2. *Amitiés* : caresses, signes d'affection.

165 «Eh! laisse-la, criait-il, tu ne vois pas que ta vue et tes soins lui
sont odieux. Si elle pouvait lever la main, elle te souffletterait.»

Les paroles lentes et plaintives de sa femme, ses attitudes rési-
gnées le faisaient peu à peu entrer dans des colères aveugles. Il
voyait bien quelle était sa tactique; elle voulait ne plus faire cause
170 commune avec lui, se mettre à part, au fond de ses regrets, afin
de se soustraire aux étreintes du noyé. Par moments, il se disait
qu'elle avait peut-être pris le bon chemin, que les larmes la gué-
riraient de ses épouvantes, et il frissonnait à la pensée d'être seul
à souffrir, seul à avoir peur. Il aurait voulu se repentir, lui aussi,
175 jouer tout au moins la comédie du remords, pour essayer; mais il
ne pouvait trouver les sanglots et les mots nécessaires, il se rejetait
dans la violence, il secouait Thérèse pour l'irriter et la ramener avec
lui dans la folie furieuse. La jeune femme s'étudiait à rester inerte,
à répondre par des soumissions larmoyantes aux cris de sa colère,
180 à se faire d'autant plus humble et plus repentante qu'il se montrait
plus rude. Laurent montait ainsi jusqu'à la rage. Pour mettre le
comble à son irritation, Thérèse finissait toujours par faire le panégyrique [1] de Camille, par étaler les vertus de sa victime.

«Il était bon, disait-elle, et il a fallu que nous fussions bien
185 cruels pour nous attaquer à cet excellent cœur qui n'avait jamais
eu une mauvaise pensée.

– Il était bon, oui, je sais, ricanait Laurent, tu veux dire qu'il
était bête, n'est-ce pas… Tu as donc oublié? Tu prétendais que la
moindre de ses paroles t'irritait, qu'il ne pouvait ouvrir la bouche
190 sans laisser échapper une sottise.

– Ne raille pas… Il ne te manque plus que d'insulter l'homme
que tu as assassiné… Tu ne connais rien au cœur des femmes,
Laurent; Camille m'aimait et je l'aimais.

– Tu l'aimais, ah! vraiment, voilà qui est bien trouvé… C'est
195 sans doute parce que tu aimais ton mari que tu m'as pris pour
amant… Je me souviens d'un jour où tu te traînais sur ma poi-

---

1. *Panégyrique* : éloge, discours laudateur.

trine en me disant que Camille t'écœurait lorsque tes doigts s'enfonçaient dans sa chair comme dans de l'argile... Oh ! je sais pourquoi tu m'as aimé, moi. Il te fallait des bras autrement vigoureux que ceux de ce pauvre diable.

– Je l'aimais comme une sœur. Il était le fils de ma bienfaitrice, il avait toutes les délicatesses des natures faibles, il se montrait noble et généreux, serviable et aimant... Et nous l'avons tué, mon Dieu ! mon Dieu ! »

Elle pleurait, elle se pâmait. Mme Raquin lui jetait des regards aigus, indignée d'entendre l'éloge de Camille dans une pareille bouche. Laurent, ne pouvant rien contre ce débordement de larmes, se promenait à pas fiévreux, cherchant quelque moyen suprême pour étouffer les remords de Thérèse. Tout le bien qu'il entendait dire de sa victime finissait par lui causer une anxiété poignante ; il se laissait prendre parfois aux accents déchirants de sa femme, il croyait réellement aux vertus de Camille, et ses effrois redoublaient. Mais ce qui le jetait hors de lui, ce qui l'amenait à des actes de violence, c'était le parallèle que la veuve du noyé ne manquait jamais d'établir entre son premier et son second mari, tout à l'avantage du premier.

« Eh bien ! oui, criait-elle, il était meilleur que toi, je préférerais qu'il vécût encore et que tu fusses à sa place couché dans la terre. »

Laurent haussait d'abord les épaules.

« Tu as beau dire, continuait-elle en s'animant, je ne l'ai peut-être pas aimé de son vivant, mais maintenant je me souviens et je l'aime... Je l'aime et je te hais, vois-tu. Toi, tu es un assassin...

– Te tairas-tu ! hurlait Laurent.

– Et lui, il est une victime, un honnête homme qu'un coquin a tué. Oh ! tu ne me fais pas peur... Tu sais bien que tu es un misérable, un homme brutal, sans cœur, sans âme. Comment veux-tu que je t'aime, maintenant que te voilà couvert du sang de Camille ?... Camille avait toutes les tendresses pour moi, et je te tuerais, entends-tu ? si cela pouvait ressusciter Camille et me rendre son amour.

– Te tairas-tu, misérable ?

– Pourquoi me tairais-je ? je dis la vérité. J'achèterais le pardon au prix de ton sang. Ah ! que je pleure et que je souffre ! C'est ma faute si ce scélérat a assassiné mon mari… Il faudra que j'aille une nuit baiser la terre où il repose. Ce sont là mes dernières voluptés.»

Laurent, ivre, rendu furieux par les tableaux atroces que Thérèse étalait devant ses yeux, se précipitait sur elle, la renversait par terre et la serrait sous son genou, le poing haut.

«C'est cela, criait-elle, frappe-moi, tue-moi… Jamais Camille n'a levé la main sur ma tête, mais toi, tu es un monstre ! »

Et Laurent, fouetté par ces paroles, la secouait avec rage, la battait, meurtrissait son corps de son poing fermé. À deux reprises, il faillit l'étrangler. Thérèse mollissait sous les coups ; elle goûtait une volupté âpre à être frappée ; elle s'abandonnait, elle s'offrait, elle provoquait son mari pour qu'il l'assommât davantage. C'était encore là un remède contre les souffrances de sa vie ; elle dormait mieux la nuit, quand elle avait été bien battue le soir. Mme Raquin goûtait des délices cuisantes, lorsque Laurent traînait ainsi sa nièce sur le carreau, lui labourant le corps de coups de pied.

L'existence de l'assassin était effroyable, depuis le jour où Thérèse avait eu l'infernale invention d'avoir des remords et de pleurer tout haut Camille. À partir de ce moment, le misérable vécut éternellement avec sa victime ; à chaque heure, il dut entendre sa femme louant et regrettant son premier mari. La moindre circonstance devenait un prétexte : Camille faisait ceci, Camille faisait cela, Camille avait telle qualité, Camille aimait de telle manière. Toujours Camille, toujours des phrases attristées qui pleuraient sur la mort de Camille. Thérèse employait toute sa méchanceté à rendre plus cruelle cette torture qu'elle infligeait à Laurent pour se sauvegarder elle-même. Elle descendit dans les détails les plus intimes, elle conta les mille riens de sa jeunesse avec des soupirs de regret, et mêla ainsi le souvenir du noyé à

chacun des actes de la vie journalière. Le cadavre, qui hantait déjà
la maison, y fut introduit ouvertement. Il s'assit sur les sièges, se
mit devant la table, s'étendit dans le lit, se servit des meubles,
des objets qui traînaient. Laurent ne pouvait toucher une four-
chette, une brosse, n'importe quoi, sans que Thérèse lui fît sentir
que Camille avait touché cela avant lui. Sans cesse heurté contre
l'homme qu'il avait tué, le meurtrier finit par éprouver une sensation bizarre qui faillit le rendre fou ; il s'imagina, à force d'être
comparé à Camille, de se servir des objets dont Camille s'était
servi, qu'il était Camille, qu'il s'identifiait avec sa victime. Son
cerveau éclatait, et alors il se ruait sur sa femme pour la faire taire,
pour ne plus entendre les paroles qui le poussaient au délire.
Toutes leurs querelles se terminaient par des coups.

XXX

Il vint une heure où Mme Raquin, pour échapper aux souffrances qu'elle endurait, eut la pensée de se laisser mourir de
faim. Son courage était à bout, elle ne pouvait supporter plus
longtemps le martyre que lui imposait la continuelle présence
des meurtriers, elle rêvait de chercher dans la mort un soulagement suprême. Chaque jour ses angoisses devenaient plus vives,
lorsque Thérèse l'embrassait, lorsque Laurent la prenait dans ses
bras et la portait comme un enfant. Elle décida qu'elle échappe-
rait à ces caresses et à ces étreintes qui lui causaient d'horribles
dégoûts. Puisqu'elle ne vivait déjà plus assez pour venger son fils,
elle préférait être tout à fait morte et ne laisser entre les mains des
assassins qu'un cadavre qui ne sentirait rien et dont ils feraient
ce qu'ils voudraient.

Pendant deux jours, elle refusa toute nourriture, mettant ses
dernières forces à serrer les dents, rejetant ce qu'on réussissait à

lui introduire dans la bouche. Thérèse était désespérée ; elle se demandait au pied de quelle borne elle irait pleurer et se repentir, quand sa tante ne serait plus là. Elle lui tint d'interminables discours pour lui prouver qu'elle devait vivre ; elle pleura, elle
20 se fâcha même, retrouvant ses anciennes colères, ouvrant les mâchoires de la paralytique comme on ouvre celles d'un animal qui résiste. Mme Raquin tenait bon. C'était une lutte odieuse.

Laurent restait parfaitement neutre et indifférent. Il s'étonnait de la rage que Thérèse mettait à empêcher le suicide de l'im-
25 potente. Maintenant que la présence de la vieille femme leur était inutile, il souhaitait sa mort. Il ne l'aurait pas tuée, mais puisqu'elle désirait mourir, il ne voyait pas la nécessité de lui en refuser les moyens.

«Eh ! laisse-la donc, criait-il à sa femme. Ce sera un bon
30 débarras… Nous serons peut-être plus heureux, quand elle ne sera plus là.»

Cette parole, répétée à plusieurs reprises devant elle, causa à Mme Raquin une étrange émotion. Elle eut peur que l'espérance de Laurent ne se réalisât, qu'après sa mort le ménage ne goûtât
35 des heures calmes et heureuses. Elle se dit qu'elle était lâche de mourir, qu'elle n'avait pas le droit de s'en aller avant d'avoir assisté au dénouement de la sinistre aventure. Alors seulement elle pourrait descendre dans la nuit, pour dire à Camille : «Tu es vengé.» La pensée du suicide lui devint lourde, lorsqu'elle songea
40 tout d'un coup à l'ignorance qu'elle emporterait dans la tombe ; là, au milieu du froid et du silence de la terre, elle dormirait, éternellement tourmentée par l'incertitude où elle serait du châtiment de ses bourreaux. Pour bien dormir du sommeil de la mort, il lui fallait s'assoupir dans la joie cuisante de la vengeance, il lui fallait
45 emporter un rêve de haine satisfaite, un rêve qu'elle ferait pendant l'éternité. Elle prit les aliments que sa nièce lui présentait, elle consentit à vivre encore.

D'ailleurs, elle voyait bien que le dénouement ne pouvait être loin. Chaque jour, la situation entre les époux devenait plus ten-

50 due, plus insoutenable. Un éclat, qui devait tout briser, était immi-
nent. Thérèse et Laurent se dressaient plus menaçants l'un devant
l'autre, à toute heure. Ce n'était plus seulement la nuit qu'ils souffraient de leur intimité ; leurs journées entières se passaient au
milieu d'anxiétés, de crises déchirantes. Tout leur devenait effroi
55 et souffrance. Ils vivaient dans un enfer, se meurtrissant, rendant
amer et cruel ce qu'ils faisaient et ce qu'ils disaient, voulant se
pousser l'un l'autre au fond du gouffre qu'ils sentaient sous leurs
pieds, et tombant à la fois.

La pensée de la séparation leur était bien venue à tous deux.
60 Ils avaient rêvé, chacun de son côté, de fuir, d'aller goûter quelque repos, loin de ce passage du Pont-Neuf dont l'humidité et la
crasse semblaient faites pour leur vie désolée. Mais ils n'osaient,
ils ne pouvaient se sauver. Ne point se déchirer mutuellement,
ne point rester là pour souffrir et se faire souffrir, leur paraissait
65 impossible. Ils avaient l'entêtement de la haine et de la cruauté.
Une sorte de répulsion et d'attraction les écartait et les retenait à
la fois ; ils éprouvaient cette sensation étrange de deux personnes
qui, après s'être querellées, veulent se séparer, et qui cependant
reviennent toujours pour se crier de nouvelles injures. Puis des
70 obstacles matériels s'opposaient à leur fuite, ils ne savaient que
faire de l'impotente, ni que dire aux invités du jeudi. S'ils fuyaient,
peut-être se douterait-on de quelque chose ; alors ils s'imaginaient
qu'on les poursuivait, qu'on les guillotinait. Et ils restaient par
lâcheté, ils restaient et se traînaient misérablement dans l'horreur
75 de leur existence.

Quand Laurent n'était pas là, pendant la matinée et l'après-
midi, Thérèse allait de la salle à manger à la boutique, inquiète
et troublée, ne sachant comment remplir le vide qui chaque jour
se creusait davantage en elle. Elle était désœuvrée, lorsqu'elle ne
80 pleurait pas aux pieds de Mme Raquin ou qu'elle n'était pas battue et injuriée par son mari. Dès qu'elle se trouvait seule dans la
boutique, un accablement la prenait, elle regardait d'un air hébété
les gens qui traversaient la galerie sale et noire, elle devenait triste

à mourir au fond de ce caveau sombre, puant le cimetière. Elle
85 finit par prier Suzanne de venir passer les journées entières avec
elle, espérant que la présence de cette pauvre créature, douce et
pâle, la calmerait.

Suzanne accepta son offre avec joie ; elle l'aimait toujours
d'une sorte d'amitié respectueuse ; depuis longtemps elle avait le
90 désir de venir travailler avec elle, pendant qu'Olivier était à son
bureau. Elle apporta sa broderie et prit, derrière le comptoir, la
place vide de Mme Raquin.

Thérèse, à partir de ce jour, délaissa un peu sa tante. Elle
monta moins souvent pleurer sur ses genoux et baiser sa face
95 morte. Elle avait une autre occupation. Elle écoutait avec des
efforts d'intérêt les bavardages lents de Suzanne qui parlait de
son ménage, des banalités de sa vie monotone. Cela la tirait
d'elle-même. Elle se surprenait parfois à s'intéresser à des sottises,
ce qui la faisait ensuite sourire amèrement.

100 Peu à peu, elle perdit toute la clientèle qui fréquentait la boutique. Depuis que sa tante était étendue en haut dans son fauteuil,
elle laissait le magasin se pourrir, elle abandonnait les marchandises à la poussière et à l'humidité. Des odeurs de moisi traînaient,
des araignées descendaient du plafond, le parquet n'était pres-
105 que jamais balayé. D'ailleurs, ce qui mit en fuite les clientes fut
l'étrange façon dont Thérèse les recevait parfois. Lorsqu'elle était
en haut, battue par Laurent ou secouée par une crise d'effroi, et
que la sonnette de la porte du magasin tintait impérieusement,
il lui fallait descendre, sans presque prendre le temps de renouer
110 ses cheveux ni d'essuyer ses larmes ; elle servait alors avec brusquerie la cliente qui l'attendait, elle s'épargnait même souvent
la peine de la servir, en répondant, du haut de l'escalier de bois,
qu'elle ne tenait plus [1] de ce dont on demandait. Ces façons peu
engageantes n'étaient pas faites pour retenir les gens. Les petites
115 ouvrières du quartier, habituées aux amabilités doucereuses de

---

1. *Elle ne tenait plus* : elle ne disposait plus.

Mme Raquin, se retirèrent devant les rudesses et les regards fous de Thérèse. Quand cette dernière eut pris Suzanne avec elle, la défection [1] fut complète : les deux jeunes femmes, pour ne plus être dérangées au milieu de leurs bavardages, s'arrangèrent de manière à congédier les dernières acheteuses qui se présentaient encore. Dès lors, le commerce de mercerie cessa de fournir un sou aux besoins du ménage ; il fallut attaquer le capital des quarante et quelques mille francs.

Parfois, Thérèse sortait pendant des après-midi entières. Personne ne savait où elle allait. Elle avait sans doute pris Suzanne avec elle, non seulement pour lui tenir compagnie, mais aussi pour garder la boutique, pendant ses absences. Le soir, quand elle rentrait, éreintée, les paupières noires d'épuisement, elle retrouvait la petite femme d'Olivier, derrière le comptoir, affaissée, souriant d'un sourire vague, dans la même attitude où elle l'avait laissée cinq heures auparavant.

Cinq mois environ après son mariage, Thérèse eut une épouvante. Elle acquit la certitude qu'elle était enceinte. La pensée d'avoir un enfant de Laurent lui paraissait monstrueuse, sans qu'elle s'expliquât pourquoi. Elle avait vaguement peur d'accoucher d'un noyé. Il lui semblait sentir dans ses entrailles le froid d'un cadavre dissous et amolli. À tout prix, elle voulut débarrasser son sein de cet enfant qui la glaçait et qu'elle ne pouvait porter davantage. Elle ne dit rien à son mari, et, un jour, après l'avoir cruellement provoqué, comme il levait le pied contre elle, elle présenta le ventre. Elle se laissa frapper ainsi à en mourir. Le lendemain, elle faisait une fausse couche.

De son côté, Laurent menait une existence affreuse. Les journées lui semblaient d'une longueur insupportable ; chacune d'elles ramenait les mêmes angoisses, les mêmes ennuis lourds, qui l'accablaient à heures fixes avec une monotonie et une régularité écrasantes. Il se traînait dans sa vie, épouvanté chaque soir par

---

1. *Défection* : ici, débâcle, abandon de la boutique.

le souvenir de la journée et par l'attente du lendemain. Il savait
que, désormais, tous ses jours se ressembleraient, que tous lui
150 apporteraient d'égales souffrances. Et il voyait les semaines, les
mois, les années qui l'attendaient, sombres et implacables, venant
à la file, tombant sur lui et l'étouffant peu à peu. Lorsque l'avenir
est sans espoir, le présent prend une amertume ignoble. Laurent
n'avait plus de révolte, il s'avachissait, il s'abandonnait au néant
155 qui s'emparait déjà de son être. L'oisiveté le tuait. Dès le matin,
il sortait, ne sachant où aller, écœuré à la pensée de faire ce qu'il
avait fait la veille, et forcé malgré lui de le faire de nouveau. Il se
rendait à son atelier, par habitude, par manie. Cette pièce, aux
murs gris, d'où l'on ne voyait qu'un carré désert de ciel, l'emplis-
160 sait d'une tristesse morne. Il se vautrait sur son divan, les bras
pendants, la pensée alourdie. D'ailleurs, il n'osait plus toucher à
un pinceau. Il avait fait de nouvelles tentatives, et toujours la face
de Camille s'était mise à ricaner sur la toile. Pour ne pas glisser
à la folie, il finit par jeter sa boîte à couleurs dans un coin, par
165 s'imposer la paresse la plus absolue. Cette paresse forcée lui était
d'une lourdeur incroyable.

L'après-midi, il se questionnait avec angoisse pour savoir ce
qu'il ferait. Il restait pendant une demi-heure sur le trottoir de la
rue Mazarine, à se consulter, à hésiter sur les distractions qu'il
170 pourrait prendre. Il repoussait l'idée de remonter à son atelier, il
se décidait toujours à descendre la rue Guénégaud, puis à marcher
le long des quais. Et, jusqu'au soir, il allait devant lui, hébété, pris
de frissons brusques, lorsqu'il regardait la Seine. Qu'il fût dans
son atelier ou dans les rues, son accablement était le même. Le
175 lendemain, il recommençait, il passait la matinée sur son divan,
il se traînait l'après-midi le long des quais. Cela durait depuis des
mois, et cela pouvait durer pendant des années.

Parfois Laurent songeait qu'il avait tué Camille pour ne rien
faire ensuite, et il était tout étonné, maintenant qu'il ne faisait
180 rien, d'endurer de telles souffrances. Il aurait voulu se forcer au
bonheur. Il se prouvait qu'il avait tort de souffrir, qu'il venait

d'atteindre la suprême félicité, qui consiste à se croiser les bras, et qu'il était un imbécile de ne pas goûter en paix cette félicité. Mais ses raisonnements tombaient devant les faits. Il était obligé
185 de s'avouer au fond de lui que son oisiveté rendait ses angoisses plus cruelles en lui laissant toutes les heures de sa vie pour songer à ses désespoirs et en approfondir l'âpreté incurable. La paresse, cette existence de brute qu'il avait rêvée, était son châtiment. Par moments, il souhaitait avec ardeur une occupation qui le tirât
190 de ses pensées. Puis il se laissait aller, il retombait sous le poids de la fatalité sourde qui lui liait les membres pour l'écraser plus sûrement.

À la vérité, il ne goûtait quelque soulagement que lorsqu'il battait Thérèse, le soir. Cela le faisait sortir de sa douleur engourdie.
195 Sa souffrance la plus aiguë, souffrance physique et morale, lui venait de la morsure que Camille lui avait faite au cou. À certains moments, il s'imaginait que cette cicatrice lui couvrait tout le corps. S'il venait à oublier le passé, une piqûre ardente, qu'il croyait ressentir, rappelait le meurtre à sa chair et à son esprit.
200 Il ne pouvait se mettre devant un miroir sans voir s'accomplir le phénomène qu'il avait si souvent remarqué et qui l'épouvantait toujours ; sous l'émotion qu'il éprouvait, le sang montait à son cou, empourprait la plaie, qui se mettait à lui ronger la peau. Cette sorte de blessure vivant sur lui, se réveillant, rougissant
205 et le mordant au moindre trouble, l'effrayait et le torturait. Il finissait par croire que les dents du noyé avaient enfoncé là une bête qui le dévorait. Le morceau de son cou où se trouvait la cicatrice ne lui semblait plus appartenir à son corps ; c'était comme de la chair étrangère qu'on aurait collée en cet endroit, comme
210 une viande empoisonnée qui pourrissait ses propres muscles. Il portait ainsi partout avec lui le souvenir vivant et dévorant de son crime. Thérèse, quand il la battait, cherchait à l'égratigner à cette place ; elle y entrait parfois ses ongles et le faisait hurler de douleur. D'ordinaire, elle feignait de sangloter, dès qu'elle voyait
215 la morsure, afin de la rendre plus insupportable à Laurent. Toute

la vengeance qu'elle tirait de ses brutalités était de le martyriser à l'aide de cette morsure.

Il avait bien des fois été tenté, lorsqu'il se rasait, de s'entamer le cou, pour faire disparaître les marques des dents du noyé. Devant le miroir, quand il levait le menton et qu'il apercevait la tache rouge, sous la mousse blanche du savon, il lui prenait des rages soudaines, il approchait vivement le rasoir, près de couper en pleine chair. Mais le froid du rasoir sur sa peau le rappelait toujours à lui ; il avait une défaillance, il était obligé de s'asseoir et d'attendre que sa lâcheté rassurée lui permît d'achever de se faire la barbe.

Il ne sortait, le soir, de son engourdissement, que pour entrer dans des colères aveugles et puériles. Lorsqu'il était las de se quereller avec Thérèse et de la battre, il donnait, comme les enfants, des coups de pied dans les murs, il cherchait quelque chose à briser. Cela le soulageait. Il avait une haine particulière pour le chat tigré François qui, dès qu'il arrivait, allait se réfugier sur les genoux de l'impotente. Si Laurent ne l'avait pas encore tué, c'est qu'à la vérité il n'osait le saisir. Le chat le regardait avec de gros yeux ronds d'une fixité diabolique. C'étaient ces yeux, toujours ouverts sur lui, qui exaspéraient le jeune homme ; il se demandait ce que lui voulaient ces yeux qui ne le quittaient pas ; il finissait pas avoir de véritables épouvantes, s'imaginant des choses absurdes. Lorsque à table, à n'importe quel moment, au milieu d'une querelle ou d'un long silence, il venait tout d'un coup, en tournant la tête, à apercevoir les regards de François qui l'examinait d'un air lourd et implacable, il pâlissait, il perdait la tête, il était sur le point de crier au chat : «Hé ! parle donc, dis-moi au moins ce que tu me veux.» Quand il pouvait lui écraser une patte ou la queue, il le faisait avec une joie effrayée, et alors le miaulement de la pauvre bête le remplissait d'une vague terreur, comme s'il eût entendu le cri de douleur d'une personne. Laurent, à la lettre, avait peur de François. Depuis surtout que ce dernier vivait sur les genoux de l'impotente, comme au sein d'une forteresse inex-

250 pugnable [1], d'où il pouvait impunément braquer ses yeux verts sur son ennemi, le meurtrier de Camille établissait une vague ressemblance entre cette bête irritée et la paralytique. Il se disait que le chat, ainsi que Mme Raquin, connaissait le crime et le dénoncerait, si jamais il parlait un jour.

255 Un soir enfin, François regarda si fixement Laurent, que celui-ci, au comble de l'irritation, décida qu'il fallait en finir. Il ouvrit toute grande la fenêtre de la salle à manger, et vint prendre le chat par la peau du cou. Mme Raquin comprit ; deux grosses larmes coulèrent sur ses joues. Le chat se mit à gronder, à se roi-
260 dir, en tâchant de se retourner pour mordre la main de Laurent. Mais celui-ci tint bon ; il lui fit faire deux ou trois tours, puis l'envoya de toute la force de son bras contre la muraille noire d'en face. François s'y aplatit, s'y cassa les reins, et retomba sur le vitrage du passage. Pendant toute la nuit, la misérable bête se
265 traîna le long de la gouttière, l'échine brisée, en poussant des miaulements rauques. Cette nuit-là, Mme Raquin pleura François presque autant qu'elle avait pleuré Camille ; Thérèse eut une atroce crise de nerfs. Les plaintes du chat étaient sinistres, dans l'ombre, sous les fenêtres.

270 Bientôt Laurent eut de nouvelles inquiétudes. Il s'effraya de certains changements qu'il remarqua dans l'attitude de sa femme.

Thérèse devint sombre, taciturne. Elle ne prodigua plus à Mme Raquin des effusions de repentir, des baisers reconnais-
275 sants. Elle reprenait devant la paralytique des airs de cruauté froide, d'indifférence égoïste. On eût dit qu'elle avait essayé du remords, et que, le remords n'ayant pas réussi à la soulager, elle s'était tournée vers un autre remède. Sa tristesse venait sans doute de son impuissance à calmer sa vie. Elle regarda l'impotente avec
280 une sorte de dédain, comme une chose inutile qui ne pouvait même plus servir à sa consolation. Elle ne lui accorda que les

---

1. *Inexpugnable* : qui ne peut être vaincu, qui résiste à tous les assauts.

soins nécessaires pour ne pas la laisser mourir de faim. À partir de ce moment, muette, accablée, elle se traîna dans la maison. Elle multiplia ses sorties, s'absenta jusqu'à quatre et cinq fois par semaine.

Ces changements surprirent et alarmèrent Laurent. Il crut que le remords, prenant une nouvelle forme chez Thérèse, se manifestait maintenant par cet ennui morne qu'il remarquait en elle. Cet ennui lui parut bien plus inquiétant que le désespoir bavard dont elle l'accablait auparavant. Elle ne disait plus rien, elle ne le querellait plus, elle semblait tout garder au fond de son être. Il aurait mieux aimé l'entendre épuiser sa souffrance que de la voir ainsi repliée sur elle-même. Il craignit qu'un jour l'angoisse ne l'étouffât et que, pour se soulager, elle n'allât tout conter à un prêtre ou à un juge d'instruction.

Les nombreuses sorties de Thérèse prirent alors une effrayante signification à ses yeux. Il pensa qu'elle cherchait un confident au-dehors, qu'elle préparait sa trahison. À deux reprises il voulut la suivre, et la perdit dans les rues. Il se mit à la guetter de nouveau. Une pensée fixe s'était emparée de lui : Thérèse allait faire des révélations, poussée à bout par la souffrance, et il lui fallait la bâillonner, arrêter les aveux dans sa gorge.

XXXI

Un matin, Laurent, au lieu de monter à son atelier, s'établit chez un marchand de vin qui occupait un des coins de la rue Guénégaud, en face du passage. De là, il se mit à examiner les personnes qui débouchaient sur le trottoir de la rue Mazarine. Il guettait Thérèse. La veille, la jeune femme avait dit qu'elle sortirait de bonne heure et qu'elle ne rentrerait sans doute que le soir.

Laurent attendit une grande demi-heure, il savait que sa femme s'en allait toujours par la rue Mazarine ; un moment, pourtant,
10 il craignit qu'elle ne lui eût échappé en prenant la rue de Seine. Il eut l'idée de rentrer dans la galerie, de se cacher dans l'allée même de la maison. Comme il s'impatientait, il vit Thérèse sortir vivement du passage. Elle était vêtue d'étoffes claires, et, pour la première fois, il remarqua qu'elle s'habillait comme une fille,
15 avec une robe à longue traîne ; elle se dandinait sur le trottoir d'une façon provocante, regardant les hommes, relevant si haut le devant de sa jupe, en la prenant à poignée, qu'elle montrait tout le devant de ses jambes, ses bottines lacées et ses bas blancs. Elle remonta la rue Mazarine. Laurent la suivit.
20 Le temps était doux, la jeune femme marchait lentement, la tête un peu renversée, les cheveux dans le dos. Les hommes qui l'avaient regardée de face se retournaient pour la voir par-derrière. Elle prit la rue de l'École-de-Médecine [1]. Laurent fut terrifié ; il savait qu'il y avait quelque part près de là un commissariat de
25 police ; il se dit qu'il ne pouvait plus douter, que sa femme allait sûrement le livrer. Alors il se promit de s'élancer sur elle, si elle franchissait la porte du commissariat, de la supplier, de la battre, de la forcer à se taire. Au coin d'une rue, elle regarda un sergent de ville [2] qui passait, et il trembla de lui voir aborder ce sergent
30 de ville ; il se cacha dans le creux d'une porte, saisi de la crainte soudaine d'être arrêté sur-le-champ s'il se montrait. Cette course fut pour lui une véritable agonie ; tandis que sa femme s'étalait au soleil sur le trottoir, traînant ses jupes, nonchalante et impudique, il venait derrière elle, pâle et frémissant, se répétant que
35 tout était fini, qu'il ne pourrait se sauver et qu'on le guillotinerait. Chaque pas qu'il lui voyait faire lui semblait un pas de plus vers le châtiment. La peur lui donnait une sorte de conviction aveugle,

---

1. *Rue de l'École-de-Médecine* : rue de l'actuel VIᵉ arrondissement. Zola y habita en 1866, lorsqu'il se mit en ménage avec Gabrielle Alexandrine Meley.
2. *Sergent de ville* : gardien de la paix.

les moindres mouvements de la jeune femme ajoutaient à sa certitude. Il la suivait, il allait où elle allait, comme on va au supplice.

40   Brusquement, en débouchant sur l'ancienne place Saint-Michel [1], Thérèse se dirigea vers un café qui faisait alors le coin de la rue Monsieur-le-Prince [2]. Elle s'assit au milieu d'un groupe de femmes et d'étudiants, à une des tables posées sur le trottoir. Elle donna familièrement des poignées de main à tout ce monde.
45 Puis elle se fit servir une absinthe [3].

    Elle semblait à l'aise, elle causait avec un jeune homme blond, qui l'attendait sans doute là depuis quelque temps. Deux filles vinrent se pencher sur la table qu'elle occupait, et se mirent à la tutoyer de leur voix enrouée. Autour d'elle, les femmes fumaient
50 des cigarettes, les hommes embrassaient les femmes en pleine rue, devant les passants, qui ne tournaient seulement pas la tête. Les gros mots, les rires gras arrivaient jusqu'à Laurent, demeuré immobile de l'autre côté de la place, sous une porte cochère.

    Lorsque Thérèse eut achevé son absinthe, elle se leva, prit le
55 bras du jeune homme blond et descendit la rue de la Harpe [4]. Laurent les suivit jusqu'à la rue Saint-André-des-Arts. Là, il les vit entrer dans une maison meublée [5]. Il resta au milieu de la chaussée, les yeux levés, regardant la façade de la maison. Sa femme se montra un instant à une fenêtre ouverte du second étage. Puis il crut dis-
60 tinguer les mains du jeune homme blond qui se glissaient autour de la taille de Thérèse. La fenêtre se ferma avec un bruit sec.

---

1. *L'ancienne place Saint-Michel* : il s'agit de la place du Marché-Saint-Michel, située à l'emplacement de l'actuelle place Edmond-Rostand, en face du jardin du Luxembourg. Elle fut détruite durant les travaux d'ouverture du boulevard Saint-Michel, qui commencèrent en 1855.
2. *Rue Monsieur-le-Prince* : rue de l'actuel VIe arrondissement. Zola connaît bien cette rue pour avoir habité au n° 63 en 1861.
3. *Absinthe* : liqueur alcoolique toxique, de couleur verte, extraite de la grande absinthe, plante amère et aromatique.
4. *Rue de la Harpe*, *rue Saint-André-des-Arts* : rues de l'actuel VIe arrondissement.
5. *Maison meublée* : maison garnie, maison où on loue des chambres, hôtel.

Laurent comprit. Sans attendre davantage, il s'en alla tranquillement, rassuré, heureux.

«Bah! se disait-il en descendant vers les quais, cela vaut mieux.
65 Comme ça, elle a une occupation, elle ne songe pas à mal… Elle est diablement plus fine que moi.»

Ce qui l'étonnait, c'était de ne pas avoir eu le premier l'idée de se jeter dans le vice. Il pouvait y trouver un remède contre la terreur. Il n'y avait pas pensé, parce que sa chair était morte, et qu'il
70 ne se sentait plus le moindre appétit de débauche. L'infidélité de sa femme le laissait parfaitement froid; il n'éprouvait aucune révolte de sang et de nerfs à la pensée qu'elle se trouvait entre les bras d'un autre homme. Au contraire, cela lui paraissait plaisant : il lui semblait qu'il avait suivi la femme d'un camarade et il riait
75 du bon tour que cette femme jouait à son mari. Thérèse lui était devenue étrangère à ce point, qu'il ne l'entendait plus vivre dans sa poitrine; il l'aurait vendue et livrée cent fois pour acheter une heure de calme.

Il se mit à flâner, jouissant de la réaction brusque et heureuse
80 qui venait de le faire passer de l'épouvante à la paix. Il remerciait presque sa femme d'être allée chez un amant lorsqu'il croyait qu'elle se rendait chez un commissaire de police. Cette aventure avait un dénouement tout imprévu qui le surprenait d'une façon agréable. Ce qu'il vit de plus clair dans tout cela, c'est qu'il avait
85 eu tort de trembler, et qu'il devait à son tour goûter du vice pour voir si le vice ne le soulagerait pas en étourdissant ses pensées.

Le soir, Laurent, en revenant à la boutique, décida qu'il demanderait quelques milliers de francs à sa femme et qu'il emploierait les grands moyens pour les obtenir. Il pensait que le
90 vice coûte cher à un homme, il enviait vaguement le sort des filles qui peuvent se vendre. Il attendit patiemment Thérèse, qui n'était pas encore rentrée. Quand elle arriva, il joua la douceur, il ne lui parla pas de son espionnage du matin. Elle était un peu grise [1];

---

1. *Grise* : éméchée, ivre.

il s'échappait de ses vêtements mal rattachés cette senteur âcre de tabac et de liqueur qui traîne dans les estaminets [1]. Éreintée, la face marbrée de plaques livides, elle chancelait, tout alourdie par la fatigue honteuse de la journée.

Le dîner fut silencieux. Thérèse ne mangea pas. Au dessert, Laurent posa les coudes sur la table et lui demanda carrément cinq mille francs.

«Non, répondit-elle avec sécheresse. Si je te laissais libre, tu nous mettrais sur la paille... Ignores-tu notre position? Nous allons tout droit à la misère.

– C'est possible, reprit-il tranquillement, cela m'est égal, je veux de l'argent.

– Non, mille fois non!... Tu as quitté ta place, le commerce de mercerie ne marche plus du tout, et ce n'est pas avec les rentes de ma dot que nous pouvons vivre. Chaque jour j'entame le capital pour te nourrir et te donner les cent francs par mois que tu m'as arrachés. Tu n'auras pas davantage, entends-tu? C'est inutile!

– Réfléchis, ne refuse pas comme ça. Je te dis que je veux cinq mille francs, et je les aurai, tu me les donneras quand même.»

Cet entêtement tranquille irrita Thérèse et acheva de la soûler.

«Ah! je sais, cria-t-elle, tu veux finir comme tu as commencé... Il y a quatre ans que nous t'entretenons. Tu n'es venu chez nous que pour manger et pour boire, et, depuis ce temps, tu es à notre charge. Monsieur ne fait rien, Monsieur s'est arrangé de façon à vivre à mes dépens, les bras croisés... Non tu n'auras rien, pas un sou... Veux-tu que je te le dise, eh bien! tu es un...»

Et elle dit le mot [2]. Laurent se mit à rire en haussant les épaules. Il se contenta de répondre :

«Tu apprends de jolis mots dans le monde où tu vis maintenant.»

---

1. Estaminets : cafés populaires où l'on peut fumer.
2. Thérèse perçoit Laurent comme un homme qui vit ou tire profit de son argent à elle ; il est vraisemblable qu'elle ait traité son mari de «maquereau», qui est un terme populaire.

Ce fut la seule allusion qu'il se permit de faire aux amours de
125 Thérèse. Celle-ci redressa vivement la tête et dit d'un ton aigre :
« En tout cas, je ne vis pas avec des assassins. »

Laurent devint très pâle. Il garda un instant le silence, les yeux
fixés sur sa femme ; puis, d'une voix tremblante :

« Écoute, ma fille, reprit-il, ne nous fâchons pas ; cela ne vau-
130 drait rien, ni pour toi, ni pour moi. Je suis à bout de courage. Il
serait prudent de nous entendre, si nous ne voulons pas qu'il nous
arrive malheur… Je t'ai demandé cinq mille francs, parce que j'en
ai besoin ; je puis même te dire que je compte les employer à
assurer notre tranquillité. »

135 Il eut un étrange sourire et continua :

« Voyons, réfléchis, donne-moi ton dernier mot.

– C'est tout réfléchi, répondit la jeune femme, je te l'ai dit, tu
n'auras pas un sou. »

Son mari se leva avec violence. Elle eut peur d'être battue ;
140 elle se fit toute petite, décidée à ne pas céder sous les coups. Mais
Laurent ne s'approcha même pas, il se contenta de lui déclarer
froidement qu'il était las de la vie et qu'il allait conter l'histoire
du meurtre au commissaire de police du quartier.

« Tu me pousses à bout, dit-il, tu me rends l'existence insup-
145 portable. Je préfère en finir… Nous serons jugés et condamnés
tous deux. Voilà tout.

– Crois-tu me faire peur ? lui cria sa femme. Je suis tout aussi
lasse que toi. C'est moi qui vais aller chez le commissaire de
police, si tu n'y vas pas. Ah ! bien, je suis prête à te suivre sur
150 l'échafaud, je n'ai pas ta lâcheté… Allons, viens avec moi chez le
commissaire. »

Elle s'était levée, elle se dirigeait déjà vers l'escalier.

« C'est cela, balbutia Laurent, allons-y ensemble. Quand ils
furent descendus dans la boutique, ils se regardèrent, inquiets,
155 effrayés. Il leur sembla qu'on venait de les clouer au sol. Les
quelques secondes qu'ils avaient mises à franchir l'escalier de
bois leur avaient suffi pour leur montrer, dans un éclair, les consé-

quences d'un aveu. Ils virent en même temps les gendarmes, la prison, la cour d'assises, la guillotine, tout cela brusquement et nettement. Et, au fond de leur être, ils éprouvaient des défaillances, ils étaient tentés de se jeter aux genoux l'un de l'autre, pour se supplier de rester, de ne rien révéler. La peur, l'embarras les tinrent immobiles et muets pendant deux ou trois minutes. Ce fut Thérèse qui se décida la première à parler et à céder.

«Après tout, dit-elle, je suis bien bête de te disputer cet argent. Tu arriveras toujours à me le manger un jour ou l'autre. Autant vaut-il que je te le donne tout de suite.»

Elle n'essaya pas de déguiser davantage sa défaite. Elle s'assit au comptoir et signa un bon de cinq mille francs que Laurent devait toucher chez un banquier. Il ne fut plus question du commissaire, ce soir-là.

Dès que Laurent eut de l'or dans ses poches, il se grisa, fréquenta les filles, se traîna au milieu d'une vie bruyante et affolée. Il découchait, dormait le jour, courait la nuit, recherchait les émotions fortes, tâchait d'échapper au réel. Mais il ne réussit qu'à s'affaisser davantage. Lorsqu'on criait autour de lui, il entendait le grand silence terrible qui était en lui ; lorsqu'une maîtresse l'embrassait, lorsqu'il vidait son verre, il ne trouvait au fond de l'assouvissement qu'une tristesse lourde. Il n'était plus fait pour la luxure et la gloutonnerie ; son être refroidi, comme rigide à l'intérieur, s'énervait sous les baisers et dans les repas. Écœuré a l'avance, il ne parvenait point à se monter l'imagination, à exciter ses sens et son estomac. Il souffrait un peu plus en se forçant à la débauche, et c'était tout. Puis, quand il rentrait, quand il revoyait Mme Raquin et Thérèse, sa lassitude le livrait à des crises affreuses de terreur ; il jurait alors de ne plus sortir, de rester dans sa souffrance pour s'y habituer et la vaincre.

De son côté, Thérèse sortit de moins en moins. Pendant un mois, elle vécut comme Laurent, sur les trottoirs, dans les cafés. Elle rentrait un instant, le soir, faisait manger Mme Raquin, la couchait, et s'absentait de nouveau jusqu'au lendemain. Elle et son mari restèrent, une fois, quatre jours sans se voir. Puis elle eut des dégoûts profonds, elle sentit que le vice ne lui réussissait pas plus que la comédie du remords. Elle s'était en vain traînée dans tous les hôtels garnis du quartier Latin, elle avait en vain mené une vie sale et tapageuse. Ses nerfs étaient brisés, la débauche, les plaisirs physiques ne lui donnaient plus de secousses assez violentes pour lui procurer l'oubli. Elle était comme un de ces ivrognes dont le palais brûlé reste insensible, sous le feu des liqueurs les plus fortes. Elle restait inerte dans la luxure, elle n'allait plus chercher auprès de ses amants qu'ennui et lassitude. Alors elle les quitta, se disant qu'ils lui étaient inutiles. Elle fut prise d'une paresse désespérée qui la retint au logis, en jupon malpropre, dépeignée, la figure et les mains sales. Elle s'oublia dans la crasse.

Lorsque les deux meurtriers se retrouvèrent ainsi face à face, lassés, ayant épuisé tous les moyens de se sauver l'un de l'autre, ils comprirent qu'ils n'auraient plus la force de lutter. La débauche n'avait pas voulu d'eux et venait de les rejeter à leurs angoisses. Ils étaient de nouveau dans le logement froid et humide du passage, ils y étaient comme emprisonnés désormais, car souvent ils avaient tenté le salut, et jamais ils n'avaient pu briser le lien sanglant qui les liait. Ils ne songèrent même plus à essayer une besogne impossible. Ils se sentirent tellement poussés, écrasés, attachés ensemble par les faits, qu'ils eurent conscience que toute révolte serait ridicule. Ils reprirent leur vie commune, mais leur haine devint de la rage furieuse.

Les querelles du soir recommencèrent. D'ailleurs les coups, les cris duraient tout le jour. À la haine vint se joindre la méfiance, et la méfiance acheva de les rendre fous.

Ils eurent peur l'un de l'autre. La scène qui avait suivi la demande des cinq mille francs se reproduisit bientôt matin et soir. Leur idée fixe était qu'ils voulaient se livrer mutuellement. Ils ne sortaient pas de là. Quand l'un d'eux disait une parole, faisait un geste, l'autre s'imaginait qu'il avait le projet d'aller chez le commissaire de police. Alors, ils se battaient ou ils s'imploraient. Dans leur colère, ils criaient qu'ils couraient tout révéler, ils s'épouvantaient à en mourir ; puis ils frissonnaient, ils s'humiliaient, ils se promettaient avec des larmes amères de garder le silence. Ils souffraient horriblement, mais ils ne se sentaient pas le courage de se guérir en posant un fer rouge sur la plaie. S'ils se menaçaient de confesser le crime, c'était uniquement pour se terrifier et s'en ôter la pensée, car jamais ils n'auraient eu la force de parler et de chercher la paix dans le châtiment.

À plus de vingt reprises, ils allèrent jusqu'à la porte du commissariat de police, l'un suivant l'autre. Tantôt c'était Laurent qui voulait avouer le meurtre, tantôt c'était Thérèse qui courait se livrer. Et ils se rejoignaient toujours dans la rue, et ils se décidaient toujours à attendre encore, après avoir échangé des insultes et des prières ardentes.

Chaque nouvelle crise les laissait plus soupçonneux et plus farouches.

Du matin au soir, ils s'espionnaient. Laurent ne quittait plus le logement du passage, et Thérèse ne le laissait plus sortir seul. Leurs soupçons, leur épouvante des aveux les rapprochèrent, les unirent dans une intimité atroce. Jamais, depuis leur mariage, ils n'avaient vécu si étroitement liés l'un à l'autre, et jamais ils n'avaient tant souffert. Mais, malgré les angoisses qu'ils s'imposaient, ils ne se quittaient pas des yeux, ils aimaient mieux endurer les douleurs les plus cuisantes que de se séparer pendant une heure. Si Thérèse descendait à la boutique, Laurent la suivait, par crainte qu'elle ne causât avec une cliente ; si Laurent se tenait sur la porte, regardant les gens qui traversaient le passage, Thérèse se plaçait à côté de lui, pour voir s'il ne parlait à personne. Le jeudi soir, quand les invités étaient là, les meurtriers s'adressaient des regards suppliants, ils s'écoutaient avec terreur, s'attendant chacun à quelque aveu de son complice, donnant aux phrases commencées des sens compromettants.

Un tel état de guerre ne pouvait durer davantage.

260 Thérèse et Laurent en arrivèrent, chacun de son côté, à rêver d'échapper par un nouveau crime aux conséquences de leur premier crime. Il fallait absolument que l'un d'eux disparût pour que l'autre goûtât quelque repos. Cette réflexion leur vint en même temps ; tous deux sentirent la nécessité pressante d'une sépara-
265 tion, tous deux voulurent une séparation éternelle. Le meurtre, qui se présenta à leur pensée, leur sembla fatal, naturel, forcément amené par le meurtre de Camille. Ils ne le discutèrent même pas, ils en acceptèrent le projet comme le seul moyen de salut. Laurent décida qu'il tuerait Thérèse, parce que Thérèse le gênait, qu'elle
270 pouvait le perdre d'un mot et qu'elle lui causait des souffrances insupportables ; Thérèse décida qu'elle tuerait Laurent, pour les mêmes raisons.

 La résolution bien arrêtée d'un assassinat les calma un peu. Ils prirent leurs dispositions. D'ailleurs, ils agissaient dans la
275 fièvre, sans trop de prudence ; ils ne pensaient que vaguement aux conséquences probables d'un meurtre commis, sans que la fuite et l'impunité fussent assurées. Ils sentaient invinciblement le besoin de se tuer, ils obéissaient à ce besoin en brutes furieuses. Ils ne se seraient pas livrés pour leur premier crime, qu'ils avaient
280 dissimulé avec tant d'habileté, et ils risquaient la guillotine, en en commettant un second, qu'ils ne songeaient seulement pas à cacher. Il y avait là une contradiction de conduite qu'ils ne voyaient même point. Ils se disaient simplement que s'ils parvenaient à fuir, ils iraient vivre à l'étranger, après avoir pris tout l'ar-
285 gent. Thérèse, depuis quinze à vingt jours, avait retiré les quelques milliers de francs qui restaient de sa dot, et les tenait enfermés dans un tiroir que Laurent connaissait. Ils ne se demandèrent pas un instant ce que deviendrait Mme Raquin.

 Laurent avait rencontré, quelques semaines auparavant, un
290 de ses anciens camarades de collège, alors préparateur chez un chimiste célèbre qui s'occupait beaucoup de toxicologie. Ce camarade lui avait fait visiter le laboratoire où il travaillait, lui montrant les appareils, lui nommant les drogues. Un soir, lorsqu'il se

■ « À plus de vingt reprises, ils allèrent jusqu'à la porte du commissariat de police, l'un suivant l'autre » (p. 259), illustration de Castelli pour *Thérèse Raquin*.

fut décidé au meurtre, Laurent, comme Thérèse buvait devant lui
295 un verre d'eau sucrée, se souvint d'avoir vu dans ce laboratoire
un petit flacon de grès, contenant de l'acide prussique [1]. En se
rappelant ce que lui avait dit le jeune préparateur sur les effets terribles de ce poison qui foudroie et laisse peu de traces, il songea
que c'était là le poison qu'il lui fallait. Le lendemain, il réussit à
300 s'échapper, il rendit visite à son ami, et, pendant que celui-ci avait
le dos tourné, il vola le petit flacon de grès.

Le même jour, Thérèse profita de l'absence de Laurent pour
faire repasser un grand couteau de cuisine, avec lequel on cassait
le sucre, et qui était fort ébréché. Elle cacha le couteau dans un
305 coin du buffet.

XXXII

Le jeudi qui suivit, la soirée chez les Raquin, comme les invités continuaient à appeler le ménage de leurs hôtes, fut d'une
gaieté toute particulière. Elle se prolongea jusqu'à onze heures
et demie. Grivet, en se retirant, déclara ne jamais avoir passé des
5 heures plus agréables.

Suzanne, qui était enceinte, parla tout le temps à Thérèse de
ses douleurs et de ses joies. Thérèse semblait l'écouter avec un
grand intérêt ; les yeux fixes, les lèvres serrées, elle penchait la tête
par moments ; ses paupières, qui se baissaient, couvraient d'om-
10 bre tout son visage. Laurent, de son côté, prêtait une attention
soutenue aux récits du vieux Michaud et d'Olivier. Ces messieurs
ne tarissaient pas, et Grivet ne parvenait qu'avec peine à placer
un mot entre deux phrases du père et du fils. D'ailleurs, il avait

---

1. *Acide prussique* : liquide incolore, d'une odeur d'amandes amères, connu
comme poison violent. C'est l'ancien nom de l'acide cyanhydrique.

pour eux un certain respect; il trouvait qu'ils parlaient bien. Ce
soir-là, la causerie ayant remplacé le jeu, il s'écria naïvement que
la conversation de l'ancien commissaire de police l'amusait presque autant qu'une partie de dominos.

Depuis près de quatre ans que les Michaud et Grivet passaient les jeudis soir chez les Raquin, ils ne s'étaient pas fatigués
une seule fois de ces soirées monotones qui revenaient avec une
régularité énervante. Jamais ils n'avaient soupçonné un instant
le drame qui se jouait dans cette maison, si paisible et si douce,
lorsqu'ils y entraient. Olivier prétendait d'ordinaire, par une plaisanterie d'homme de police, que la salle à manger sentait l'honnête homme. Grivet, pour ne pas rester en arrière, l'avait appelée
le Temple de la Paix. À deux ou trois reprises, dans les derniers
temps, Thérèse expliqua les meurtrissures qui lui marbraient le
visage, en disant aux invités qu'elle était tombée. Aucun d'eux,
d'ailleurs, n'aurait reconnu les marques du poing de Laurent; ils
étaient convaincus que le ménage de leurs hôtes était un ménage
modèle, tout de douceur et d'amour.

La paralytique n'avait plus essayé de leur révéler les infamies qui se cachaient derrière la morne tranquillité des soirées
du jeudi. En face des déchirements des meurtriers, devinant la
crise qui devait éclater un jour ou l'autre, amenée par la succession fatale des événements, elle finit par comprendre que
les faits n'avaient pas besoin d'elle. Dès lors, elle s'effaça, elle
laissa agir les conséquences de l'assassinat de Camille qui
devaient tuer les assassins à leur tour. Elle pria seulement le ciel
de lui donner assez de vie pour assister au dénouement violent
qu'elle prévoyait; son dernier désir était de repaître ses regards
du spectacle des souffrances suprêmes qui briseraient Thérèse
et Laurent.

Ce soir-là, Grivet vint se placer à côté d'elle et causa longtemps, faisant comme d'habitude les demandes et les réponses.
Mais il ne put en tirer même un regard. Lorsque onze heures et
demie sonnèrent, les invités se levèrent vivement.

«On est si bien chez vous, déclara Grivet, qu'on ne songe jamais à s'en aller.

50 — Le fait est, appuya Michaud, que je n'ai jamais sommeil ici, moi qui me couche à neuf heures d'habitude.»

Olivier crut devoir placer sa plaisanterie.

«Voyez-vous, dit-il, en montrant ses dents jaunes, ça sent les honnêtes gens dans cette pièce : c'est pourquoi l'on y est si bien.»

55 Grivet, fâché d'avoir été devancé, se mit à déclamer, en faisant un geste emphatique :

«Cette pièce est le Temple de la Paix.»

Pendant ce temps, Suzanne nouait les brides de son chapeau et disait à Thérèse :

60 «Je viendrai demain matin à neuf heures.

— Non, se hâta de répondre la jeune femme, ne venez que l'après-midi… Je sortirai sans doute pendant la matinée.»

Elle parlait d'une voix étrange, troublée. Elle accompagna les invités jusque dans le passage, Laurent descendit aussi une lampe
65 à la main. Quand ils furent seuls, les époux poussèrent chacun un soupir de soulagement ; une impatience sourde avait dû les dévorer pendant toute la soirée. Depuis la veille, ils étaient plus sombres, plus inquiets en face l'un de l'autre. Ils évitèrent de se regarder, ils remontèrent silencieusement. Leurs mains avaient de
70 légers tremblements convulsifs, et Laurent fut obligé de poser la lampe sur la table, pour ne pas la laisser tomber.

Avant de coucher Mme Raquin, ils avaient l'habitude de mettre en ordre la salle à manger, de préparer un verre d'eau sucrée pour la nuit, d'aller et de venir ainsi autour de la paralytique,
75 jusqu'à ce que tout fût prêt.

Lorsqu'ils furent remontés, ce soir-là, ils s'assirent un instant, les yeux vagues, les lèvres pâles. Au bout d'un silence :

«Eh bien ! nous ne nous couchons pas ? demanda Laurent qui semblait sortir en sursaut d'un rêve.

80 — Si, si, nous nous couchons, répondit Thérèse en frissonnant, comme si elle avait eu grand froid.»

Elle se leva et prit la carafe.

«Laisse, s'écria son mari d'une voix qu'il s'efforçait de rendre naturelle, je préparerai le verre d'eau sucrée... occupe-toi de ta
85 tante.»

Il enleva la carafe des mains de sa femme et remplit un verre d'eau. Puis, se tournant à demi, il y vida le petit flacon de grès, en y mettant un morceau de sucre. Pendant ce temps, Thérèse s'était accroupie devant le buffet ; elle avait pris le couteau de cuisine et
90 cherchait à le glisser dans une des grandes poches qui pendaient à sa ceinture.

À ce moment, cette sensation étrange qui prévient de l'approche d'un danger fit tourner la tête aux époux, d'un mouvement instinctif. Ils se regardèrent. Thérèse vit le flacon dans les mains
95 de Laurent, et Laurent aperçut l'éclair blanc du couteau qui luisait entre les plis de la jupe de Thérèse. Ils s'examinèrent ainsi pendant quelques secondes, muets et froids, le mari près de la table, la femme pliée devant le buffet. Ils comprenaient. Chacun d'eux resta glacé en retrouvant sa propre pensée chez son complice. En
100 lisant mutuellement leur secret dessein sur leur visage bouleversé, ils se firent pitié et horreur.

Mme Raquin, sentant que le dénouement était proche, les regardait avec des yeux fixes et aigus.

Et brusquement Thérèse et Laurent éclatèrent en sanglots.
105 Une crise suprême les brisa, les jeta dans les bras l'un de l'autre, faibles comme des enfants. Il leur sembla que quelque chose de doux et d'attendri s'éveillait dans leur poitrine. Ils pleurèrent, sans parler, songeant à la vie de boue qu'ils avaient menée et qu'ils mèneraient encore, s'ils étaient assez lâches pour vivre. Alors,
110 au souvenir du passé, ils se sentirent tellement las et écœurés d'eux-mêmes, qu'ils éprouvèrent un besoin immense de repos, de néant. Ils échangèrent un dernier regard, un regard de remerciement, en face du couteau et du verre de poison. Thérèse prit le verre, le vida à moitié et le tendit à Laurent qui l'acheva d'un trait.
115 Ce fut un éclair. Ils tombèrent l'un sur l'autre, foudroyés, trouvant

enfin une consolation dans la mort. La bouche de la jeune femme alla heurter, sur le cou de son mari, la cicatrice qu'avaient laissée les dents de Camille.

Les cadavres restèrent toute la nuit sur le carreau de la salle et 120 manger, tordus, vautrés, éclairés de lueurs jaunâtres par les clartés de la lampe que l'abat-jour jetait sur eux. Et, pendant près de douze heures, jusqu'au lendemain vers midi, Mme Raquin, roide et muette, les contempla à ses pieds, ne pouvant se rassasier les yeux, les écrasant de regards lourds.

■ Mme Raquin regardant les cadavres de Thérèse et Laurent devant elle ; illustration de Castelli pour *Thérèse Raquin*.

DOSSIER

■ **Pré-texte**

■ **Réception de l'œuvre**

■ **Un roman «théâtral»**

Pré-texte

Pour écrire le cycle des *Rougon-Macquart*, Zola constituera pour chaque roman un dossier préparatoire qui sera organisé en sections – l'« Ébauche », définissant l'intrigue et les forces en présence, la partie « Personnages », contenant une fiche précise sur chaque protagoniste, etc. – et comportera les notes de l'auteur, sa documentation – coupures de journaux, quelques photographies –, ainsi que les plans dessinés des lieux de l'action. Zola conservera ces dossiers, et les montrera même à l'occasion.

Mais pour *Thérèse Raquin* il n'a pas laissé de traces de son travail préparatoire. Seule demeure sa nouvelle, intitulée ironiquement « Un mariage d'amour », inspirée d'un fait divers et parue dans *Le Figaro* du 24 décembre 1866, qu'il a ensuite reprise et étoffée pour écrire son roman [1]. Nous reproduisons ici ce texte dans son intégralité.

Un mariage d'amour

Michel avait vingt-cinq ans lorsqu'il épousa Suzanne, une jeune femme de son âge, d'une maigreur nerveuse, ni laide, ni belle, mais ayant dans son visage effilé deux grands beaux yeux qui allaient largement d'une tempe à l'autre. Ils vécurent trois années sans querelles, ne recevant guère que Jacques, un ami du mari, dont la femme devint peu à peu passionnément amoureuse. Jacques se laissa aller à la douceur cuisante de cette passion. D'ailleurs, la paix du ménage ne fut pas troublée ; les amants étaient lâches et reculaient devant la certitude d'un scandale. Sans en avoir conscience, ils en arrivèrent lentement au projet de se débarrasser de Michel. Un meurtre devait tout arranger, en leur permettant de s'aimer en liberté et selon la loi.

Un jour, ils décidèrent le mari à faire une partie de campagne. On alla à Corbeil [2], et là, lorsque le dîner eut été commandé, Jacques pro-

---

1. Voir aussi présentation, p. 6.
2. *Corbeil* : ville située au sud de Paris.

posa et fit accepter une promenade en canot sur la Seine. Il prit les rames et descendit la rivière, tandis que ses compagnons chantaient et riaient comme des enfants.

Quand la barque fut en pleine Seine, cachée derrière les hautes futaies d'une île, Jacques saisit brusquement Michel et essaya de le jeter à l'eau. Suzanne cessa de chanter ; elle détourna la tête, pâle, les lèvres serrées, silencieuse et frissonnante. Les deux hommes luttè-rent un instant sur le bord de la barque qui s'enfonçait en craquant. Michel, surpris, ne pouvant comprendre, se défendit, muet, avec l'ins-tinct d'une bête qu'on attaque ; il mordit Jacques à la joue, enleva presque le morceau, et tomba dans la rivière en appelant sa femme avec rage et terreur. Il ne savait pas nager.

Alors Jacques, prenant Suzanne dans ses bras, se jeta à l'eau de façon à faire chavirer sa barque. Puis il se mit à crier, à appeler au secours. Il soutenait la jeune femme, et, comme il était excellent nageur, il atteignit aisément la rive, où plusieurs personnes se trou-vaient déjà rassemblées.

La terrible comédie était jouée. Suzanne, évanouie et froide, gisait sur le sable ; Jacques pleurait, se désespérait, implorait de prompts secours pour son ami. Le lendemain, les journaux racontèrent l'ac-cident et les amants ayant toujours été aussi prudents que lâches, la pensée qu'un crime avait pu être commis ne vint à personne. Jacques en fut quitte pour expliquer la large morsure de Michel, en disant qu'un clou de la barque lui avait déchiré la joue.

Il fallait attendre au moins treize mois. Les amants s'étaient concertés à l'avance et avaient décidé qu'ils agiraient avec la plus grande prudence. Ils évitèrent de se voir ; ils ne se rencontrèrent que devant témoins.

Le moindre empressement aurait peut-être éveillé les soupçons. Jacques, pendant les huit premiers jours, alla régulièrement à la mor-gue chaque matin. Quand il eut retrouvé et reconnu sur une des dalles blanches le cadavre de Michel, il le réclama au nom de la veuve et le fit enterrer. Il avait commis froidement le crime, et il éprouva un frisson d'épouvante en face de sa victime horriblement défigurée, toute marbrée de taches bleues et vertes. Dès lors, il eut toujours devant les yeux le visage gonflé et grimaçant du noyé.

Dix-huit mois s'écoulèrent. Les amants se virent rarement ; à chaque rencontre, ils éprouvèrent un étrange malaise. Ils attribuèrent cette sensation pénible à la peur, à l'âpre désir qu'ils avaient d'en finir avec cette funèbre histoire, en se mariant et en goûtant enfin les douceurs de leur amour. Jacques souffrait surtout de sa solitude ; les dents de Michel avaient laissé sur sa joue des traces blanches, et il semblait parfois au meurtrier que ces cicatrices brûlaient sa chair et dévoraient son visage. Il espérait que Suzanne, sous ses baisers, apaiserait la cuisson des terribles brûlures.

Quand ils crurent avoir assez attendu, ils se marièrent, et toutes leurs connaissances applaudirent. Ils goûtèrent, pendant les préparatifs de la noce, une joie nerveuse qui les trompa eux-mêmes. La vérité était que, depuis le crime, ils frissonnaient tous deux la nuit, secoués par d'effrayants cauchemars, et qu'ils avaient hâte de s'unir contre leur épouvante pour la vaincre.

Lorsqu'ils se trouvèrent seuls dans la chambre nuptiale, ils s'assirent, embarrassés et inquiets, devant un feu clair qui éclairait la pièce de larges clartés jaunes.

Jacques voulut parler d'amour ; mais sa bouche était sèche, et il ne put trouver un mot ; Suzanne, glacée et comme morte, cherchait en elle avec désespoir sa passion qui s'en était allée de sa chair et de son cœur.

Alors, ils essayèrent d'être banals et de causer comme des gens qui se seraient vus pour la première fois. Mais les paroles leur manquèrent. Tous deux, ils pensaient invinciblement au pauvre noyé, et, tandis qu'ils échangeaient des mots vides, ils se devinaient l'un l'autre. Leur causerie cessa ; dans le silence, il leur sembla qu'ils continuaient à s'entretenir de Michel. Ce terrible silence, plein de phrases épouvantées et cruelles, devenait accablant, insoutenable. Suzanne, toute blanche dans sa toilette de nuit, se leva et, tournant la tête :

«Vous l'avez vu à la morgue ? demanda-t-elle d'une voix étouffée.

– Oui, répondit Jacques en frissonnant.

– Paraissait-il avoir beaucoup souffert ? »

Jacques ne put répondre. Il fit un geste, comme pour écarter une vision ignoble et odieuse, et il s'avança vers Suzanne, les bras ouverts :

«Embrasse-moi, dit-il, en tendant la joue où se montraient des marques blanches.

– Oh! non, jamais… pas là!» s'écria Suzanne qui recula en frémissant.

Ils s'assirent de nouveau devant le feu, effrayés et irrités. Leurs longs silences étaient coupés par des paroles amères, par des reproches et des plaintes.

Telle fut leur nuit de noces.

Dès lors, un drame navrant se passa entre les deux misérables. Je ne puis en raconter tous les actes, et je me contente d'indiquer brièvement les principales péripéties.

Le cadavre de Michel se mit entre Jacques et Suzanne. Au lit, ils s'écartaient l'un de l'autre et semblaient lui faire place. Dans leurs baisers, leurs lèvres devenaient froides, comme si la mort se fût placée entre leurs bouches. Et c'étaient des terreurs continuelles, des effrois brusques qui les séparaient, des hallucinations qui leur montraient leur victime partout et à chaque heure.

Cet homme et cette femme ne pouvaient plus s'aimer. Ils étaient tout à leur épouvante. Ils ne vivaient ensemble que pour se protéger contre le noyé. Parfois encore ils se serraient avec force l'un contre l'autre, s'unissaient avec désespoir, mais c'était afin d'échapper à de sinistres visions.

Puis la haine vint. Ils s'irritèrent contre leur crime, ils se désespérèrent d'avoir troublé leur vie à jamais. Alors ils s'accusèrent mutuellement. Jacques reprocha amèrement à Suzanne de l'avoir poussé au meurtre, et Suzanne lui cria qu'il mentait et qu'il était le seul coupable. La colère accroissait leurs angoisses, et chaque jour, pour le moindre souvenir, la querelle recommençait, plus âpre et plus cruelle. Les deux assassins tournèrent comme des bêtes fauves dans la vie de souffrance qu'ils s'étaient faite, se déchirant eux-mêmes, haletants, obligés de se taire.

Suzanne regretta Michel, le pleura tout haut, vanta au meurtrier les vertus de sa victime, et Jacques dut vivre en entendant toujours parler de cet homme qu'il avait jeté à l'eau et dont le cadavre était si horrible sur une dalle de la morgue. Il avait souvent des heures de délire, et il accablait sa complice d'injures, la battait, lui répétait avec des cris l'histoire du meurtre, et lui prouvait que c'était elle qui avait tout fait, en lui donnant la folie de la passion.

S'il n'avait eu peur de trop souffrir, il se serait coupé la joue, pour enlever les traces des dents de Michel. Suzanne pleurait en regardant ces cicatrices, et le visage de Jacques était devenu pour elle un objet d'horreur dont la vue la secouait d'un éternel frisson.

Enfin se joua le dernier acte de ce drame poignant. Après la haine vinrent la crainte et la lâcheté ; les deux assassins eurent peur l'un de l'autre.

Ils comprirent qu'ils ne pouvaient vivre plus longtemps dans la fièvre du remords ; ils voyaient avec terreur leur abattement mutuel et ils tremblaient en pensant que l'un d'eux parlerait à coup sûr un jour ou l'autre.

Alors ils se surveillèrent ; leurs souffrances étaient intolérables, mais ils ne voulaient pas la délivrance par le châtiment. Ils se suivirent partout, ils s'étudièrent dans leurs moindres actes ; à chaque nouvelle querelle, ils se menaçaient de tout dire, puis ils se suppliaient à mains jointes de garder le silence, et ils restaient soupçonneux et farouches. Vie terrible, qui les traînait dans toutes les angoisses du remords et de l'effroi.

Ils en vinrent chacun à l'idée de se débarrasser d'un complice redoutable. Suzanne espérait vivre plus calme, lorsqu'elle ne verrait plus la joue couturée de Jacques, et Jacques pensait pouvoir tuer son premier crime en tuant Suzanne.

Un jour, ils se surprirent, versant mutuellement du poison dans leurs verres. Ils éclatèrent en sanglots, leur fièvre tomba, et ils se jetèrent dans les bras l'un de l'autre. Ils pleurèrent longtemps, demandant pardon, comprenant leur infamie, se disant que l'heure était venue de mourir. Ce fut une dernière crise qui les soulagea.

Ils burent chacun le poison qu'ils avaient versé, et expirèrent à la même heure, liés dans la mort comme ils avaient été liés dans le crime. On trouva sur une table leur confession, et c'est après avoir lu ce testament sinistre que j'ai pu écrire l'histoire de ce mariage d'amour.

Émile Zola, *Le Figaro*, 24 décembre 1866.

1. Quels points communs identifiez-vous entre le roman et la nouvelle ? Pour répondre, concentrez-vous sur l'action en repérant les épisodes et les détails similaires.

2. Comment Zola est-il parvenu à amplifier son texte initial ? Pour répondre, analysez l'évolution du cadre spatio-temporel et la transformation des personnages.

3. Selon vous, cette nouvelle pourrait-elle être qualifiée de « naturaliste » ? Justifiez votre réponse.

Réception de l'œuvre

À sa sortie, l'œuvre de Zola suscite curiosité et scandale. L'une des réactions les plus vives est celle de Louis Ulbach, journaliste et critique du *Figaro*, connu pour ses articles satiriques signés de son pseudonyme, « Ferragus ». Dans sa chronique du 23 janvier 1868, il attaque violemment ce qu'il nomme la « littérature putride » – c'est le titre de son article –, condamnant à la fois *Germinie Lacerteux* des frères Goncourt et *Thérèse Raquin*. Voici les reproches qu'il fait au roman de Zola :

[...] Ma curiosité a glissé ces jours-ci dans une flaque de boue et de sang qui s'appelle *Thérèse Raquin*, et dont l'auteur, M. Zola, passe pour un jeune homme de talent. Je sais, du moins, qu'il vise avec ardeur à la renommée. Enthousiaste des crudités, il a publié déjà *La Confession de Claude* [1] qui était l'idylle d'un étudiant et d'une

---

1. *La Confession de Claude* : roman épistolaire paru en 1865, largement inspiré des expériences amoureuses de Zola ; il prend pour cadre le quartier Latin et relate les amours de Claude, jeune poète provençal nouvellement arrivé à Paris, et d'une prostituée, Laurence.

prostituée ; il voit la femme comme M. Manet [1] la peint, couleur de boue avec des maquillages roses. Intolérant pour la critique, il l'exerce lui-même avec intolérance, et à l'âge où l'on ne sait encore que suivre son désir, il intitule ses prétendues études littéraires : *Mes haines* [2] !

Je ne sais si M. Zola a la force d'écrire un livre fin, délicat, substantiel [3] et décent. Il faut de la volonté, de l'esprit, des idées et du style pour renoncer aux violences ; mais je puis déjà indiquer à l'auteur de *Thérèse Raquin* une conversion.

M. Jules Claretie [4] avait écrit, lui aussi, son livre de frénésie amoureuse et assassine ; mais il s'est dégoûté du genre après son propre succès, et il a demandé à l'histoire des tragédies plus vraies, des passions plus héroïques et non moins terribles. On meurt beaucoup dans ses *Derniers Montagnards*, mais avec un cri d'espérance et d'amour pour la liberté ! La rage n'y est pas ménagée mais celle-là rend doux et tolérant !

Quant à *Thérèse Raquin*, c'est le résidu de toutes les horreurs publiées précédemment. On y a égoutté tout le sang et toutes les infamies : c'est le baquet de la mère Bancal.

Le sujet est simple, d'ailleurs, le remords physique de deux amants qui tuent le mari pour être plus libres de le tromper, mais qui, ce mari tué (il s'appelait Camille), n'osent plus s'étreindre, car voici, selon

---

1. Le peintre Édouard Manet (1832-1883) connaît à l'époque un succès de scandale, en particulier avec ses œuvres *Le Déjeuner sur l'herbe* et *Olympia* (voir p. 40). Zola prit sa défense dans ses articles de presse ; Manet devint pour le romancier une sorte de modèle du peintre moderne.

2. *Mes haines* : recueil d'articles de critique littéraire, paru en 1866. À travers ces textes, Zola, imprégné de la pensée positiviste, définit ce qu'il considère être l'art nouveau et dresse l'éloge des frères Goncourt, de Balzac et de Courbet.

3. *Substantiel* : riche par son contenu.

4. *Jules Claretie* : homme de lettres français (1840-1913), qui connut le succès en son temps et qui s'illustra aussi bien dans le journalisme que dans le roman et la critique littéraire et dramatique. Il porta des jugements sévères à l'égard des premières œuvres de Zola, qui lui en voulut et l'attaqua dans son article « Les romanciers contemporains ».

l'auteur, le supplice délicat qui les attend : « Ils poussèrent un cri et se pressèrent davantage, afin de ne pas laisser entre leur chair de place pour le noyé. Et ils sentaient toujours des lambeaux de Camille qui s'écrasaient ignoblement entre eux, glaçant leur peau par endroits, tandis que le reste de leur corps brûlait[1]. »

À la fin, ne parvenant pas à *écraser* suffisamment le noyé dans leurs baisers, ils se mordent, se font horreur, et se tuent ensemble de désespoir de ne pouvoir se tuer réciproquement.

Si je disais à l'auteur que son idée est immorale, il bondirait, car la description du remords passe généralement pour un spectacle moralisateur ; mais si le remords se bornait toujours à des impressions physiques, à des répugnances charnelles, il ne serait plus qu'une révolte du tempérament [2], et il ne serait pas le remords. Ce qui fait la puissance et le triomphe du bien, c'est que même la chair assouvie, la passion satisfaite, il s'éveille et brûle dans le cerveau. Une tempête sous un crâne [3] est un spectacle sublime : une tempête dans les reins est un spectacle ignoble.

La première fois que Thérèse aperçoit l'homme qu'elle doit aimer, voici comment s'annonce la sympathie [4] : « La nature sanguine de ce garçon, sa voix pleine, ses rires gras, les senteurs âcres et puissantes qui s'échappaient de lui troublaient la jeune femme et la jetaient dans une sorte d'angoisse nerveuse [5]. »

Ô Roméo ! Ô Juliette [6] ! quel flair subtil et prompt aviez-vous pour vous aimer si vite ? Thérèse est une femme qui a besoin d'un

---

1. Citation tirée du chapitre XXIII, p. 191.
2. Référence à la doctrine des tempéraments (voir présentation, p. 11).
3. *Une tempête sous un crâne* : allusion probable au titre d'un chapitre de la première partie des *Misérables* (1862, I, VII, 3) de Victor Hugo. Dans ce chapitre, le personnage Jean Valjean se trouve confronté à un vrai dilemme moral ; le passage s'achève par le triomphe de la vérité et de la justice au détriment du confort personnel et du mensonge.
4. *Sympathie* : penchant instinctif qui attire deux personnes l'une vers l'autre.
5. Citation, presque exacte, située à la toute fin du chapitre V (p. 78).
6. Allusion aux deux personnages éponymes de la tragédie de Shakespeare, qui incarnent la passion amoureuse dans ce qu'elle a de plus noble.

amant. D'un autre côté, Laurent, son complice, se décide à noyer le mari après une promenade où il subit la tentation suivante : «Il sifflait, il poussait du pied les cailloux, et, par moments, il regardait avec des yeux fauves les balancements de hanches de sa maîtresse [1].»

Comment ne pas assassiner ce pauvre Camille, cet être maladif et gluant, dont le nom rime avec camomille [2], après une telle excitation? On jette le mari à l'eau. À partir de ce moment, Laurent fréquente la Morgue jusqu'à ce que son noyé soit admis à l'exposition. L'auteur profite de l'occasion pour nous décrire les voluptés de la Morgue et ses amateurs.

Laurent s'y délecte à voir les femmes assassinées. Un jour il s'éprend du cadavre d'une fille qui s'est pendue ; il est vrai que le corps de celle-ci, «frais et gras, blanchissait avec des douceurs de teinte d'une grande délicatesse [...] Laurent la regarda longtemps, promenant ses regards sur sa chair, absorbé dans une sorte de désir peureux».

Les dames du monde vont à la Morgue, paraît-il ; une d'elles y tombe en contemplation devant le corps robuste d'un maçon. «La dame – dit l'auteur – l'examinait, le retournait, le pesait, s'absorbait dans le spectacle de cet homme. Elle leva un coin de sa voilette, regarda encore, puis s'en alla.»

Quant aux gamins, «c'est à la Morgue que les jeunes voyous ont leur première maîtresse [3]».

Comme ma lettre peut être lue après déjeuner, je passe sur la description de la jolie pourriture de Camille. On y sent grouiller les vers.

Une fois le noyé bien enterré, les amants se marient. C'est ici que commence leur supplice.

Je ne suis pas injuste et je reconnais que certaines parties de cette analyse des sensations de deux assassins sont bien observées. La nuit de ces noces hideuses est un tableau frappant. Je ne blâme pas

---

1. Citation extraite du chapitre XI (voir p. 109).
2. *Camomille* : infusion préparée avec les fleurs de la plante du même nom, connue pour ses vertus apaisantes.
3. Les trois citations sont tirées du chapitre XIII (voir p. 130-131, 132).

systématiquement les notes criardes, les coups de pinceau violents et violets ; je me plains qu'ils soient seuls et sans mélange ; ce qui fait le tort de ce livre pouvait en être le mérite.

Mais la monotonie de l'ignoble est la pire des monotonies. Il semble, pour rester dans les comparaisons de ce livre, qu'on soit étendu sous le robinet d'un des lits de la morgue, et jusqu'à la dernière page, on sent couler, tomber goutte à goutte sur soi cette eau faite pour délayer des cadavres.

Les deux époux, de fureur en fureur, de dépravations en dépravations, en viennent à se battre, à vouloir se dénoncer. Thérèse se prostitue et Laurent, «dont la chair est morte [1]», regrette de ne pouvoir en faire autant.

Enfin, un jour, ces deux forçats de la morgue tombent épuisés, empoisonnés, l'un sur l'autre, devant le fauteuil de la vieille mère paralytique de Camille Raquin, qui jouit intérieurement de ce châtiment par lequel son fils est vengé [2].

Ce livre résume trop fidèlement toutes les putridités [3] de la littérature contemporaine pour ne pas soulever un peu de colère. Je n'aurais rien dit d'une fantaisie individuelle, mais à cause de la contagion il y va de toutes nos lectures. Forçons les romanciers à prouver leur talent autrement que par des emprunts aux tribunaux et à la voirie [4]. À la vente de ce pacha [5] qui vient de liquider sa galerie tout comme un Européen, M. Courbet représentait le dernier mot de la volupté dans les arts par un tableau [6] qu'on laissait voir, et par un autre [7] suspendu

---

1. Citation approximative extraite du chapitre XXXI (voir p. 254).

2. Ce paragraphe résume le dernier chapitre du roman.

3. *Putridités* : putréfactions, pourritures.

4. *Voirie* : lieu où l'on portait les ordures, les immondices, les vidanges, les fumiers et les débris d'animaux ; synonyme de « décharge ».

5. *Pacha* : titre honorifique que portaient dans l'ancien Empire ottoman et en Turquie, avant 1923, certains hauts personnages civils et militaires. Il s'agit ici d'une allusion à Khalil-Bey, diplomate turc qui vivait à Paris.

6. *Un tableau* : il s'agit du *Sommeil*, qui représente deux dormeuses nues et enlacées. Le tableau se trouve désormais au Petit-Palais, à Paris.

7. *Un autre* : il s'agit de *L'Origine du monde*, toile de 1866 qui cadre en gros plan un sexe de femme.

dans un cabinet de toilette qu'on montrait seulement aux dames indiscrètes et aux amateurs. Toute la honte de l'école est là dans ces deux toiles, comme elle est ailleurs dans les romans : la débauche lassée et l'anatomie crue. C'est bien peint, c'est d'une réalité incontestable, mais c'est horriblement bête.

Quand la littérature dont j'ai parlé voudra une enseigne, elle se fera faire par M. Courbet une copie de ces deux toiles. Le tableau possible attirera les chalands à la porte : l'autre sera dans le sanctuaire, comme la muse, le génie, l'oracle.

Ferragus, Le Figaro, 23 janvier 1868.

1. À quels indices voyez-vous que cet article relève du blâme ?

2. Que reproche exactement le journaliste à l'œuvre de Zola ? Sur quels plans se situe, de ce fait, la critique ?

3. Quelle conception de la littérature et de l'art ressort, en filigrane, de cet article ? Justifiez votre réponse.

Un roman « théâtral »

Dans la présentation de cette édition, nous avons souligné le caractère théâtral de *Thérèse Raquin* [1]. De fait, Zola, comme pour nombre de ses romans [2], a lui-même proposé une adaptation théâtrale de son texte. La pièce fut jouée au théâtre de la Renaissance le 11 juillet 1873 ; la tentative suscita l'intérêt de la presse, mais la première représentation fut seulement suivie de quelques autres. C'est à la fin du XIXe siècle et au début du XXe que la version théâtrale offerte par Zola connut véritablement le succès, interprétée en province et à l'étranger (Allemagne, Portugal, Espagne, Angleterre, États-Unis...).

---

1. Voir p. 14.
2. Voir chronologie, p. 33.

Tout au long du XXᵉ siècle, des hommes de cinéma et de théâtre se sont essayés à leur tour à l'adaptation du roman. Assez récemment, l'auteur, metteur en scène et comédien Philippe Faure (né en 1952) s'est livré à l'exercice ; nous reproduisons ci-après le prologue de sa pièce.

L'adaptation d'Émile Zola (1873)

Acte III, scène 5

LAURENT, THÉRÈSE

Ils répètent exactement les mêmes jeux de scène qu'au commencement de la scène 5 de l'acte premier.

THÉRÈSE. – Toi, mon Laurent ! *(Elle se pend à son cou.)* Je sentais que tu allais venir, mon cher amour, je songeais à toi. Il y a longtemps que je n'ai pu te tenir comme cela, à moi toute seule.

LAURENT. – Souviens-toi, tu m'avais pris jusqu'à mon sommeil. Et je rêvais comment ne nous séparer jamais… Cette nuit, ce beau songe est réalisé, Thérèse : tu es là, pour toujours, sur ma poitrine…

THÉRÈSE. – Ce sera une joie sans fin, une longue promenade au soleil.

LAURENT. – Embrasse-moi donc, chère femme.

THÉRÈSE, *se dégageant brusquement des bras de Laurent, avec éclat.* – Eh bien ! non, eh bien ! non… À quoi bon jouer cette comédie du passé. Nous ne nous aimons plus, c'est clair. Nous avons tué l'amour… Est-ce que tu crois que je ne te sens pas glacé entre mes bras ? Tenons-nous tranquilles. Ce serait cruel et ignoble.

LAURENT. – Tu es à moi, je t'aurai, et je te guérirai malgré toi de tes peurs nerveuses… Ce qui serait cruel, ce serait de ne plus nous aimer, de ne trouver qu'un cauchemar à la place du bonheur rêvé… Viens, mets encore tes bras à mon cou.

THÉRÈSE. – Non, il ne faut pas tenter la souffrance.

LAURENT. – Comprends donc combien il est ridicule, après nous être aimés si hardiment ici, d'y passer une nuit pareille… Personne ne viendra.

THÉRÈSE, *avec effroi.* – Tu as déjà dit cela, ne le répète pas, je t'en supplie… Il viendrait, peut-être.

LAURENT. – Veux-tu donc me rendre fou ! *(Elle passe à gauche, et il marche vers elle.)* Je t'ai achetée assez cher, pour que tu ne te refuses pas.

THÉRÈSE, *se débattant.* – Grâce ! Le bruit de nos baisers l'appellerait… J'ai peur, vois-tu, j'ai peur ! *(Laurent va l'étreindre dans ses bras, lorsqu'il aperçoit le portrait de Camille, pendu au-dessus du buffet.)*

LAURENT, *terrifié, reculant, montrant du doigt le portrait.* – Là, là… Camille…

THÉRÈSE, *revenant d'un bond se placer derrière lui.* – Je te disais bien… J'ai senti un souffle froid derrière mon dos… Où le vois-tu ?

LAURENT. – Là, dans l'ombre.

THÉRÈSE. – Derrière le lit ?

LAURENT. – Non, à droite… Il ne bouge pas, il nous regarde longuement, longuement… Il est comme je l'ai vu, blafard, boueux, avec son rire à un coin de la bouche.

THÉRÈSE, *regardant.* – Mais c'est son portrait que tu vois !

LAURENT. – Son portrait…

THÉRÈSE. – Oui, la peinture que tu as faite, tu sais bien ?

LAURENT. – Non, je ne sais plus… C'est son portrait, tu crois… J'avais vu ses yeux remuer. Tiens ! je les vois remuer encore… Son portrait, eh bien ! va le décrocher. Il nous gêne, à nous regarder si fixement.

THÉRÈSE. – Non, je n'ose pas.

LAURENT. – Je t'en prie, va.

THÉRÈSE. – Non.

LAURENT. – Nous le retournerons contre le mur, nous n'aurons plus peur, nous pourrons nous embrasser peut-être.

THÉRÈSE. – Non… Pourquoi n'y vas-tu pas toi-même ?

LAURENT. – C'est qu'il ne me quitte pas des yeux… Je te dis que *ses* yeux remuent ! Ils me suivent, ils m'écrasent… *(Il s'approche lentement.)* Je baisserai la tête, et quand je ne le verrai plus... *(Il décroche le portrait dans un élan de rage.)*

Scène 6

LAURENT, MME RAQUIN, THÉRÈSE

MME RAQUIN, *sur le seuil de la porte.* – Qu'ont-ils donc ? J'ai entendu des cris.

LAURENT, *tenant toujours le portrait, le contemplant malgré lui.* – Il est affreux... Il est là, comme lorsque nous l'avons jeté à l'eau.

MME RAQUIN, *s'avançant en trébuchant.* – Dieu juste ! Ils ont tué mon enfant ! *(Thérèse, éperdue, pousse un cri de terreur. Laurent, épouvanté, jette le portrait sur le lit, il recule devant Mme Raquin qui balbutie :)* Assassin, assassin ! *(Elle est prise de spasmes, chancelle jusqu'au lit, veut se retenir à un des rideaux qu'elle arrache, et reste un instant adossée au mur, haletante et terrible. Laurent, poursuivi par ses regards, passe à droite et se réfugie auprès de Thérèse.)*

LAURENT. – C'est la crise dont elle était menacée. La paralysie monte et la prend à la gorge.

MME RAQUIN, *s'avançant de nouveau, faisant un effort suprême.* – Mon pauvre enfant... Les misérables, les misérables !...

THÉRÈSE. – L'horrible chose ! Elle est tordue comme dans un étau. Je n'ose lui porter secours.

MME RAQUIN, *rejetée en arrière, terrassée, s'affaissant sur une chaise, à gauche.* – Misère ! Je ne peux... je ne peux plus... *(Elle reste roide et muette, les yeux ardemment fixés sur Thérèse et Laurent qui frissonnent.)*

THÉRÈSE. – Elle se meurt.

LAURENT. – Ses yeux vivent, ses yeux nous menacent... Ah ! que ses lèvres et ses membres soient de pierre !

Émile Zola, Thérèse Raquin, III, 5-6, 1873.

1. À quel(s) moment(s) du roman correspondent ces deux scènes ?

2. En comparant le texte théâtral et le texte romanesque, identifiez les procédés de récriture de Zola. Qu'a-t-il dû, entre autres, sacrifier ? Pourquoi ?

3. Quelles possibilités offre le texte narratif que ne permet pas l'écriture théâtrale ?

L'adaptation de Philippe Faure (1992)

Prologue

Coin de nature à Saint-Ouen.

Le soleil est ardent, les ombres tièdes.

Quelque part, un bouquet d'arbres. Des taillis.

Sur le sol, une couche de feuilles rougeâtres.

Ce coin-là est une sorte de trou mélancolique.

Camille et Laurent sortent de l'horizon.

Camille s'évente avec un large mouchoir.

Sa silhouette est malingre, prise dans sa redingote noire.

Laurent, la carrure épaisse, chemise ouverte sur le torse, ruisselle de sueur.

Camille s'accroche au bras de Laurent.

Les deux hommes forment un couple déséquilibré.

Plus loin, on aperçoit Thérèse, droite sous son ombrelle.

Seuls les volants de sa longue robe blanche donnent un semblant de mouvement à la jeune femme.

Thérèse est immobile, en retrait.

Laurent éclate d'un large rire. Il échappe à Camille, s'affale sur le sol avec un cri de satisfaction.

Camille s'allonge à son tour, prudemment.

Laurent siffle.

Puis Camille se redresse. Il est un peu bêtement assis sur son derrière.

Thérèse s'est lentement approchée des deux hommes.

CAMILLE. – C'est beau, Saint-Ouen ! Il faut savoir profiter des derniers rayons du soleil. *(Se retournant et découvrant Thérèse debout.)* T'es plantée comme un tronc. Laisse-toi aller ! *(Un temps.)* Vous entendez le grondement ? C'est la Seine.

Laurent est toujours allongé, s'abandonnant à la nature. Thérèse s'étend sur les feuilles mortes, dans la diagonale au-dessus de Laurent. Les plis de sa robe se relèvent autour d'elle, découvrant l'une de ses jambes jusqu'au genou.

Moi, je vous l'dis, le gouvernement devrait changer tous les îlots de la Seine en jardins anglais, avec des bancs, des allées sablées, des arbres taillés, comme aux Tuileries… Seulement, il en est bien incapable !

Voilà un drôle de gouvernement. Et l'administration… désorganisée au possible. Ce ne sont pas les employés les plus consciencieux les mieux traités, voilà la vérité. S'il ne tenait qu'à moi… *(Un temps.)* Je n'ai pas honte d'être fonctionnaire. Beaucoup ne peuvent pas en dire autant ! Vous dormez tous les deux ?

LAURENT. – Non.

CAMILLE. – Je ne sais pas pourquoi je m'énerve par une aussi belle journée. Il y a des moments où rien ne m'arrêterait. *(Vers Laurent.)* Ah ! si j'avais eu ta constitution… Si j'avais été aussi robuste que toi ! Croyez-moi, je n'aurais pas eu peur de m'engager dans certains combats. *(Un temps.)* Mieux vaut dormir, vous avez raison…

Camille se laisse choir. Le silence s'installe. Quelques secondes plus tard, Laurent relève la tête en direction de Camille. Il étend alors le bras et caresse la jambe dénudée de Thérèse. Il s'étire légèrement vers elle et sa joue frôle la peau tiède de la jeune femme. Puis il se relève, fait quelques pas vers le devant. Il est près d'un taillis. Discrètement, Thérèse le rejoint. Ils sont l'un en face de l'autre. Une étreinte instantanée et brutale les fait basculer sur le sol. Ils roulent passionnément sur les feuilles mortes. Maintenant, ils sont hors de vue de Camille qui, semble-t-il, s'est bel et bien endormi.

LAURENT. – J'ai le sang qui me brûle.

THÉRÈSE *(murmurant)*. – Tais-toi.

LAURENT. – Il y a tant de colère en moi ! J'ai besoin de ton corps. Tous ces jours sans toi me tuent et me tapent sur les nerfs. J'ai la tête lourde.

THÉRÈSE. – Il va se réveiller.

LAURENT. – Je ne veux plus voir sa grimace imbécile. Je voudrais l'écraser d'un coup de talon.

Thérèse ferme les yeux.

THÉRÈSE. – Tu es fou.

LAURENT *(ayant de plus en plus de mal à se contenir)*. – J'ai besoin de ta peau sous mes doigts, le long de ma langue, contre mon ventre.

Thérèse repousse Laurent maladroitement. Laurent sourit bêtement.

Thérèse, J'ai ton odeur dans ma bouche.

Soudain, Thérèse rejoint Camille qui dort encore. Avec un temps de retard, Laurent s'approche à son tour. Il ramasse un brin de paille et chatouille cyniquement le nez de Camille qui se réveille en éternuant.

CAMILLE *(d'excellente humeur)*. – Je crains les chatouilles… Demande à Thérèse si tu ne me crois pas. *(Celle-ci est de dos. À Laurent.)* Je t'aime parce que tu sais être gai ! Moi je ne sais pas. Je grogne. J'ai toujours été vieux. Ce sont les vieux qui sont usés. J'ai grandi au bord de l'épuisement.

Une chanson résonne, sorte de ronde enfantine. Camille excité.

Ils dansent, là-bas ! *(À Laurent, cherchant sa complicité.)* Par ici, les chemins débordent de filles endimanchées. *(Changeant de ton et toujours à Laurent.)* Je suis sûr que tu es capable de soulever la grosse pierre, là ! Vas-y ! Thérèse, demande-lui de la soulever. *(À Laurent, encore.)* Pour me faire plaisir ! Laurent, s'il te plaît.

C'est à contrecœur que Laurent soulève la pierre.

Il la rejette aussitôt. Camille rit de contentement. À Thérèse.

Tu n'as pas faim ?

THÉRÈSE. – Si.

CAMILLE. – Alors, en route ! Il doit bien y avoir une gargote au bord de l'eau… Et tant pis pour les odeurs de friture !

LAURENT. – Dis-moi, Camille, si nous allions faire une promenade sur l'eau avant de nous mettre à table ?

CAMILLE *(hésitant)*. – Comme tu veux. Mais Thérèse…

THÉRÈSE *(l'interrompant)*. – Je peux attendre.

LAURENT. – Peut-être que le cabaretier loue des canots.

CAMILLE *(mal à l'aise)*. – Je suis comme les femmes et les enfants, j'ai la terreur des eaux profondes. *(Un temps. À Laurent.)* Il y a des chances pour que tu sois un nageur intrépide…

LAURENT. – … Et un rameur infatigable.

CAMILLE. – Tout de même !

LAURENT. – Pour une fois, cesse de trembler.

CAMILLE *(se faisant violence)*. – Allons-y… *(Il répète en grommelant.)* Allons-y.

Philipe Faure, adaptation théâtrale
de *Thérèse Raquin*, © Actes Sud, 1992.

1. À quel passage du roman ce prologue renvoie-t-il ? En comparant les deux extraits, mettez en évidence les transformations que Philippe Faure a fait subir au texte de Zola.

2. Selon vous, pourquoi le dramaturge a-t-il choisi de commencer sa pièce par cette scène ?

3. Qu'est-ce qui donne à ce passage un caractère particulièrement théâtral ? Justifiez votre réponse en tenant compte aussi bien du texte que des propositions de mise en scène suggérées par les didascalies.

Création maquette intérieure :
Sarbacane Design.

Composition : In Folio.

Dépôt légal : août 2012,
numéro d'édition : L.01EHRN000326.N001

Achevé d'imprimer en Italie
par Grafica Veneta S.p.A.